U0837196

国家出版基金项目
NATIONAL PUBLICATION FOUNDATION

《三联经典文库》

第二辑

2012 年国家出版基金项目

《三联经典文库》编辑委员会名单

学术顾问：吴敬琏　金冲及

编委会主任：樊希安

编委会副主任：李　昕　潘振平　翟德芳　常绍民　张作珍

编委会成员（按姓氏笔画）：

王忠义　尹昌龙　石晓光

卢　岳　叶　彤　田文生

曲柏龙　朱利国　刘　强

刘　靖　孙　漩　李　昕

李　峰　李永臻　李国庆

李学军　李湛军　吴文胜

张　荷　张作珍　陆　皎

林疆燕　罗　勇　周　斌

郑　勇　郝大超　袁淑芹

唐思东　涂　华　曹永平

彭　云　舒　炜　詹那达

蔡立国　翟德芳

樊希安　潘振平

三联经典文库

182

革命文豪高尔基

[美] 亚历山大·康恩 著　　韬奋 编译

生活·讀書·新知 三联书店

Chinese Copyright © 2014 by SDX Joint Publishing Company.All Right Reserved.
本作品中文版权由生活·读书·新知三联书店所有。未经许可，不得翻印。

图书在版编目(CIP)数据

革命文豪高尔基 / 韬奋编译. -- 北京 : 生活・读书・新知三联书店, 2014.1
（三联经典文库. 第2辑）
ISBN 978-7-108-04597-3

Ⅰ. ①革… Ⅱ. ①韬… Ⅲ. ①高尔基, M.（1868～1936）－传记 Ⅳ. ①K835.125.6

中国版本图书馆CIP数据核字(2013)第152224号

182 革命文豪高尔基

责任编辑　戴云波
封扉设计　蔡立国
责任印制　宋　家
出版发行　生活・讀書・新知 三联书店
（北京市东城区美术馆东街22号）
邮　　编　100010
经　　销　新华书店
印　　刷　北京鹏润伟业印刷有限公司
版　　次　2014年1月北京第1版　2014年1月北京第1次印刷
开　　本　787毫米×1092毫米 1/32　印张 17.75
字　　数　252千字
定　　价　64.00元

《三联经典文库》出版缘起

适逢生活·读书·新知三联书店八十华诞，为弘扬传统，接续文脉，回报读者，服务社会，我们决定策划出版《三联经典文库》。

1932年7月，生活书店在上海创办，此后，读书出版社和新知书店相继成立。本文库第一辑、第二辑所选图书，来自于这三家出版单位及其分支机构，以及1948年生活·读书·新知三联书店成立后的出版物，始于1932年，截至1951年，两辑各一百种。此为第二辑，涉及政治、经济、社会、军事、思想文化诸领域，涵盖专著、文集、散文、小说、诗歌、传记、报道等体裁，既有直面现实、追求真理、讴歌真善美、抨击假恶丑的原创作品，又有引介世界各国先进文化、传播新知、开启民智的迻译之作，真实记录了那一代知识分子的思考与探索、理想与愿景和对中华民族文化传承与创新所做出的努力与贡献。

本文库所辑入各书，多为名家名作，在版本方面，以初版一印本或经著译编者审定、修订、增订过的版本为首选，因此本文库又具有较为珍贵的版本价值和收藏价值。

本文库还将编选续辑，使之成为恢弘文化工程。诚挚希望读者给予批评和指正，帮助我们完善编选工作，再现三联经典作品之风采。殊为遗憾的是，由于年代久远，一些原著译编者及其后人未能取得联系并奉付稿酬，诚盼版权所有者与我们联系。祈愿三联前辈所创造的精神财富能薪火相传，为中华文化的伟大复兴增光添彩。

《三联经典文库》编辑委员会

2013 年 8 月

凡　例

一、本文库为重排本，由繁体字竖排版改为简体字横排版。

一、以忠实于原作、整旧如旧为编辑原则，对当时使用的专有名词、外文译名，以及民国时期的语言和特色予以保留。

一、原书注释如旧，编者所出的注释，均以“编者注”标明，以示与原书注释的区别。

一、对原书残缺或字迹漫漶之处，以□示代。

一、对繁简文本转换时的“如右”、“见左”一类，对应改为“如上（前）”、“见下（后）”。

一、对原书中各种错讹脱衍之处，直接订正，不再以其他符号标示。

一、对数字、标点符号的用法，在不损害原文语义的情况下，做必要的规范。

一、本文库各书均前插原书书影、原书版权页和文库版“本书出版说明”。

一、本书出版说明的撰写，以客观中立为原则，扼要介绍本书的内容、版本流转、著译编者的情况。

本书出版说明

本书系我国现代著名出版家与翻译家邹韬奋先生（1895-1944）在第七卷《生活周刊》的末了几期刊载数篇介绍高尔基生平的文章引起读者兴趣后，遂根据美国加利福尼亚大学俄国文学教授康恩于1931年出版的《高尔基和他的俄国》，从1932年11月1日起，于百忙中编译而成。初版于1934年，后来又经多次再版、修订。全书共分六编二十五章，生动而翔实地记述了高尔基从儿童时代的孤苦与自立，到青年时代的飘泊与艰辛，再到成为著名作家后所获得的声誉与所从事的形形色色的政治、社会活动。书中描写高尔基如何在恶劣的社会环境与严苛的生活条件下渐渐培养其对人性的深刻洞察力，从而在文学创作上通过自身的努力逐步得到文坛的注目，特别于高尔基天性中的仁爱，那种对普罗大众的深切理解与关怀，那种虽倾向革命但对知识、对科学、对文化及对掌握这些知识文化的知识分子天然的敬畏与呵护乃至不惜与任何破坏文化、迫害知识分子的当权者进行坚定的抗争等都作了细致而令人动容的记述与描绘。

原书著者美国加利福尼亚大学俄国文学教授康恩除由俄文书报及高尔基的原著中搜集许多确切的材料外，还曾亲往高尔基的休养地意大利加波的索棱托住一个夏季，与高尔基及左右的人晤谈。韬奋先生译本由韬奋出版社初版于1934年4月，本次“三联经典文库”本根据1946年3月抗战胜利后第一版。译者根据原著在书中附有“高尔基著作一览”，并标明中、英文译本、译者及出处。

生活·读书·新知三联书店

2013年8月

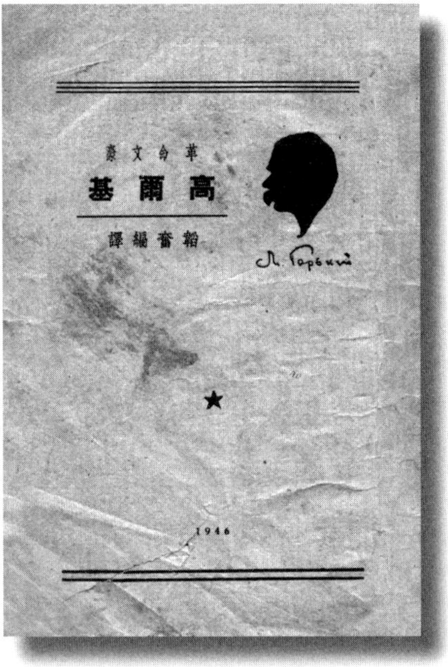

韬奋出版社 1946 年 3 月版书影

革命文豪

高爾基

每冊實價國幣

原著者 美·亞歷山大·康恩（Alexander Kaun）

編譯者 韜奮

出版者 韜奮出版社

總經售 生活書店 重慶·上海

版權所有·不准翻印

中華民國三十二年四月初版

中華民國卅五年三月勝利後第一版

(63) S. 1—3000

原书版权页

目次

插图目次

高尔基

高尔基的演讲　勃罗特斯基画（1928 年）

第一编　儿童时代

第一章　五岁做了孤儿

物质的环境支配人的力量诚然是很大的，但是人对于环境——无论是怎样黑暗的环境——的奋斗，排除万难永不妥协的奋斗，也能不致为环境所压倒，所淹没。我叙述高尔基的生平，时时在我的脑际引起这样的感想。

高尔基所能追忆的最初的印象，就充满了他一生和艰苦为缘的预兆。当时他才五岁，和父母同住在阿斯脱拉罕（Astrakhan）。该地为通达欧亚两洲的孔道，向以渔业著名，因一般平民的不卫生的生活，虎列拉疫症盛行；高尔基患着这病，幸而渐渐的痊愈，不幸又染给他的父亲，一病不起。他只见他的父亲的尸身躺在地上，不明白为什么他的父亲的平日令人感觉愉快的眼睛紧紧地闭着，上面并用了铜板遮盖着；也不明白为什么他的母亲平日总是恬静而整洁，那时衣服却仅穿上一半，披着散发，泪如泉涌地替父亲梳头。同时他瞥见一个向未见过的人也在房间里，使他一肚子怀着鬼胎的，是这个人生着一个轻松柔软的大鼻子，黑的头，和她所说出的怪有趣的话。这不是别人，就是他的外祖母，对于高尔基的一生有很重要影响的一个人，这是后事，随后再谈。当葬坟的人刚把尸身抬出去的时候，母亲忽觉腹中剧痛，原来她有了身孕，适在此时分娩。高尔基看见一个人好好的会紧闭着眼睛不动，已觉得是一件莫名其妙的神秘，他此时躲在一个箱子后面，由那里眼巴巴的望着另一件神秘，见有一个人产生出来。他其次所能追忆的，是当着一个雨天，和外祖母同在一个坟上送他的父亲下葬，看见一个深坑，底下软泥中放着一个黄色的棺材，棺材盖上有几只田鸡在跳跃着。外祖母哭得好哀。这个五岁的小把戏看见大人们哭，又觉得奇怪；尤其觉得奇怪的是外祖母问他为什么不哭。因为在此时以前，家里的大人们总是常常训戒他不要哭。

当他们离开坟墓的时候，外祖母问道：“你为什么不稍为哭一下呢？”

高尔基说：“我不觉得好哭。”

“好，你不觉得好哭，就不必哭罢。”外祖母轻微的喃喃的说着。

高尔基对他的父亲的印象是很模糊的，但是从他所著的《儿童时代》一书以及自传里面的零星散见的记述，我们可以知道他的父亲至少有一个特性和他的儿子是相同的，那就是大胆的不妥协的精神。他的祖父是尼哥拉斯第一的一个横蛮的兵士，他的父亲在儿童时代就由他的祖父家里逃出过五次，他的祖父带着猎狗在西比利亚的树林里追赶他的父亲，赶到之后，便把他的父亲鞭挞得几乎死去。终于经过许多的冒险和苦楚，他的父亲在十六岁的时候逃到尼斯尼诺伏格拉城（Nishni Novgorod）从一个木匠师傅当学徒，四年之后，成为一个细木工人，家具商，屋内装饰的工匠。在他的店铺的隔壁有一家姓嘉西林（Kashirin）的开的洗染衣服店，因相处毗邻，麦仙·皮西科夫（Maxim Peshkov）——高尔基的父亲的名字——便和那家的女儿佛发拉·嘉西林（Varvara Kashirn）发生恋爱。这一对伉俪，便是原名阿勒赛·皮西科夫（Alexey Pe-shkov）而以笔名高

当年尼斯尼诺伏格拉的伏尔加河码头，高尔基儿童时代曾在这里过“独立的街上生活”。

在尼斯尼诺伏格拉的高尔基外祖父底家

尔基（Maxim Gorky）闻名于全世界的革命文豪的父母。

他的外祖母常在漫漫长夜里把她的歌曲，神话，和关于往事的美丽和智慧的追想，灌输到小小高尔基的急于求知的脑里去。她曾在这样的一个长夜里，把他的父亲的求婚和结婚的情形说给他听。有一天她和她的女儿佛发拉在果园里拾取覆盆子，麦仙忽来向佛发拉求爱。他由篱笆上爬过来，走近她们，同在苹果树下走着。当时他的父亲穿着一件白的外衣，毛绒裤子，赤着脚，不戴帽，头上有一条皮带束着头发，学着印度的式样。他并未经过什么导言，就突如其来的向她的女儿求婚。佛发拉躲在一棵苹果树后面，红霞双颊，不胜娇羞，和她的手上所拾得的覆盆子一样。依外祖母当时看来，这个求婚简直是笑话，是毁谤。为什么呢？因为佛发拉的父母是从伏尔加河驳船伙计的苦楚生活慢慢的爬升到一个洗染衣服店老板的崇高位置，是一位受人恭敬的公民，而且连着荣任三期的洗染业公会的会长，有了四所屋子的财产。他素有志愿要把他的漂亮的女儿嫁给一个贵族，增光门楣。所以这个时候，外祖母看见这位西比利亚的漂泊者那样鲁莽求婚，为之惊惶失措。她将要举手把他打一顿。刚在这个当儿，佛发拉挺身出来，自承她和麦仙实际上已结婚了好几时了，请求她的母亲准许追认，由一个牧师正式替他们举行婚礼。外祖母这个时候怎么办呢？她像煞有介事的把这对肆无忌惮的男女假打一顿，然后替他们布置一种秘密的婚礼。但当她看着麦仙和佛发拉刚乘着车子往教堂去的时候，有些好事的流氓却把这个消息传给外祖父知道。这位骄慢的洗染业公会会长听见了大发雷霆，咆哮吵闹，立刻招集他的两个儿子，偕同报告消息的人和马车夫，叫他们都备好武装，并吩咐把马车驾好，准备追逐那对淫奔的男女。据外祖母告诉高尔基说，在这危急之际，全靠保护佛发拉的安琪儿启示她执行这样的救急法：她拿到一把刀，把车上的皮带割了一段，使在途中要突然断坏。果然，后来到了中途，出了毛病，追赶的几个人几乎跌死。他们停顿着费了许多时候修理，等到修好赶到教堂的时候，佛发拉和麦仙的婚礼已经举行过了，于是接着就是一顿混战，结果麦仙打得很好，远非他们所能及，把他们都打退了。外祖父对佛发拉大呼从此永诀，不再认她做他的女儿。他老人家回到家里之后，又把气出在外祖母身上，把她打骂一顿！她呢，只忍痛呻吟，不敢说一句话，她想什么事总要过去的，注定的事总是避不掉的。她以为怨恨不过好像冰一样，到了温暖的时候便消化了。

外祖母的好心肠所散射出来的“温暖”能把冰山都消融了，她的暴躁如雷的丈夫后来居然也软化了下来，允许这对新婚的小夫妇和他们同住。高尔基就是在这个地方于一八六八年三月二十八日生的。外祖母后来和高尔基谈起当时她的女婿和她同居时的相得情形，追念前尘影事，还不胜唏嘘叹息，因为她很爱他，比对她自己的两个野蛮的儿子密凯尔（Mikhail）和亚科夫（Yakov）爱得多了。麦仙的为人也的确可爱。他的儿童及幼年时代虽经过许多愁苦，但是他的天性却是愉快活泼而慈爱的，尊重自己，并尊重别人——这在当时的环境中实在是极难得的特性。他的仪表秀美，体格雄伟，聪明而伶俐，使得生活轻易愉悦而圆满，有歌有舞，夹以谑而不虐的谈笑风生。他对于外祖母特别忠诚，每挽着她的臂膊，对佛发拉开玩笑，宣言他更喜欢她的母亲。

但是这个可爱的麦仙却被他的两个舅子所怀恨，

也许因为他们缺乏麦仙那样使人亲爱的特性，并且嫉妒他也分有一份父亲的遗产。他们两人把他骗到一个充满冰块的河滨，假说同去滑冰，到了之后却把他推到冰洞里面去。当他要爬上来的时候，他们竟忍心用很重的靴跟踢打他的手指。他只得极力设法飘流着，等他们去了之后再上来。后来那两个残忍无比的舅子相信他已溺死了，才去。然后他费尽气力，很困苦的爬到冰块上面，勉强捱到一个警察所。警察把白兰地替他摩擦，送他回家，当时他已冰得全身发蓝紫色，手指皮破血流，两鬓头发已变白色了。但他在警察所里却很谨慎的不把这个惨剧的原因给警察知道，假说是他自己失足跌下去的。外祖母和佛发拉知道了当然不答应，打了密凯尔和亚科夫几个耳光，外祖父也嘱令他们向麦仙赔不是，求他饶恕。但是麦仙对他们并不怀恨，只在养病的几个星期里面偶尔对外祖母说过几句这样的埋怨的话："他们为什么这样的待我？我有什么事对不住他们呢？到底什么缘故，妈妈？"不久之后，他得着一桩生意，因为俄皇曾驾临阿斯脱拉罕，要在那个地方造一个凯旋门以资纪念，他得着这桩建筑的生意，于是便带着家眷离开尼斯尼诺伏格拉而到阿斯脱拉罕，这事在佛发拉当然觉得异常的愉快。不料几年之后，麦仙竟因受着高尔基染给他的虎烈拉疫症而一病不起。外祖母乃奔往该处把他的家眷带回尼斯尼诺伏格拉。这时候高尔基才五岁，途中大觉旅行之乐，由船旁圆洞中纵览伏尔加河两岸的风物，吸收了许多新印象。他此时不知道失了父亲之可哀，只觉得奇怪的，是在途中他的尚在婴儿时期中的小弟弟的尸身，因为母亲的遗腹子竟在中途物化，他们打算这艘船一停泊到萨拉托夫（Saratov）的时候，就把他安葬。

高尔基追述他的父亲，总暗示着爱，甚至觉得自豪，并充满着同情。但讲到他的母亲，虽则他知道她的时间更久，而且关于她的记忆也更清晰，可是他追述他的母亲，总含着悲痛的好奇心，始终自疑他对于母亲的理会的能力。佛发拉对于她所首生的孩子的情爱似乎并不浓厚，有许多时候她不是离开他，便是对他淡漠得很，这是她的孩子所深切感觉到的。也许他的母亲觉得她这样凄惨的境遇，都是由于他的原因，因此不免心里怀恨。母亲到了娘家之后，外祖父对于这青年孤孀的暴躁行为虽加以容忍，但他仍想执行俄俗赋予的无上父权，他想强迫她再嫁给一个家道小康的钟表匠。在高尔基所描写的许多奇异人物里面，这个想吃天鹅肉的钟表匠也在里面。他是一个静默的，秃头的，只有一只眼的人物，穿着一件长的黑外套。“他常来坐在房间的一隅，把头湾在一边，用一个手指撑着他那剃胡子剃出裂口的下巴。”他的皮肤颇黑，两眼呆望着人尤其特别。他很少说话，常常重复着说：“不必麻烦，不要紧。”小高尔基在他面前觉得很不舒服，常用好奇而夹着恐怖的眼光对他望着。他的外祖父虽多方威迫母亲嫁给这个钟表匠，她坚决的拒绝，终亦莫奈她何。母亲的身世，在高尔基著作中零星见着的却也很悲惨的。她原是一个很强毅，美丽，富有独立性的女子，但后来竟由她自己选择而遇人不淑，以致潦倒终身。她后由自己选择再嫁给一个大学生，名叫马克锡莫夫（Eugene Maximov），他是个贵族。这样的一个聪明的女子，会自愿嫁给那样一个虚有其表的小人，除了虚荣心外，得不到别的解释，无非是绅士阶级的环境引诱了她。她随着她的丈夫到莫斯科去，但不久他把所有的财物都输在赌博里去，他们不得不回到尼斯尼诺伏格拉，过着极窘迫的生活。高尔基当时和他们住在一起。他看见他的母亲从前是个出类拔萃的美丽的母亲，此时似乎一变而为另一种的妇人，变成了一个多愁萎靡的懦妇，横受她的丈夫的诅骂讥讪，忍辱含垢，饮泣吞声，他那个小小的心坎不禁为他的母亲感觉异常的苦痛。她的精神和身体都为着心绪混乱而颓唐憔悴。而他的后父竟变本加厉，公然讥笑他的怀孕的妻子的身体形状，并不掩饰他和其他妇人轧姘头，最后竟照通常俄人待遇妻子的办法，时加鞭挞痛打。我们从高尔基所著的追述中，可以看出他在当时对于母亲所受的侮辱，只居于一个无能为力的旁观者地位，其惨苦为如何！他对于他的母亲的爱，随着她所受的苦楚而俱增，但是她的冷淡态度不许他亲近。她很少对她的儿子表示真正的爱。有一次他在隔墙听见母亲因为后父又打算要到他的姘妇那里去，力加劝争。他听见母亲抽抽咽咽的哭着，并时时咳嗽——她的肺部已患了痨病，不久以后就因此病而死的。高尔基一直在隔墙听着，忽然他听见打的声音。他冲过去，看见母亲跪在地下，背和臂靠在一张椅上，头往后仰，胸部挺出，喉中惨呼着，眼光闪烁可怕；而后父却穿着一件耀武扬威的新制服，用他的长脚对准她的胸部踢去。这个孩子愤不可遏，在桌上抓着一把刀，用尽气力狠狠的向着他刺过去。总算他的后父的幸运，被母亲极力把她的丈夫推开，结果那把刀只撕破了他的外衣，擦破些他的皮肤。当夜母亲到高尔基所住的近灶边的狭隘的地方，抱着他吻着，抽抽咽咽的哭起来，且哭且呜咽着说道："你要饶恕我，我觉得犯了罪。"当她责他不该刺击他的后父的时候，高尔基很镇静的对她说，他当时打算先刺死马克锡莫夫，随后刺死他自己。这个六岁的孩子，已抵御过不少的暴行和卑劣的行为，他的这句话却是字字老实，敢说就敢做的。

闯了这个祸之后，高尔基不得不回到他的外祖父的家里去。不久他的母亲也回来，带着她的患病的婴孩，过她寂寞苦痛的残生。高尔基十岁的时候，她就因肺病而死了。她逝世之后，那个婴孩也活着不久，虽有高尔基爱护照顾他。

高尔基的儿童时代几全在他的外祖父的家里，我们在下章里面将要谈谈嘉西林的家族状况。

第二章　外祖父的家里

高尔基对于他的外祖父母的追忆，比对于他的父亲来得完全而明晰，因为他和外祖父母相处的日子久些，参加他们的日常生活也亲密些。他对于嘉西林家族情形的追述，尤其值得我们注意的，是嘉西林的家族，无论是其中的个人，或是当作一个集体看，都可反映当时俄国一般人民的生活，复杂和矛盾，仁爱和野蛮，宗教和德性，粗暴和美丽，形形色色，历历如绘。

高尔基五岁失父之后就和外祖父母同住，他最初就感觉到的是外祖父母的外表和内心都有很大的差异。在他追述中最初所记忆的，是在死父尸旁挽着外祖母的手，当时但觉得她是个“圆圆的大头的妇人，生着一副奇大的眼睛，一个好玩的轻松的鼻子；全身穿着黑的，软的，怪有趣的”。他立刻觉得她可亲近，觉得她可爱；

他看她在母亲生产小弟弟的时候，在他的父亲安葬的时候，在伏尔加轮船里面，由阿斯脱拉罕动身往尼斯尼诺伏格拉的途中，处处表现她的力量和同情，他对于外祖母的羡慕愈益增加起来。至于他对于外祖父的最初印象呢，据他说当他们到了码头的时候，外祖父领导着嘉西林家人来迎接，他看见外祖父是“一个小小的枯萎的老头儿，穿着一件长的黑外衣，生着短胡子红得像金子一样，一个尖锐的鼻子，一对绿眼睛”。这个老头儿对于高尔基的批评，第一句便说他的颊骨像他的父亲。这也许是这个老头儿觉得高尔基的父亲非他同类，于是妄生猜疑，觉得和他隔膜，现在批评高尔基的颊骨像他的父亲，不过反映他对于高尔基也怀着一肚子的鬼胎。当时小小的高尔基也觉得对于那一群人合不来，尤其觉得讨厌的是外祖父。

外祖母使高尔基终其身爱她。照高尔基所描述，外祖母也的确令人敬爱。软软的，圆圆的，宏量的，简易的，直率的，她对世界，自然，和一切众生，都只有惊奇与爱，她所说的话所做的事都使人称心适意。在途中船面的时候，高尔基就觉得和慈祥亲爱的她接近，精神为之抖擞，心神为之快慰。她能使和她接近的人都消除怨恨和卑鄙，就是船上粗暴的水手，由于她的和爱与幽默，也都被她克服。尤其使高尔基倾倒的，是她所告诉的种种故事。无论她所谈的是关于鬼怪妖魔的故事，或关于圣人战士的野史，或关于她自己往事的追忆，高尔基都听得如痴如醉，心神向往，听完一桩又要求她再说一桩。高尔基曾经说过："她对于世界的不夹私己的爱，使我对于困苦的生活增高着充满着坚毅勇敢的态度。"

高尔基五岁后的生活无时不在艰苦困难中，确实需要贮蓄有坚毅勇敢的精神，才能应付抵抗，不致被惊涛骇浪所沉没。五岁以前，在他的父母庇荫之下，享着充满愉悦慈爱的生活，五岁以后，便陷入怨恨猜疑和粗暴的环境中了。这个五岁孤儿的儿童命运固已惨苦，就是他的幼年和青年时代也一样的窘困，总而言之，他所遇的环境，在常人只有摧残自尊的心意，损坏创造的能力和个性。假使没有外祖母的提携诱掖的力量，谁敢说阿勒赛·皮西科夫后来竟能一跃而为名震寰宇的高尔基呢？

这个早慧而富于观察力的孩子，到了外祖父的家里不久之后，他就感觉到他的那位外祖父的家庭“是浸在彼此互相敌视的热雾中，大家和大家作对；不但成年人染了这样的恶习，就是小孩子们也参加在里面”。后来他还知道，当他们从阿斯脱拉罕到的时候，他的两个舅舅，密凯尔和亚科夫，尤其不高兴，咆哮吵闹，要他们的父亲立刻把家产分析，这里面包括佛发拉的嫁奁，因为她当时算是秘密淫奔，曾被老头儿扣留未给的。关于这次的吵闹，高尔基后来曾有下面一段绘声绘影的追述：

我们到了不久以后，大家正在厨房桌上用膳的时候，一顿大吵闹爆发起来。我的两个舅舅突如其来的跳起来，把身体伸出靠在桌上，开始对着外祖父咆哮谩骂，切齿痛恨，把他们的身体震摇得像狗一样。外祖父也为之大怒，面红耳赤，拿着木制的汤匙向桌上乱打，急叫得像公鸡一般：

“我要把你们驱逐出去，一文钱不给！”

外祖母愁眉双锁，苦痛万状，对老头儿说

道:“父亲，索性把一切都给他们，那末你可得安闲了，把一切都给他们吧！”

“不许胡说，你这个纵容罪过的人！”外祖父双眼炯炯的闪着，高声急叫。所可奇怪的，是以他那样的小个儿，居然能够那样急叫得使人震得耳聋。

母亲从桌旁立起来，不慌不忙的走到窗下；背转过来，背着我们许多人。

倏然间舅舅密凯尔举起他的手背打他的弟弟的脸。这位弟弟便咆哮着抓住密凯尔不放，于是他们俩就扭着同在地上打滚，彼此怒骂着，哀哭着，诅咒着。小孩们也开口大哭了；舅母纳塔利亚（Natalia）正有孕在身，锐声狂号；我的母亲急急的揽抱着她，把她拖开到别地方去；笑嬉嬉的麻脸的仆妇郁真尼亚（Eugenia）把孩子们统赶到厨房外面去：凳子都打得天翻地覆了；年青肩阔的学徒齐根诺克（Tsiganok）直坐在舅舅密凯尔的背上，同时工头古立哥利（Gregory），一个秃头有须戴着黑眼镜的脚色，静悄悄的用一条毛巾缚着舅舅的两手。

舅舅密凯尔伸长着脖子，用他的黑胡子在地上乱擦，喉咙里乱嚷得可怕。此时外祖父围着桌子跑，很痛苦的急叫着：

“哼！这算是弟兄！这算是骨肉！哼！你……”

至于我呢，在争闹开始的时候我就吓慌了，拼命爬到灶上去，从那个地方，我很害怕而惊异的看见外祖母怎样替舅舅亚科夫被铜洗衣架打伤的脸上的污血洗去，又看见他还顿着脚哭着。外祖母大声哭喊：

“叛徒们，野蛮人，醒醒吧！”

外祖父手拉着在争打中撕破的衬衫，对外祖母喊道：

“好，老丑妇，你替世界上生出了好畜生！”

当舅舅亚科夫离开厨房的时候，外祖母冲到悬着神像的一个角上，伤心号哭道：

“至圣的圣母啊！请你使我的孩子们醒悟吧！”

外祖父向她立着，睨视着那张桌上，在那上面的东西都打得落花流水，倒得一塌糊涂，很轻柔的对外祖母说道：

“母亲，随时看着他们，否则佛发拉不胜阿兄们之吵闹，恐怕她觉得人生乏味啊。”

“你说什么，我但望上帝助你！你还是脱下你的衬衫，让我把它补好吧。”

她用她的两个手掌抱着他的头，吻着他的前额：他——和她一比，那么小——伸着他的脸伏在她的肩上……我在灶上很呆笨的转了一个身，把一个铁熨斗牵倒了，砰砰硼硼落下去，掉在一个溢出的污水桶里。外祖父跑上来把我拉下去，对我呆望着，好像第一次看见我似的。

“谁把你弄到灶上来？母亲吗？”

“我自己。”

“你撒谎。”

“不。我自己，我吓慌了。”

他把我推开，用他的手掌轻轻的打着我的前额。

“难父难子！离开这里吧！”

我巴不得跑出这个厨房，一溜烟的就逃了出来。

我们看了上面的记述，便知道当时嘉西林家族中乌烟瘴气的概况了。这便是高尔基加入嘉西林家族生活的“引进仪式”！这也就是足以代表当时中下阶级一般的俄国人的家庭生活。上面所述的一段全武行喜剧，还是高尔基初次遇见的把戏，随后还有许多更粗蛮更残虐的事情。其中尤其荒唐的，在未受教育的俄国人里面，打妻子是一个人出气的自然的出路，外祖父自己就乐此不疲，但说也奇怪，他却不许他的两个儿子这样干，所以，亚科夫不得不在夜间钻在被窝里的时候，秘密中执行他的大丈夫的责任！密凯尔也因为束缚在外祖父的严命之下，悻悻不平，也只在夜里打他的妻子。他的妻子就是在上面所述全武行中被高尔基的母亲拖开的纳塔利亚。

当时外祖父责成她教授高尔基做礼拜用的祝祷词，高尔基对于这个面色苍白而胆小，生着一副小孩子似的脸和眼睛的舅母，觉得奇异。好几次他看见纳塔利亚的眼睛下面青肿，黄脸上嘴唇也发肿，向外祖母询问原因，她说这些符号都是密凯尔的夜间手工的成绩！纳塔利亚后来因难产而死了。

密凯尔和亚科夫曾经吵闹要分家，这在上回已经说过，后来他们终得如愿以偿，分析别居，外祖父自己购置了“一所大的有趣的屋子”。在这所新屋子的地上一层，有个广大的厅，还有一个果园，由这果园可以达到一个草木繁茂的山谷，从那里常有邻近顽皮的孩子把石子向着这家善于吵闹的新主人抛掷进来。外祖父第一次视察这个山谷的时候，他以臂膀触动着高尔基，欣然望山坡长满着的柳树丢眼风，说那里打人用的树条儿倒不少。停一会儿，他警告高尔基，说他要开始教他ABC，那些柳树枝将有应用的需要了。

这所新屋里阁楼的一个房间，便由外祖母和高尔基住着。从这个房间的窗口，这个孩子在教育上的补充材料，便是看醉汉在街上灰尘中打滚，拖着身体跑到酒店里去，或被抛掷出来，好像一袋一袋的面粉一样。这个好奇喜事的孩子从上面俯瞰一切，看得津津有味。

外祖父的新宅迁入未久，诟谇争斗的声名已震动四邻。几于每到星期日，就有许多顽童先则聚在他的大门口，继则扬长过街，兴会淋漓的高嚷着道："嘉西林的家里又在打架了！"此时已分居的舅舅密凯尔往往在夜里出现，有时独自一人来，有时带着几个酗酒的流氓，开始围攻这所新屋。当这时候，谩骂恐吓的嚷声震荡空中，无数大石子往门窗上抛掷，树木和外面的浴室都被损坏不少。密凯尔究竟为着什么这样捣乱，莫名其妙，也许因为心里还想要外祖父所余下的产业而满不高兴。无论如何，他几于成为老例，往往于夜里在树角后面出现，喝醉着酒，满身肮脏，领导着流氓和他的父母家里捣乱，谩骂他们，有时竟敢用梭镖或木棍把他们打伤。外祖父远远的看见他的阔儿子来了，也往往招集几个助手自卫，潜伏着伺他过来。这个时候，他愤怒已达极点，但对于一点却能冷静，即吩咐左右打的时候只可以打他的儿子的手和腿，千万不可打他的头部。有一次在这样的夜里，外祖母把她的手臂从已被密凯尔打碎的玻璃窗口伸出去，示意叫她的儿子赶紧跑开逃命，对他说看着耶稣的面上，赶紧逃命，否则恐怕他们要分裂他的四肢哩。回答这个好心的示意，密凯尔却来着一大阵臭骂，他的尖棍打着外祖母的手臂，打伤了她的臂上骨头！

每遇着这样的打骂活剧，街上的人都当着好戏看，快乐得什么似的，见惯了竟当作一件寻常的事情。其实高尔基早就感觉到附近人民的残忍卑鄙简直成为普遍的习惯，以损害彼此为乐事，不但身体上的损害，就是种种间接的恶作剧，如毒杀邻舍的狗，割去邻舍的猫的尾巴，或杀掉别人的鸡，或把火油倒入别人的装着腌好的蔬菜或黄瓜的木桶，也觉得是趣事。高尔基不懂他们这样残虐行为的原因何在，曾举以询问外祖母，她揶揄着说他们并无恶意，不过愚蠢罢了。他们的生活太苦，借此发泄发泄罢了。

在这种乌烟瘴气的环境中，偶有好人便如仙人了。这种好人，在当时高尔基所碰着的，不出一只手上的手指的数目。第一个是学徒齐根诺克，他是一个生得黑黑的孤儿，外祖母爱他胜于她自己的儿子。他为人和善而伶俐，很驯良的听人剥削，每遇着外祖父打高尔基的时候，他往往出于很简单的心理，把他的手臂放在外祖父的木棍下面，使他打不着高尔基。他是嘉西林家里最有趣的一个人物，不过他却死得很惨，是高尔基的两个舅舅把一个墓上用的很重的木制十字架，恶作剧的放在他的头上，他不胜压力之重，滑一脚跌下去便压死了。外祖父看见他死在地上的时候，大骂他的两个儿子，因为他们毁坏了他的一个无价的工人。在高尔基却失却一个好友，一个良伴，这种损失是无可恢复的。

此外便是工头古立哥利，他是个很和善的人，嘉西林家族因使他工作得太苦，竟掠夺了他的健康和视力。他对于高尔基很好，每谈起他的父亲麦仙，辄致敬仰之意，并和高尔基谈及嘉西林家中的种种情形和恶习，使他更为明白一切的内幕。不过高尔基对于他的友谊并不觉快乐，因为他的那副苦相，红的眼睛上面戴着一副黑眼镜，秃着头，混乱着胡子，他看了觉得替他难过。后来古立哥利的眼睛全盲了，在街上跑来跑去唱歌行乞，更为可怜，高尔基一听见他的声音就为之抖颤，避着不愿遇着他。

此外还有一个好人在当时高尔基心目中也曾有过昙

花之一现，那便是一位生着苍白鼻子的科学家，在嘉西林家中寄膳宿的。他是向来沉默不大开口的，因为无论你问他什么或说什么，他总喜欢用“好生意”一句话来回答你，所以大家就替他上了一个绰号，就叫他做“好生意”。高尔基很被这个奇人所吸动，他每在屋顶由他的窗口望见他的房间里面散置了许多书，瓶子，以及许多铜块和锡块。他把许多东西和粉，称的称，量的量，弄出怪难闻的气味，烧着融着金属的粒屑，怪不得这一切举动都使一家人对他怀着一肚子的鬼胎。一个魔术家！这位“好生意”最初觉得高尔基的喜欢盘诘实在讨厌，后来却渐渐的觉得他的可爱，允许他在房里长时间和他一起，而且很注意的很宽容的静听他的喋喋不休，和别的成人不喜儿童饶舌的不同，有时“好生意”也偶加以简短而切当的批评或笑话，并常请高尔基到他房里去静坐着，参加他的静默，彼此都一声不响。劝高尔基学作小说的也是这位“好生意”为第一人。当时他有一次听了外祖母背诵一篇老山歌，感动得掉下泪来，事后他劝高尔基学作文，把外祖母说的故事记下来。使得这位未来的作家知道文学艺术上一个最重要的概念——

经济，也可以说是简炼——也是这位“好生意”。这个孩子由街上进来，把他所目睹的血斗惨剧讲给他听。“好生意”得到很深刻的印象，但是当高尔基在兴奋中滔滔不断的讲下去的时候，“好生意”往往揽抱着他说道：“够了，用不着再说了！你已把要说的都说完了，好弟弟——都说了！”

高尔基对于这个奇异而褴褛的脚色有这样的情谊，外祖父和外祖母两人都不赞成，最后竟叫“好生意”迁移。他们俩好朋友的握别，在彼此都感觉到无限的怅惘。高尔基问“好生意”何以家里的人没有一个喜欢他，他拉他到一边说道：“志趣不同，你懂吗？这就是原因所在……是另一种……”这里我们可以发现一个特征：就是在不喜思索的普通人看见觉得新奇而讨厌的事情，反能引起渴欲求知的高尔基的爱好。他为着他的外祖父母把他的一个可贵的朋友赶走，大怒，骂他们是笨伯，当晚吃晚饭时并将汤匙打破，但结果被外祖父照例打了一顿。

外祖父对于这五岁的孩子，用的就是当时大家所尊崇的教育法，往往打得他失却知觉。他是用自力造成功的人，这种人往往相信因为他们自己吃过苦头，所以对别人专制是正当的！也许这种人觉得吃苦头是成功绝不可少的要素。外祖父在家里便是一个小小专制魔王，只要在他不遇着反抗的范围内，总要发挥他的顽强的精神，但是一遇着强硬的人物，例如麦仙，或他自己的女儿佛发拉，他便要屈瘪。他对于自身已往穷困的辛酸的回忆，加上当时众所公认的俄国父权的标准，使他对于家属要拿出家长威权来发挥，在他发挥家长威权最善于表示的方式，便是对于那些没有抵抗力的打一顿。他遇着无处出气的时候，便打他的妻子。每在星期六的晚上，在他做晚祷以前，总要照例把他的那些一星期内犯了错处的孙儿们鞭挞一顿，一方面享受他的威权，一方面也觉得这是替小犯人们做了一件有益于他们心灵的事情。

高尔基第一次尝着这种星期六晚上挨打的味道，是由于他的好奇心的结果。他看见染师把衣服浸入染缸里就会变颜色，怪有趣的。他的表兄萨夏（Sarha），即舅舅亚科夫的儿子，便把当给他上，劝他把一块雪白的台布浸入一个黑蓝色的染缸里去！他依法泡制之后，萨夏却把这件事情报告给外祖父听。高尔基后来在著作里对于这个少年的怪状有过这样的描述:“瘦而黑,生出一副凸出的蟹眼,说起话来急而轻微,被言语塞梗着喉咙而不能通畅,眼睛一直东张西望,好像要逃走到什么地方去,或要躲避起来。他的微黄色的瞳子呆定着,但是当他发急的时候,那瞳子却和眼白一同发起抖来。”在当时那个星期六晚上,轮着首受外祖父鞭挞的是萨夏,因为他曾把针鼓(套在指上缝衣时用的)烧热,原意是要使工头古立哥利套下去时吃苦头,不料被外祖父拿去用,烧得他老人家在房里乱跑一阵,所以到了这星期六要挨打。此外还有个罪状说来奇怪,也为着他曾经报告了关于高尔基染台布的事情。当举行这幕典礼的时候,外祖父命令高尔基先立在旁边看着。他看见这种形状之屈辱与苦痛,愤懑已极,所以轮到他的时候,他拒绝像萨夏那样的服从,却起来斗争挣扎,拉着外祖父的红胡子,咬他的手指!这位神圣不可侵犯的家长遇着这样出乎意料之外的反抗,不禁大怒,咆哮如雷,重捶这个孩子,最后把他抛掷在一条板凳上,痛打他的脸,并把他鞭挞得失去知觉。

高尔基经了这顿毒打,好几天病倒在床上,背向着上面。据高尔基后来追述，这几天是他的生平“最重要的日子”，因为在这几天里面，他好像长大了许多，获得一种特别的感觉力。从那个时候起，他开始觉得对人们发生极殷切的注意，他的心，好像剥了皮似的，遇到了侵犯和苦痛，无论是他自己的或是别人的，都要发生不能忍受的感觉。他一生虽饱经忧患，但是他的心却永不能复元，对于横暴仍不免为所激动。当他六十岁的时候，美国加里福尼亚大学斯拉夫文学教授邝恩（Alexandea Kaun）见着他，他谈起革命时群众的狂暴，和饥荒时挨饿的艺术家和科学家的惨状，不能自主的涌流出热泪来。

且说当时挨了一顿毒打的高尔基背向上的躺在床上的时候，外祖父忽然出现，“好像他由天花板上跳下来似的”，坐在他的旁边，抚摩着他的头，自言自语着。高尔基其先简直想踢他几脚，但不久却被这个小小身材的老头儿所吸动而未曾实行。那个老头儿头上耸立着他的红发，绿的眼睛闪动着，对着他的脸发出很严肃的声音。他先承认自己的过分行为，但他却加以解释，说是因为他抓着咬着，所以他发了脾气。他接着解释，家里自己人打是没有害处的，这不是侮辱，却是教训，他自己小的时候也曾经受过鞭挞毒打，当时就是上帝在场，也不免要惨然下泪的。因此他从一个孤儿，一个乞食母亲的儿子，竟升到他现在的地位——一个公会的领袖！他的这种解释对于这个伤怀的孩子能留着什么印象，固属疑问，但却有一点能吸动他的想像力，那便是关于外祖父自己早年吃苦的经过情形的叙述。当他老人家早年的时候，他曾在伏尔加河里上上下下的摇着驳船，从黎明起就一天到晚曳着拖着，在炎日逼人之下，头里急跳作痛，甚至流血，有时因疲极而昏倒。“这就是我们怎样在上帝和慈祥的耶稣我主的前面生活着！”说了这些苦楚情形之后，外祖父接着追述在一个夏季的夜里，一群摇船的人在伏尔加河滨放着烟火，慷慨高歌，这样一来，一切苦恼也就好像尘埃被风吹散，自得其乐。外祖父这样追述前尘影事，不胜神往，高尔基更听得津津有味，神为之夺。后来有人来叫外祖父走开做事，这个听得入魔的孩子竟请求他老人家再坐一歇。外祖父居然听从他的要求。

高尔基对于外祖母也很佩服她的能干和无畏的精

神，但是在有的地方竟怯懦得厉害，他又很觉得诧异，尤其是她把打妻这件事看作常态的自然的情形。当她把舅母纳塔利亚的伤肿的脸的原因解释给他听，并对密凯尔的残忍叹息的时候，她也精神兴奋的想起她自己的往事，这样的告诉她的小外孙说：

“其实现在男子打妻子已不如从前的那么厉害了。只不过打你的嘴巴，或打你的耳朵，或抓着你的头发，都不过一会儿工夫，有什么重要——在从前吗，男子蹂躏他的妻子都是几个钟头的接着干下去！我还记得从前在一个耶稣复活节的日子，外祖父把我痛打，从早晨一直打到夜里，打得累了就休息，休息了再打。他用马缰打我，用种种方法打我。”

高尔基听了不禁诘问她道：“为什么？你在当时做了什么事？”

“我现在忘记了。还有一次，他把我打得半死，然后把我饿了五天——我简直活不下去。还有，还有一次……”高尔基听着发了呆，他明明知道外祖母的体格比外祖父大了一倍，但他竟能打得过她，这是一件不能相信的事情，所以他又问道：

“在当时他比你强壮吗？”

“并不比我强壮，不过比我年龄大些！而且他是丈夫！关于如何待遇我，他要对上帝负责，但是我的本分却是要静默的忍受。”

因为外祖父明知外祖母只会忍辱屈服，更使他把她当作出气解愁的工具。有一次高尔基亲自看见外祖父正在长吁短叹，自怨命运不好，在那里发脾气，外祖母走近前去，要去安慰他，减轻他的愤怒。不料这个老头儿很迅速的转过身来，用他的拳头狠狠的向她的脸上痛打一下！她东颠西倒的往后退，几乎跌了下去，但是她却尽力撑着身体，在他的脚旁吐了一口血，很轻微而安静的说道：“喂，你这个戆大！”据高尔基后来追述，他当时目睹这怪现状，愤怒极了，他曾说过这样的一段：

“我当时正坐在低的灶上，虽是个活着的人，更像死了一样，不能相信我自己的眼睛。这是第一次他当着我的面前打外祖母，而当时的情形实在使人难过。这种行为更暴露他的劣根性，为我所不能容忍，好像把我压挤得粉身碎骨似的。”

他跟着外祖母到她的房间里去，看她用清水漱着她的血液淋漓的嘴，此时她竟很快乐的报告给他听，说她的牙齿都好好的，未被打坏，只不过她的嘴唇上打伤了。她叫他不要为她这件事愁虑，并要原谅外祖父，因为他的大发脾气是由于事情不顺手，使他不高兴。但是高尔基仍十分觉得难过，简直因为受着不能忍的苦痛，弄得呆若木鸡。

无论高尔基当时对于打人这件事在嘉西林家中是如何的司空见惯，但是他却不是屈服的材料所造成的。还有一次外祖父又演着打妻的活剧，这个出自皮西科夫家里的外孙却不能再维持嘉西林家教的规条，对这事不能静默了。这件事发生的时候，高尔基的母亲尚在世，而且尚未再嫁。外祖父要强她再嫁给一个家道小康的钟表匠，前面已经提过。母亲不愿，外祖父发现外祖母常把这个计划泄漏给佛发拉知道，于是大发雷霆，把她痛打一顿。六岁的高尔基看得火上心来，从灶架上把垫子哪，毛毯哪，靴子哪，连着向他抛掷，幸亏当时正在狂乱中的外祖父未曾注意他。外祖母被外祖父打得跌倒地上，他还用脚去踢她的头，直至他自己也失足跌了下来，把一桶水倒翻了。他从地上爬起来，嘴上乱嚷着，鼻里哼着，睁圆眼睛四边溜了一下，一溜烟的跑到他的阁楼房间里去了。外祖母呻吟着爬起来，坐在一条板凳上，开始整理她的乱蓬蓬的头发。高尔基从灶上跳下来，她却盛怒的责他不该把垫子乱抛一阵。正在责骂的时候，她突然喘着气，皱着脸，俯着她的头唤着他道："你来看看，什么在这里伤痛了我？"高尔基把她的蓬着的乱发拨开一看，原来是一根发针已插入她的头皮里面很深。他把那根针拔了出来，但同时看见还有一根插在里面，他的手吓得软了，对她说道：

"我还是叫母亲来吧，我吓得要命！"

她摇着她的手说道：

"现在怎样？我要叫你来！谢谢上帝，你的母亲一些未听见，也未看见，而你现在却要去叫她来！现在你替我走开吧！"

她便用她的灵动的手指，做花边者的手指，插在她的黑而且厚的头发里寻摸着。高尔基看不过意，也鼓起勇气去帮助她，帮她从皮肤里又拔出了两根更粗的曲着的发针。

"这针伤痛了你吗？"

“不要紧，明天我烧一壶水，洗一洗我的头，一切都好了。”

她随着用很慈爱的声音请求高尔基：

“我的爱宝，你不要告诉母亲说他曾打了我，你听见了吗？你知道他们总是彼此闹意见的，所以你肯不告诉吗？”

“不。”

“好，不要忘却！现在来，让我们把这里的东西排好。我的脸没有伤破吗？那一切都好了，不要响。”

她说了便着手去揩地板，高尔基从他的心坎中哭了出来说道：

“你是……好像一个圣人。他们这样的虐待你，一再的虐待你，而你却不在乎！”

“你瞎三话四！一个圣人，真的，不要发傻！”

她伏在地上工作，嘴里仍噜哩噜苏的埋怨着好久，当时高尔基坐在灶旁，想用一种方法对外祖父报复！

其实高尔基固然很爱他的外祖母，而对于外祖父也有应该铭感的地方，他不但听了他的动听的故事和有关常识的祷词，而且还由他教授怎样识字看书。高尔基到了十岁就投身社会，靠着自己混去，假使当时他是个文盲，这个孩子的前途要变得怎样，却也成个疑问。而在当时的俄国，像嘉西林一班人的环境中，不识字实在是一件很平常的事情。外祖母就不能看书，不能写字，幸亏外祖父居然学得阅读教堂里书籍的能力，这真是出于偶然的事情。外祖父对这个六七岁的孩子，就把教堂里的怪字教他，并教他背诵圣诗和祷词，所用的斯拉夫文字也仅限于宗教中用的，和近代俄文相差颇远。高尔基富于好奇心，学得很快，外祖父觉得这个孩子难得，也觉得他自己的教授本领可以自豪，不过这个孩子从小就具有不妥协的精神，常常不能受常规的训练，所以外祖父的教授也常不是一件顺利愉快的事情。他的母亲在未再嫁以前，也教他寻常用的字母，并教他背诵学校课本里的诗句，高尔基对于这些教材一读就熟，不过到了背诵诗句的时候，他往往表示一种顽梗的倾向，把原来的字眼和各行掉换一阵，另成无意识的诗句，凑成他的音韵。母亲对于他这样的胡思乱想，常发脾气，不能忍耐。母亲平日待他冷淡，他已经一肚子的不高兴，教书时的态度又这样，他更把所教的诗句东改西换。但是在夜里，他睡在外祖母的大床边上的时候，却能把日间母亲所教的诗句诵得朗朗上口，一点不错，并且常做他自己的诗句，居然不无音律的格式，并且颇饶辛辣的讽刺趣味。外祖母听着总是哈哈大笑。

高尔基短时期的学校生活也显露他的天性中的这几个同样的特性——大无畏，不妥协，并且聪慧而又富于吸收力。母亲把他和他的表兄萨夏（舅舅亚科夫的儿子）送到一个学校里去，但是几个星期以后，他因出天花而辍学，这样才脱离了这件厌烦的义务。他在这个学校里所学到的是：当他被人问他姓什么的时候，他不可回答说"皮西科夫"，却应回答说："我的姓是皮西科夫。"此外还有一事，他不可对教师说："你不要对我闹，老哥，我是不怕你的。"约一年之后，他和他的母亲和后父住在一个苦恼的黑暗的地室的时候，他又被送入另一个学校，但是从第一天起，这个学校就不合他的口胃。他后来追述此时的经验，有下面怪有趣的话：

> 我到学校里，脚上穿着母亲的鞋，身上穿的外衣是由外祖母的外衣改制的，里面穿着一

件黄色的衬衫，下面穿着一条颇长的衬裤。大家对我的衣服开玩笑，因为我的衬衫是黄色的，他们就替我上个绰号，叫做“爱司金钢钻”（“Ace of Diamonds”，原为纸牌名，又为犯人的外衣上的徽章）。对于那些孩子，我不久便合得来，但是那位教师和牧师却很不喜欢我。

那位教师是患黄疸病而秃着头的。他的鼻子常常流血，上课的时候，总是把棉花塞在鼻孔里，教起书来用鼻音。他常在说出半个字的时候，倏然停住，把棉花从鼻孔里面拖出来加以审视，同时摇着他的头。他的脸是扁平的，好像生了锈的铜，在脸上皱纹处有些绿色。尤其使得他的面部可怕的，是那一副好像白蜡做的眼睛，看来好像是多得要凸出眼眶外面来；那两只眼睛钉着我好像胶汁粘着似的，使我觉得怪难过，时常觉得要用手掌向我自己的两颊上面揩抹。

这个教师和高尔基缠夹不清，常用鼻音嗡嗡然劝戒他要把衬衫换掉，要使得脚安静，要把那一双染着污泥的靴子不要碰到地板。这个学生倒也不和他客气，和他开种种的玩笑，在门上挂着半个空的西瓜皮，等他进门的时候，刚巧掉在他的秃头上面！又曾把鼻烟洒在他的抽屉里，教师不迭的大打喷嚏，不得不离开教室，叫一个军官，他的舅老爷，进来，这位舅老爷进来之后就命令孩子们高唱“上帝保佑沙皇”，对于调子唱错的人使用他的戒尺打他们的头。

为了这种种恶作剧，这个小犯人在学校里以及在家里，都受到责罚，这是不消说的，但是所受的责罚却不能阻止他对于当前的现状，无论是在家里，或是在其他地方，继续作激烈的报复。他对于那位翩翩年少的牧师也不饶他。那位牧师头上生着繁盛绚烂的头发，装作一副耶稣一样的面孔，生着一双纤细的手，无论拾起任何东西，总是很抚爱的很温柔的，好像不如此就要弄破的样子。他对于高尔基很不喜欢，因为他买不起新旧约圣经，而且这个孩子还学着他的说话的怪腔调，和他开玩笑。例如下面一段他们两人间的谈话：

“皮西科夫，你曾把那书带来了吗，还是未带？是的，这本书。”

“未带。我未曾带来。是的。”

“是的——你说什么？”

“未带。”

“那么，回去吧。是的，回去。因为我不想教你。是的，我不想。”

他这样的缠夹不清，高尔基却不甚觉得烦恼。他走出教室，等到放学的时候，他就在郊外龌龊的街道上大踢其脚跟，把街上喧闹的生活记录下来。

这个野蛮的街道和禁锢的教室在高尔基的注意中竞争，后来究竟是前者胜了，但是约有两年之久的时期，这个孩子仍被压迫着生活于一个可恨的环境中，苦受责罚和侮辱，只得从种种恶作剧的报复上出气。他并不笨，关于圣经，祷词，和可疑的诗句等等的知识，他的成绩很容易胜过他的同学；这些课程，他听过外祖父母的教授，所以有特长的表现。其实在他读完最初两级的时候，学校里还给他一张褒状，并给他几本书做奖品。这张褒状，他在上面题上几句话，交给他的出乎意料之外的外祖父，外祖父很高兴的放在他的其他宝物里同藏起来。那几本书，他卖了出去，得到五十五个“戈比克（Copeck）”（每个约值金洋半分的俄币），把这钱交给外祖母用。此时外祖母正病倒床上，一钱不名，而她的丈夫又吝啬得不愿再给她一些。此时高尔基对于书，显然没有像几年后那样看得重要。

当时他对于文学的兴趣仍不外乎外祖母所创造的神话故事。有一次学校里的同学们很赞赏一个人叫做鲁滨逊[即丹尼尔·狄福（Daniel Defoe）所著《鲁滨逊飘流记》中的主人翁]，他决意要自己去找出究竟是什么一回事。回家后在他的后父的一本书里发现其中夹着两张钞票，他把一个卢布的一张拿了出来，先请同学一顿，请他们吃面包和腊肠，在他算是很阔的了。此外他还想买一本《鲁滨逊飘流记》，但是这本薄薄的黄色小册子，书面画着一个戴着皮帽的满嘴胡子的人，他看了不喜欢，所以未买，只买了两本破旧的安徒生（Andenson）著的《夜莺》。

不料这件冒险的事情使他大吃苦头。他由学校回到家里之后，母亲问他曾经拿那笔钱没有，他承认了，并把那新买的两本书交给她。她用炒菜的锅铲把他痛打一顿，并把这两本书没收了去。高尔基觉得永远得不到这两本书比痛打还要难过得多。尤其使他感到深刻的苦痛的，是他的后父的卑鄙，竟在他所认识的朋友中大造谣言，说高尔基做贼。由这些朋友们的家里孩子，又把这种谣言传到学校里面去，于是高尔基来到学校的时候，大家都对他喊着“贼”字，把这个字做他的绰号。其实这是很冤枉的，因为他对母亲并未否认拿了这笔钱。

当时的环境也并未能十分鼓励高尔基遵守十诫或任何道德的信条。当高尔基刺击后父之后被赶到外祖父家里的时候，他已不得不赚些钱来供给他自己和外祖母。他每遇着假期，从一早起，或是星期六、日的课后，就带着一个袋，往各街及教堂的天井里去拾取杂物，如骨头，破布，旧纸和铁钉之类的东西。他从这些杂物卖去后得到的几个铜板，就交给外祖母，她很和爱的收下来，并说几句鼓励的话。但有一次他远远的看见外祖母手掌上放着他所给她的铜板，对着这些铜板望着，轻微的哭泣。高尔基不久发现他有一件事比拾取骨头破布来得有利，就是尼斯尼诺伏格拉的定期市场完毕，各货摊撤除的时候，可在伏尔加河的支流岸上偷取木料。这件事需要狡猾，谨慎，和膂力的，一个人干不下，高尔基从街上的孩子们里面寻得一群共犯。他们共同冒险的侵略到放木料的场上，有几个孩子故意和看守的人寻开心，分散他的注意，其余的几个孩子便用缚着铁钉的绳，钩着木板和木柱拖着走。他们很容易的把偷到的货物卖出，可把这些货物卖给正当的家主，把卖到的钱六人分摊，每人可得到五个戈比克，或甚至七个戈比克的收入。

在高尔基最初生活着的那个穷苦的乡村里，偷取木板这件事，大家并不视为罪恶。高尔基后来告诉我们，说当时他的这群贼伯伯看见其他当时也很通行的偷窃行为，却觉得看不起。讲到当时饿得半死的一般居民，简直把偷窃当作维持生计的唯一方法。每年一次的定期市场的开设，给他们差不多有六个月的偷窃机会。其余的时候，他们可从驳船上偷窃，可在河滨巡逻，寻觅有无乘机伸手的机会。一到了星期日，成年的人们洋洋得意的诉说他们的偷窃成绩；而小把戏们便静听着，学习着。在这市场尚未开始以前的几天很忙的时期里，青年一辈的人便把他们所听得的功课实行起来。这个时候，各街道上都挤满了许多工匠哪，驾轿车的哪，以及其他一切工作的人们。等到一天要完的时候，他们里面有许多喝醉了酒，在街上乱闯，这些小孩子们便大搜他们的衣袋，把他们的工具和马具等物搬走，做出一切在他们长辈中视为正当的业务。但是在高尔基那班偷窃木材的党徒，不但不肯作扒手，其间还有几个人每遇着其他儿童欺侮那些无助的醉汉的时候，把他们赶开，倘若他们顽强，把他们打开。

当时高尔基觉得这种“独立的街上生活”很合于他的胃口，并且他的那班同志很在他的心里引起深刻的情绪，使他很想替他们做些有益的事情。这种生活比他在外祖父家里所过的确实来得有趣，在外祖父的家里，他所看到的不外吝啬和贫苦，怨恨和诟谇，静默将死的母亲陪着她的使人厌烦的病得将死的婴孩。讲到学校方面，最后的几个月更给他更多的侮辱：同学们都揶揄他，说他做清道夫和乞丐，有一次他们竟告诉教师，说他们简直不能坐在他的旁边，因为闻不惯污水沟的臭味。高尔基听着这样的诬蔑非常愤怒，因为他每天早晨未到学校之前，总很谨慎的把自己洗干净，甚至当出去干他的职业的时候，另穿一套衣服，和到学校里去时所穿的不同。

这明明是同学们有意侮辱他的。所以当他读完了最初两级的时候，他叹一口气如释重负，无论何时，只要遇着他的外祖父不叫他看护他的生着病的婴孩小弟弟，他总是出去参加他的党徒的工作，对于这种工作的参加，觉得是很自由的生活。

一八七八年的八月间母亲终因痨病逝世，高尔基才十岁。母亲逝世之后，外祖父就对他说，他应自己投身社会谋生了。于是他的儿童时代便告一结束，从此他要自己顾自己了。尚未满足十岁的孩子，受环境的逼迫，不得不做成人而离开家庭的保护以自食其力了。但是在此时以前，他所受的磨折锻炼，也够得使他能负起这个责任来。除了学校里的两年功课可以算是虚耗外，他已往五年间大半费在嘉西林家里的时期，所得的经验和印象，实在可以说是影响不小的学校教育。他从这里面，曾经很亲切的看到赤裸裸的粗率而残暴的一般平常的俄国生活；从这里面，他自己就由亲身的阅历，看出家属间的刻薄和人对人的残忍；从这里面，他的心上因侮辱屈辱和野蛮残酷的种种现象，留下了不能消除的创痕。但是他很敏锐的看透了天地间没有东西是绝对黑暗的，他曾经很惊愕的发现在他所见的最凶狠的恶棍里面，居然也有几个有他们的令人敬爱的特质。他满贮了这种种的实际经验和印象，现在他开始自辟天地，他很明白的知道实际的生活并不像神话故事里所说的那种理想的境界，他已准备好从事可畏的奋斗，他已有了适当的好身手。他有了父母所遗传的高大的身材，强壮的体格，有了他们所遗传的认真的特性，好胜的特性，不妥协的特性。这种种特性好像是个担保品，担保他不易为贫贱所移，不易为外诱所动，不易为平庸所拘。外祖父曾经教他一些常识和处世的智慧，正可以和这些可贵的德性参合为用。尤其重要的是他的人生观充满了外祖母的仁爱的上帝的诗词，鼓励他信仰美，信仰善，虽在艰苦困难中，百折不回，锲而不舍。

这样的小小的高尔基，开始投身社会，在惊风骇浪中前进。

第二编　幼年时代

第三章　第一次的职业

十岁的高尔基投身社会之后所得到的第一次的职业，是在一家鞋店里当学徒。他进店之后，老板就训戒他不要做鬼脸，不要抓他生过疥疮的手，要牢记着他是当地大街上第一等店铺所雇用的，在这样的店铺里面，学徒立在店门口都要像偶像一样。高尔基是一向和街上的孩子们混惯自由生活的，这样拘束的把戏在他当然觉得讨厌，但是它的教育的价值却也未可忽视。这倒不是指他在仪表上得到什么好的训练——他是不停息的好动的，决不能学偶像的姿势。可是他的敏锐的眼光却看出了当时商业的特质。当时俄国的商人都夸张一句古格言，那就是：“倘若你不欺骗，你便卖不出你的货品。”高尔基虽仅十岁，他已看够了人生的残酷，但是一个人作恶而却在表面上做出伪善的样子，这却是生平第一次。他向来是习惯于老实直率的，如今看见店里老板和伙计们对于顾客那样假殷勤的谄媚，已觉得奇异；后来看见顾客去了之后，他们却肆意于冷笑讥嘲，尤其是对于女顾客，他不但奇异，实觉不能忍受。他知道伙计们都尽量的偷窃店中的货品，因为他们老实让他明白此事在老板是明明知道的，老板自己也曾经做过伙计，偷过别人的货品，所以他也不能希望他自己的伙计们有两样的行为。在这种状况之下，没有忠诚之可能。有个教堂里老门房叫高尔基替他偷一双厚底皮鞋，他初颇踌躇，后来“为着可怜他的老年纪”，答应替他偷了一双。

高尔基在店里不但要受这样的“教育”，还要在店里和老板的家里做许多麻烦的苦役。他当时夜里就睡在老板家中厨房里的炉灶上面。每晨到店以前，要很早的起来，先把全家人的衣服刷好，靴子擦好，烧好茶水，各炉灶里架好柴，洗涤碗碟，此后还要听着一个患病易怒的奇形怪状的女厨子的颐指气使，做其他种种工作。和高尔基一床睡的是萨夏，舅舅亚科夫的儿子，这个人和他的老子是一个坯子。他以伙计助手的地位，对高尔基像煞有介事的自尊自大，自以为他的仪表言语行为都胜过高尔基，骄慢异常，而他所骄慢自豪的行为里面并包括在袖子里偷藏鞋子的本领。假使高尔基是个平常的孩子，他势必屈服于这样的统治，力求适合于这样的环境。但是他的一生却注定了要做个不妥协者，在长辈前显露他的大胆，仍是好争到底。他第一次尝到这样的商业道德的滋味，异常愤怒，每在他能力所及的小范围内恶作剧以作报复。例如有一天他们用很龌龊的手段待遇一个顾客，一位美丽的女子，等到她离开之后，老板和伙计们竟说出许多污辱她的话，他忍无可忍，当老板中午睡午觉的时候，暗把一些醋倒入他的金表里面去，后来看见老板跑进店来，手中拿着那个金表，嘴里自言自语的说他的表正在出汗，不知道是不是一种恶兆！高尔基觉得这个家伙是罪有应得。

高尔基虽偶得这一类的报复的愉快，但他终于决定要逃开这家鞋店。但是在他想要逃遁的那一天，他把正在煮菜汤的滚热的锅倒翻在手上，不得不被送入医院里去。这个孩子从前曾经听见过关于医院的狞恶可怕的故事，说在这里面绅士们以割剖人民的身体为乐。当时俄国医院，尤其是公立的医院，腐败不堪，确也有充分的原因引起这样的荒诞的谣言。且说高尔基受伤被人送入医院的时候，痛惧交加，苦不堪言，愤怒这个残忍而胡闹的全个世界，进院之后即看见微暗的病室，里面排着一列一列的床榻，上面躺着好像在梦魇中蠕动着的灰色的身体。他的受了伤的两手，要搁到第二天早晨才有人来诊视，此时他的手上的炎热和刺痛，再加上可怕和寂寞的环境，他实在忍不住了，偷偷的潜行出去，打算逃走，但在走廊上却被一个残废者捉着，把他退回床上，安慰他睡去。他醒时已是白昼了，看见外祖母坐在他的旁边。等到他的手上了绷带之后，他们俩便同乘车子离院。春季将近，伏尔加河里冰已融消而潺潺作声了，外祖母的很动听的话用低微声音滔滔不绝的说了许多，高尔基的心里乱跳着。他自由了，他又和外祖母在一起了！

外祖父却并不亲热的欢迎他回来。此时他已损失了他的金钱，境况窘迫，吝啬得厉害，对于他好像犯着神经错乱的毛病。外祖母对于物质的昌盛原不在意，常劝她的丈夫索性满足他的两个儿子的贪欲，把他的一切财产都给了他们吧。老头儿那里肯依，反而劝戒她一番，说他们如再不留心，将要变成乞丐了。外祖母遇着他这样劝戒的时候，只很简单而诚恳的对他说，就是做乞丐也算不了一回事。其实外祖母有时竟想再冒险跑进她所信为上帝的境界，跑来跑去行乞，像她在年幼时所曾过的日子。她是虔信上帝的，此时他们既弄得一贫如洗，更加以老丈夫之好像着了魔，她把这些困难都视为上帝的责罚，责罚她的丈夫在丰有的时候之贪欲与自私自利。她毫不掩饰的要从帮助贫苦人的行为上面替他赎罪。

高尔基曾经追述当时他病愈之后，外祖母曾和他出去实行所谓“静默的慈善”。有一次约在半夜的时候，外祖母忽把他从睡梦中叫醒，他们两人就一同出去，在附近最穷苦的几条街上走着。走了几处地方，外祖母忽在一个破陋旧茅舍前停着，对自己身上用手画了三次的十字架，然后把一个等于五个戈比克的角子，和三块炸肉，放在窗槛上。放好之后，她喃喃恳求圣母救助一切受苦的人们。当他们一同走过那些黑暗而荒废的街道时，高尔基紧附着外祖母的身边，静听她的温柔的话，关于她对于人生，对于贫的富的，关于她自己的经验的观察。同时有一只迷路的狗跟着他们走，大概被外祖母的慈爱的声音所吸引的，他们三个都在黑暗中前进。最后天开始亮了，他们就在一个大门旁的板凳上坐下休息。此时高尔基脑际充满了新的印象，靠着外祖母的温暖的身体，沉沉的睡去。

高尔基失业后随着外祖母每日往山林里去拾取草木，知道这些草木各有医病的功用，或搜集蕈类，常听外祖母用着暗示的低音对她的上帝讲话，有时听见她叹息，轻声对圣母道谢。这一夏季，高尔基便这样伴着外祖母过山林中的生活，使他对于山林发生浓厚的兴趣。

第四章　在绘图师家里

高尔基和外祖母虽从山林中所采集的浆果，硬壳果，以及蕈类的东西，售卖所得，颇足以供给他们自己，有时还可留些作“静默的慈善”之用，但是外祖父还责骂他们偷懒。等到多雨的秋季来到的时候，外祖父替高尔基在一个绘图师的家里寻得一个“真正的职业”。这个绘图师就是外祖母的一个妹子的儿子，和高尔基算有了些亲戚的关系。这个局面的改换是有很大的差异。山林中的印象还在高尔基的脑际盘旋着，他忽被送到一个可厌的城市里的一间分租的屋子里，作最可厌的一班人的奴隶。他的主人有一个母亲，一个长舌的老太婆；有一个妻子，长得好像一块白面包；还有一个弟弟，是一个粗率的纨袴子弟。他们住在不舒服的装备得可笑的房间里，饕餮成性，瞎三话四，彼此常常争闹，尤其是妇女们为甚。那个老太婆一早就把高尔基叫醒，一直使他忙到深夜。他要劈柴搬柴，要烧茶水，要起灶火，要磨擦地板楼梯，要擦锅，要洗碗碟，要摘菜，要从市面上把菜物搬回来，以及其他各种奔走的事情；还不止此，后来他还要照顾婴孩，每星期中有一次要到一个公共的泉旁，替一家人洗些衣服。他对于这样工作倒不在乎，使他觉得讨厌的是这一家里的傲然自满的排空场面的环境，安逸淫佚而伪装神圣的臭架子，他觉得还是乡下的粗劣生活来得直截爽快。

这便是外祖父替这个十一岁的孩子寻着的职业，要叫他借此增进他的教育，并巩固他在这个世界上的位置。山林中的愉快的冒险的生活已成泡影，他此时被强迫着忍受这个绘图师的家里和其附近的恶劣空气。在这个家里的对过还有一所屋子，里面住的都是军界中的所谓上等人物，他们的无数的服务兵及仆人和女仆，厨子，洗衣妇等等的暧昧行为，丑声四溢，争吵时闻，而那班自高身份的公民如绘图师的家人一类的，就在膳桌上将此等事作为谈资。在这种一团漆黑的恶劣环境中，高尔基怎样能替他对于神话中的仙境的渴望寻出一条出路呢？他往往跑到阁楼里面去，拿出有颜色的碎纸，用剪刀剪成幻想的模型，贴在屋椽上面。

不久他又想作第二次的逃遁了。有一次他老实不客气的对他的主人说，他为什么不教他技艺，只叫他倒污水桶。他觉得奇怪的是他的主人并不因此开除他，反给他纸和画具，叫他从别一张纸上摹绘一所屋子的正面图。他有些机会做干净的工作，换换口味，高兴极了，欣然以全副热诚从事。但是他的幻想叫他忘其所以，他觉得这个屋子的正面图怪讨厌的，遂竟画蛇添足，在屋顶及檐板上画着各种各色的鸟，在地上画着屈着腿躲在伞下的人物，在全纸上画着许多斜线当作雨。这种异想天开的图，在绘图师当然是不适用的，但是他的主人倒并不责备他，还给他相类的工作，叫他在空的时候画。可是老太婆的干涉来了！这位老太婆虽是他的外祖母的妹妹，但为人恰恰和她相反。这位老太婆为着她自己的幼子，大发醋劲，深怕高尔基的良好成绩要破坏她小儿子的前程。她用尽方法阻止高尔基从事“干净的工作”，想出种种家里的苦役给他做，把油倒在他的绘图用的纸上，最后竟打伤他的面部，又在家里大吵大闹，使全家不得安宁。她的儿子不得不对她让步，于是高尔基要学习文雅职业的第一次企图便告终止了。

遇着星期六的晚上，或在例假日，高尔基便到教堂里去做礼拜。在这金绿色含糊微光中，他立在教堂里的一个角上，注视着烛光映辉中的严肃的神像，作他的梦想。他此时和每日环境中的可厌的现实隔离，好像重新夺回他的外祖母所信仰的和谐的上帝，在他的面前背诵从外祖母听来的圣诗。到教堂里去做礼拜，是高尔基被准许的唯一的娱乐。但是他往往在风雨最大的晚间才到教堂里去，那个时候路上大雪纷飞，教堂里更为舒适；他那时在那儿休息，好像他在山林里和田间的时候一样，他的小小的心境，已饱经忧患，就在那含糊微光的环域中，浴于热烈的梦想里面。遇着天气好的晚间，他往往独自一人偷溜出去，在静寂的街上游荡，“孤零零的好像天上的明月”，随处倾耳静听着，观察着。他的幻想总转到奇异的不知道的事物方面去。在街上随处的窗里一阵一阵飘出的从未闻过的味道，传出从未听过的乐器的声音，这个孩子常发呆的立着，嗅着，倾听着，心里想像着那些味道和声音所暗示的一种异乎寻常的文雅生活。他寻得在一个屋子里，常有人拉低音的梵哑铃，他喜听极了，这个地方成为他心所向往的目的地，每于晚间到教堂做礼拜之后，总要弯到这个地方去，希望再能听见这种天上人间的音乐。他虽因此回家迟了挨打，也不在乎。

这种晚间的游荡不但可以略慰他对于仙境的渴望，而且也增锐了他对于现实的感觉。他有着天生的艺术家的无所顾忌的好奇心，每在街上游荡，总喜欢伸着脖子向窗里观看那里面的生活。因为他所看得到的只是下层的或地室的没有窗幕掩着的窗内情形，所以在他面前显露的都是那些下等阶级的生活。那些上层的，有窗幕掩蔽着的窗内生活，不是眼睛所能看得着的，只不过供给他浪漫想像的材料。从下层里，他的敏锐的眼睛看见了形形色色的现实。他看见其中有人在祈祷，在拥抱，在打架，在赌博，在默然相对中的心神不宁的神情，看见了下层生活的全景。其中有悲剧，有喜剧，互相混合着。在他看来，人生并不像在他工作的地方那样一致的粗暴。他有一次望见一个地室里面有个长发的青年对着两个妇人高声朗诵；她们很严肃的倾耳静听着，其中有一个忽然把手掩着她的眼睛，她的双肩抖战起来，这个青年跪下来，吻着她的手。这景象是真实的，但在高尔基觉得奇异而新颖；在这个时候，书里的理想世界，在他还是门外汉，还未曾看到。

观察境域的扩大，增广了他对于人和事物的了解，教了他评判的辨别的态度。高尔基这样充满了种种印象和发现，回到可厌的家里之后，他能超越于他的环境的上面，不为环境所拘牵，他不为个人的痛恨所蒙蔽，对于他的左右的人都能用超然的客观的眼光看去。

许多印象和观察增广了高尔基的眼界，使他不再犯一切人类的倾向，喜作抹煞一切的责备，但同时也使他不肯轻易作无条件的容纳。他的评判的辨别的态度，就是对于他所从小敬佩的外祖母，也表现了出来。她几次到他的雇主家里来访问的时候，他看见当前的情形，总觉得外祖母不该那样的忍辱含垢，使他心里发生不喜欢她的感觉。在这种时候，外祖母总是从后面楼梯进来，很谦卑退缩的样子，恭恭敬敬的坐在厨房里污水桶的旁边。她的妹子却诟骂她，责备她和她的外孙，绘图师的妻子觉得自降身份的过来招待她。

后来她们走开了，只剩下高尔基和外祖母两个人的时候，高尔基责备外祖母不该在那些无价值的人们前面屈辱她自己。外祖母强作笑颜，拥抱着他，很迅速的低着声附耳对他说这一切她都知道的，但是不得不这样敷衍她们，因为要想借此讨她们的欢心，依约他的雇主应给他一年工资六个卢布，恐怕一毛不拔，这样一来，也许可使她们肯给他至少一个卢布。外祖母并诉说她对外祖父及她的几个外甥的困难情形，请求高尔基要在那里忍耐着多做几时，做到他长大强壮时才好。她一定要他答应肯忍耐着再做两年。高尔基过意不去，勉强答应了她的要求。

但是高尔基竟不能实践他答应外祖母的话。他虽爱外祖母，并敬佩她所信仰的上帝，却不能赞同她的机会主义。外祖母所以能有她的愉快的人生观，全靠她的标准和需求可有弹性，能偷安适应而不觉得有何重要的牺牲，能忽视甚至搁置根深蒂固的罪恶和令人难受的侮辱。她的外孙却不能和她一样，他是另一种材料造成的，具有严格的绝对的态度。诚然，他俯首于人生的桎梏，屈服意志于人的专制，也有了好几年，但是他从来不肯笑着甘心屈服，他从来没有软化了他的倔强性。忍耐，他的长辈所教他遵守的，甚至虽为外祖母所教的，在他看来，都不能算为一种道德。于是他又下决心打算另谋生路了。

第五章　逃到伏尔加河

在一个春光明媚的早晨，高尔基手里拿着值得二十戈比克的一个角子，原来是预备替他的主人家里购买早餐用的面包的，他老实不客气的拿着静悄悄的溜之大吉，逃到海港去。好几天他在伏尔加河滨流浪着，和那些粗鲁而和爱的码头上脚夫做朋友，和他们一同喝酒昵交。第一次尝着流浪的生活，这种生活是他将来所惯过的。后来他寻得一个伏尔加轮船上洗碗碟的职务，每月工资两个卢布，于是这个十二岁的孩子开始他的新的有价值的经验了。轮船上的生活是常在变换的，所遇的境地和人的面孔都时常在变换着，这种千变万化的生活，在原有无限好奇心的高尔基，当然是很高兴的。他和从前一样，随处观察，随处倾听，遇着有必要的时候，乃至不迟疑的从门上匙孔里偷窥，借此增加他的新识见——例如由门上匙孔里窥见了张大着眼睛的船上管事在房里跪在一个神像前祈祷，轻微的叹息着，抚摩着他的斑白的胡子。但到了船上之后尤其重要的一件事，是他的知识荒受着一种新的推进力：他从此开始读书了。而这件事却要归功于史默利（Mikhail Anto-novich Smury）。史默利是船上的厨子，是他最接近的上司，据高尔基说，使他的注意转到文学方面，实在是这位厨子上司的力量。他在报上第一次发表的自述里面就有这么一段：

> 史默利原是一个退职的卫队排长，具有异常强大魁梧的体格，举动粗鲁，读书颇多，唤起我对于读书的兴趣。在此时以前，我痛恨书籍和一切印刷品，但是这位教师强迫我，打击与和爱兼用，使我真切的感觉到书籍的重要，渐渐儿也喜欢读书。

倘若高尔基不是碰巧的遇着这个魁梧无比的书迷，他的前途怎样，倒是一个疑问。他对于书籍的厌恶，是由于外祖父把枯燥无味的宗教上的读物教他，后来学校里的教育又使他觉到读书的无味，所以养成这样的态度，如果没有这个书迷来强他读书，他所贮藏的许多印象和观察的所得的结果，是否要在文学一途之外，另寻一条出路，这也是一个疑问。当时史默利强迫他读书的最初步骤是很不舒服的。他在他自己的箱子里，原藏有不少皮面的书，他就叫这个孩子朗声读给他听，读完一本又一本。这些书是神秘的故事，伪造的古典文学，和其他相类的噜苏而读不懂的材料。史默利听到了无谓的饶舌的地方，他也知道唾骂，但他却一定要高尔基继续的把那些书读给他听，因为他相信书都有伟大的神秘的力量，而且相信愈看不懂的书愈有价值！这样的读着，在高尔基并不觉得比学校里读死书的经验有何更多的快乐。后来有一次船主的夫人把一本俄国名小说家古阁尔（Gogol）著的小说 *Taras Bulba* 给史默利看。这本小说使他看到乐的时候高声大笑，看得悲的时候涕泪横流。从此以后，他把自己图书室里面所藏的书籍束之高阁，继续不断向船主的夫人借书，借来之后，就叫高尔基朗诵给他听。这样一来，这个孩子本分上的工作往往没有工夫完全顾到，史默利就把这些工作推给他的年长的助手去做，同事们对于史默利这样优待高尔基的行为愤愤不平，每欲对这个“吃书的人”（指高尔基）报复。高尔基处在这样受人特殊宠爱的地位，也自觉得难为情，但他当然不敢和他的粗暴而可怕的首领多所争辩，而且他得着阅读可了解的书籍的兴味，对于史默利对几个作家的热烈起劲，在他也抱着无限的同情。但是他愈读书，愈觉得书里所说的情形，好像外祖母的神话故事，和他的目前的实际环境很不相同。

他所属的环境，可以说是使他了解一般俄国人的继续的课程。他由此直接和一般平民接触，知道他们的实际状况，不像文学里或讽刺画里的理想化。他所看见的和所听见的一切，大概都使人烦恼。在这个孩子眼前所经过的人类，无论是单独的个人，或是聚集的团体，无论是船上的水手以及船上的旅客，他们的浅陋卑鄙，和他在尼斯尼诺伏格拉所观察的许多人，从外祖父家里窗口所看见的，从鞋店里所看见的，或从绘图师家里所看见的，都是一丘之貉。那些人都不像他所读过的书里所描写的人物，他们的情绪，他们的苦乐，尤其是他们的恶习，都异常的微小狭隘，一点没有英雄的气概。人和人间的关系简直和豺狼一样，这种事实，依高尔基从小所得的经验，已经是彰明较著的了。他们彼此间没有互信或互敬，彼此都以恶意或卑鄙的意味来互相破坏，互相猜疑。普通对于娱乐的观念只是残忍的景象，或弱肉强食的景象，或少数人受多数人所糟蹋的景象。他在轮船上就看见了不少不平或不舒服的事情。旅客们对于一对被猜疑的扒手，竟以残毁其肢体为快意！有一个呆笨的厨房工役因关不住几只鸡，给它们由鸡栏里逃了出来，急得要命，而船板上的人众却大声哄笑，揶揄取乐，使他置身无地。他目击群众每遇似乎危险的事情，其行为都是怯懦，彷徨，只顾自私自利。每在安静的晚间，他听见一群一群的旅客在船甲板上七颠八倒的卧着瞎谈。他们讨论人生，灵魂，上帝，都以听天由命为宗旨。同时他听得难过的是猥亵的言语和行为，看得难过的是船上男女性的杂乱。有一次水手们把一个灌醉酒的年青女子关在他们的一间房里，强迫高尔基和她发生关系，后来幸亏由史默利把他救了出来。

史默利却和他们不同。他虽有凶猛的面孔和雷鸣似的说话声音，凡是走近他的身边，听见他发誓，看见他用生满着毛的拳头打人打得天翻地覆，没有不吓昏的，但是他虽有这种种的令人怕的情形，却并不是一个凶狠的人。替他洗碗碟的那个小徒弟，却很敏锐的在他拒人于千里之外的外表里面，发现他的一副热肠。他渐渐的鼓着勇气问他为什么在心里确是仁爱的而在表面上却要使人人怕他。这个大汉很不愿意的自己承认，他戴着一个粗暴的面具是要人远离着他，因为倘若不如此，他们便知道他是仁爱的而肆无忌惮了。他们若有触怒他的时候，他老实不客气的举起拳头就打；有时捧着他的肚子往前冲去，把那班怯懦的群众冲散。他叫起他们来，总是用笼统的总名，直呼"笨伯！"高尔基却为他所吸近；他觉得他有一种基本的智慧，这种智慧使他想起外祖母，虽则他们两人的人生观不是常能一致。例如高尔基自觉不能怜悯那个呆笨的受人窘迫而流着眼泪的厨房工役，想起外祖母的训戒，对于一切人都须怜悯，未免觉得惭愧，史默利知道了他的这样的意思，把他拉过来，对他说道："你不能强逼你自己怜悯；不能而说假话，这是不对的——你懂得我的话吗？你不要学做海蜇吧，还是保存你自己的性格。”

史默利的态度，在高尔基看来，比外祖母的甜蜜的，一切饶恕，一切宽容的宗教，更能获得他的同情。他的左右的人常激怒他，他常想打他们的头，不愿怜悯他们而把“上帝的创造物和上帝的法子是永不会错的”那种信仰来自慰。他的渴求了解的欲望一天一天的增强起来，一脑子装满了疑问和怀疑，每举数问以就正于史默利。例如问他：“人是恶的，还是善的？易于驯服的呢？还是桀骜不驯的？他们为什么那样残暴，贪婪，而又那样易于驯服得令人愤懑？”但是这位像煞无所不知的厨子师傅却不能满足他的渴望。他的回答之含糊，犹之乎外祖母对于上帝的关系。当时史默利听了他的这样的问句，他的脸从香烟的烟雾环绕中露了出来，用很不耐烦的声音回答他道：

“喂，你又在那里瞎转什么念头！人，人……对了，人就是人。有的聪明，有的愚笨。读你的书，不要瞎三话四！在书里面，倘若这些书是不错的，什么东西都说着的。”

高尔基在船上替史默利做“读者”，可谓破格的位置。他做了许久，直到当年九月间，船上管事在尼斯尼诺伏格拉把他解职，给他从来所未有过的数目——八个卢布。他的被解职，是因为同事诬陷他做贼，在船上管事便糊涂的办理，打破他的饭碗。史默利对他依依不舍，把他抱起来，吻他，对他临别的赠言是戒他对人要提防，并且要读书！

于是十二岁的高尔基又失业了。

第六章　又到绘图师家里

高尔基从轮船上失业之后，短期间又暂住在外祖父母的家里。此时的高尔基不像从前那样可被任意管束的了。这个倔强的孩子增富了经验，而且腰包里又有了八个卢布，竟在外祖父面前炫示他的独立的态度，从他的衣袋里拿出一盒香烟，即在他老人家面前吸起烟来（在别的事情之外，史默利还教他吸烟，这个恶习惯，高尔基至今未除）。当时一般老式的俄人仍把烟视为“鬼的毒草”，是彼得大帝输入俄国的一种西方的癫狂，外祖父看见他这样的大胆行为，为之大怒，伸出小拳头来恐吓他，高尔基哪里会怕，用头来撞他，撞至他的肚子使得这个老头儿跌在地上，坐在那里，用半开半闭着的眼睛望着高尔基，张大着他的嘴。外祖母在旁看得不过意，把这个孩子敷衍的打了几下，把他们两人都平静下来。当时高尔基的好斗的姿势也使得老头儿不敢再过来动手。

其实这个孩子的大胆和好斗并非自大和自满的表示，却是由于愤懑和迷惑。他所以觉得愤懑，是因为感到人类的无公道。为什么他们强迫他离开他的指导者和保护者史默利呢？史默利的许多助手常把粮食和饮料飨客，收下的钱就往自己的腰包里塞，高尔基的唯一罪过就是未曾老实告发，而他们却反而诬陷高尔基做贼，把他开除。这种种不平等的事实都使他感觉愤懑。他所以又觉得迷惑，是因为他一脑子装满了近几个月里所得的未能消化的大堆印象：关于他的同伴所过俄人日常生活的印象；关于名作家古阁尔，史各得（Walter Scott），和仲马（Dumas）在著作中所描写的英雄人物的印象。他从此中所见的许多矛盾和冲突，使得他那好思喜问的脑袋弄得莫名其妙。

他在这样苦痛的感觉中，不愿多与人接触，只求孤寂的生活。于是山林成为他的逃遁的处所，犹之乎后来几年他过着海洋和大平原的浪荡生活，使自己少与人们有过近的接触。他失业回家之后，那个夏天就常往山林里去捉鸟，等到有集市的日子就拿去售卖。这件事原是很难干的，但是高尔基却以久时间在山林中为乐。他在那里注视着等候，听着山林生活的种种声音，看见各种鸟类的形形色色的样子，都使他感到快乐，尤其使他快乐的是孤独的境域。没有人类夹在里面的自然界，草木茂盛人迹不到的地方，能疗好他的心上的创痕，能补好他对于世界观的缺憾。有时外祖母也来陪伴他，但是她的言语和歌曲，她的举动，都很快适的和山林的环境融化为一，所以她的参加，一点也没有妨碍。他整日的在山林中工作后，很快适的回来，常在家里倾听外祖父关于常识的谈话。

转瞬冬季来了，俄国的冬季，山林中的工作是无利可图的，高尔基又闲了下来，所以外祖父再领导他经过布满着雪的街道到绘图师的家里去，他也不拒绝。十二岁的高尔基比上次在那处的时候又大了些，聪明些，更敏锐的看出这个亲戚家里的生活之愚蠢和可厌。那个人家没有别的什么变换，所不同的是高尔基所要做的劳役比从前更多，因为那个人家又增加了两个婴孩了。除了每天要在家里洗涤那些婴孩的衣服之外，每星期中还要有一次把衣服拿到本城末端乡间一个古神泉里去洗涤一番。不过在那个地方，那班率真倜傥的洗衣妇，谈锋爽快，胸怀坦白，高尔基和她们混在一起，倒比在绘图师家里的时候来得舒服。

高尔基觉得雇主家里人的讨厌，甚至宁愿和邻近军官的勤务兵来往。这些勤务兵虽则粗鲁而腐败，为和平时期军人的通病，但是由高尔基看来，他们却像有孩子气。他自愿的到他们的厨房里去拜访他们，读书给他们听，并依他们的意思，替他们写家信给乡间的家人。由他们的闲谈，高尔基也懂些关于俄国农村的情形和军界上等阶级中人的生活。他们常常谈起妇女，往往不免含有粗鲁、污秽和蔑视的意味，但是高尔基却觉得男子所以对女子每有怨恨的感觉，这是由于怕她，而又需要她。

在高尔基的幻想中，关于女子的幻想是最有引诱力和持久力的，女子在他的想像中成为别有天地的仙境。照他看起来，女子是人们在烦恼的人生中的永生的母亲、安慰者和卫护者，甚至那些粗俗的洗衣妇，也能在他的心坎里唤起一种热烈的情感。当他遇着一个女子认为是美丽的时候，那他简直当仙人般崇拜她。他的母亲在世时待他很冷淡，他对于母爱的渴望徒成泡影，这件事使他终身心里感觉一个大缺憾。当他在伏尔加河轮船上的时候，每遇船主的夫人在船甲板上经过，他总用眼送着她；看她那亭亭玉立的美丽躯体，她的容光焕发的笑容，好像就跟着她走，好像他的全副灵魂哀恳她和他谈话。他书看得多了之后，愈益增强他对于女子的敬重，敬重理想中的女子，敬重和绘图师的妻子及母亲恰恰相反的女子。他对女子既具有武侠卫护弱质的精神，每天听到酷待女子的言行，常觉愤慨。

他第二次到绘图师家里，和第一次不同的值得记述的只有两种新经验：关于妇人和书。这两件事替他烦闷的无精打彩的生活里增加了光彩，引他进了另一个理想的境域。尤奇的是这两件事竟有相互的关联。他由于从书本上的叙述，对于女性存有一种理想的模范，使他能和他的环境以外的妇人接触；而他所遇着的这些妇人因借书给他看，又扩充了他的眼光。此中详情，请申言之。

从勤务兵口中，他知道军官们平日消遣的一种新玩意儿。在他们所住的大厦里面，是有许多屋子分租的，在许多分租的屋子里面，有一个裁缝的妻子住着。她是一个身材秀小的青年妇人，一天到晚看书，因为她有这个癖气，所以大家都认为奇异、发痴、变态，弄得全屋子里的人都知道。每个军官轮流写情书给她，作为一种消遣的玩意儿。这个妇人却是一个情迷，她把爱情的宣示视为很严重的事情，用一腔热诚回答他们的情书，表示因她而使别人烦恼，觉得异常抱歉，祈祷上帝帮助他们不要再恋她。这些军官每接到一信，即公开共读，不管这个女子受骗之可怜，反当作趣事，大寻开心，看了之后，又共同再写许多信去，上面随便写着一个军官的名字。勤务兵把这件事告诉高尔基的时候，也笑着当作有趣，称这个裁缝的妻子为“轻贱的蠢货”，并发表意见，以为每个女子都喜欢受骗，虽则她明知此中的真相。高尔基不相信他这个意见，决意要将这件恶作剧的内幕情形告诉那个妇人。他等到她一人在房里的时候，特从后面楼梯走上去冲入她的房间，正在那个当儿，她刚在吃早饭，手里还拿着一本书看着，高尔基这样匆匆的撞进来，倒把她吓得一跳。他冲进之后，就把这件事的内幕，急得上气不接下气的前言不接后语的告诉她一阵。他同时注视那个小小身材的女子，见她坐在一张大的覆盆子颜色的有臂的椅子上面，穿着有花边的早袍，金发散垂肩际，她看来简直好像教堂里所见的安琪儿。她被他吓得发呆，渐渐安定之后，才觉得这个憨态可掬的孩子的一番好意，对他嫣然一笑，重复沈吟着说他是一个奇孩子。他望望挂在她旁边的镜子，看见里面映出的他自己的一副尊容，那个脸上生着奇大的颊骨，一个奇阔的鼻子，前额有了一大块蓝而黑的伤痕，一堆蓬松着的头发因好久未剪而在四面散着。他把自己的一副尊容和这位秀色可餐金发垂肩碧眼媚人的安琪儿比一下，明白为什么他在她的眼里是个“奇孩子！”

他被她弄得惊惶失措。她和那所屋子里以及邻近的女子完全不同，正因为这个缘故，所以受人侮辱，受人毁谤，但却引起高尔基的敬慕和怜惜，他每听见他的亲戚或那些勤务兵嘲笑这个小女子，疑心她犯着种种不端的行为，他就觉得痛心。她是不宜于混在那样卑劣环境里面，高尔基很诚恳的劝她搬移到别条街上去。这个妇人很受他的请求所感动。她原是一个贪读无厌的人，便开始借小说给他看，借了一本又一本，有时还要问他对于这些小说的感想怎样。高尔基感激得非可言喻，那是不消说的了。但是感激并不掩没他的观察的敏锐。他书看得越多，批评的态度越严，辨别的能力也越锐利，与这个小妇人更为接近熟悉之后，使他觉得她和其他的女子也同样的浅陋。崇拜她的这个形状野蛮粗鲁的“奇孩子”，渐渐的不像从前那样欣赏她的花容玉貌了，尤其是她对于文学的眼光。

不久他心目中原认为安琪儿的这个位置，被另一位具有惊人的美丽和贵族仪态的妇人取而代之了。这个妇人，高尔基把她和他在历史的小说里所读过的巾帼英雄比较之后，觉得玛高德皇后（Queen Margot）是她所最近似的模型。这个目空一切的美女子是一个著名贵族的寡妇，待人至多如同她待她的骏马一样。由于她的五岁的女儿而认识了高尔基。高尔基常在夜里在他们屋前和这个五岁的女孩子玩耍，讲神话故事给她听，后来这个女孩子异常的喜欢他，一定要高尔基把她安顿在榻上睡觉。她的母亲最初很讨厌这个奇形怪状的“奇孩子”，但不久她竟在他的粗鲁的外表里面发现他的才智，渐渐的喜欢他，当她不出去骑马或招待她的无数敬慕者的时候，就容许高尔基和她在一起，和他谈天，倾听他的意见和观察所得，并把好的书给他看。使高尔基看到他在书界里面获得第一次空前经验的普希金（Pushkin）名著，就是由于她的介绍。有那位裁缝的妻子的往事做背景，高尔基愈益知道欣赏玛高德皇后的文雅，她的体格的美，热情的天性，高贵的赏鉴力，以及卓越的意志和能力。她每遇开宴会所请的军官，似乎也和平常的不同：他们能唱歌，诵诗，奏弹引人入胜的音乐。高尔基陪着那个五岁女孩在屋子窗外玩耍的时候，他同时陶醉于这些异乎平常的声音，梦想那种不能接近的生活，对于那些环绕着玛高德皇后好像蜜蜂环绕鲜花似的人们，不禁发生妒意。

那位安琪儿，尤其是影响重大而持久的玛高德皇后，高尔基和她们的接触及由于阅读她们的书，使他超越于他的当前的环境。他陶醉于这种美而愉快的境域中，很想把平日可厌的烦苦的当前环境抛诸九霄云外，不去置意，但在事实上却很难这样轻轻的抛开。绘图师家里的人都反对他看书，把他的看书视为一种恶习。高尔基对于看书这件事既像发狂似的，他不得不费很大的机智来暗中进行，不使他们探悉。那个老太婆，外祖母的妹子，尤其精于侦探他。当她离开家里的时候，总把家里的蜡烛算好，倘若回来时发现有所短少，便把这个小犯人打骂一顿。有一夜他靠近照于铜锅上的月亮看书，但因为光线太差，看不清书上的小字，便移到房间里去，利用神像前挂着的神灯的光，立着看书。因为白天苦役做得太疲倦了，不自主的睡在地上，后来听见那老太婆的锐声乱嚷，打声劈拍，才从梦中惊醒。她打他所用的工具就是他的那本书。幸亏他说个谎，说那本书——孟特宾（Xavier de Monte'pin）著的一本小说——是牧师送给他的，才避免给她毁灭。还有一次她在阁楼上发见他所借的一本书，很觉得自豪而愤怒的把它烧掉。这种阻碍和危险反而增强他对于读书的狂欲。他想法搜集蜡烛上残余的油，放在一个装沙丁鱼的罐头里面，再混入由神灯里弄到的一些油，合在一起，把线搓成灯芯，这样一来，便造成细微的灯光，用来看他的书。他对于读书简直是发了痴，其他一切统不在意。就是他在砍柴，擦地板，或洗衣服的时候，他的心还是无时不念念不忘的向着书，好像书的蒸汽充满了他的脑袋似的。也许就是因为常有这样“心不在焉”的缘故，所以常演出悲而喜的怪剧。后来他曾经追述当时发生的一件事，说在一个星期日，全家的人都去做早祷了，他把厨房里的茶缸放在炉上烧，随后收拾其他的房间，不提防绘图师的大婴孩静悄悄的潜入厨房里去玩，倒光茶缸的水，把茶缸烧坏了。他听见怪声赶进去的时候，已来不及，正在这个当儿，前门的铃声忽响起来，他赶出开了门，老太婆劈头第一句就问他茶缸烧好没有，他很简单的回答“烧好了”。这句话在他也许是惊惶中脱口而出的，但后来老太婆发现事实之后，疑心他是有意开玩笑的，把他狠狠的毒打一顿。她拿一把起火的柴条打他，在当时虽没有十分厉害的伤，但却使许多柴条碎片深深的打入他的背上的皮肤里面去。将到夜里的时候，他的背肿得像一个枕头一样，到了第二天的中午，他的雇主不得不带他到医院里去。在医院里遇着的医生是个生得怪滑稽的长而瘦的脚色，他把高尔基检验之后，用低微的沙音很镇定的说道：

“这是一件虐待的案子，必须报告警察局的。”

高尔基的雇主听了这句话，面上羞得通红，两脚左右摆动，大不安定，只听见用很低的声音和医生不知说了些什么，但这医生只对他的头上望望，很直截了当的说道：

“我不能。不可能。”

说后他对高尔基问道：

“你要不要告发？”

当时高尔基痛得不耐，只说道：

“不，赶快把我医好吧！”

他们把高尔基带到别一个房间里面去，把他躺在一张椅上，医生用钳子把他背上的木片拉出来，拉的时候，一直对他说笑着：

“老伯伯，他们对于这样兽皮上干了很好的成绩；你现在的皮肤可以不透水的了（意指皮肤给他们弄得坚厚了）。”

这医生替他这样办的时候，使他忍俊不住的好笑，弄完之后，医生又对他说道：

“老伯伯，四十二根木片拉出来了。记着，你大可以自豪呵！明天在这同样的时候再来，让我替你换药。他们常常打你吗？”

高尔基想了一下，回答他道：

“不如他们从前那样打得多了。”

医生用沙音出声大笑着，既而说道：

“什么都好些了，老伯伯，什么都好些了！”

他把高尔基从房里带出来，对高尔基的主人说道：

“东西在这里，装好了，修好了！明天再送来换药，他是个怪有趣的脚色，你真幸运呵！”

那位“怪有趣的脚色”回家之后，大家对他表示敬仰，并觉得奇异，喋喋不休的问他在医院里的经验。高尔基看出了他们因为他拒绝将虐待的事向警察局告发，颇有感激他的意思，乃决定乘此机会，就在这个地方和这个时候，向他们要求以后允许他向裁缝的妻子借书看。这件事他们答应了。那个老太婆深以这个孩子看书不厌为可异，喊着说道：“你真是个道地的魔鬼啊！”

这个孩子后来竟靠他的坚毅的恳求，说动他的主人，替他定一份莫斯科的日报。在长漫的冬季夜里，家里的人都坐下来做针凿、刺绣，或是画图，在这个时候，高尔基便朗诵报上所载的继续不断的章回冒险小说给他们听。这班听众每听到俄国强盗或流氓之暴戾恣肆，不禁为之叹息，啜唇作声表示骇异，最后他们总要高傲的自慰着道:“讲到我们自己——我们是很安静的很和平的过我们的日子，不知道有这些事，靠上帝的光荣呵！”他们虽然这样自满，但对这些故事却也听得津津有味，使得他们果然安静和平了。后来日报上所登载的小说竟致不够用，高尔基遂建议把堆在主人床底下的破烂不堪的旧的插图周报拉出来读。家里的人从来没有想到这些册子里面除了刺绣的范本和图画外，还有那些引人入胜的历史小说，现在由高尔基读给他们听。高尔基并获得他们的允许，把这些册子留在厨房里，等到大家都去睡的时候（总算这个孩子的幸运，此时那位老太婆已迁至育婴院去住，去代替常常喝醉酒的看护妇），他便在他自己所发明的沙丁鱼罐灯之下，把各种各色的材料好像狼吞虎咽的大看而特看。遇着“四旬节”（复活节前四十日的斋戒日子）的期内，大家以为读书是有罪过的，他们把他的许多书拿去，不许他看，使他在此时期内生活之平淡无味，好像他们在此斋戒期内所吃的粮食一样。

这些旧杂志里面的图画和文字内容，使得高尔基的眼界获得无限量的扩大。他的视线转到西欧的许多城市、山谷、海洋，都好像神境似的和从前所知道的迥异，使他感觉到伏尔加的世界之渺小与单调。俄国以外的世界，似乎是别有桃源。由杂志的图画，以及他所读的内容，似乎他所知道的关于俄国的污秽卑陋，都不见于巴黎、柏林、海牙、阿尔卑斯山、地中海的沿岸。好像在那些地方一切都是洁净、愉悦、文雅，由侯爵到车夫，甚至到流氓，都是一样的；就是流氓，也不像俄国流氓和酒徒之惨无人道和淫乱行为。这是西方文明对于这个生着亚洲颊骨的半开化的孩子的吸引力，这种吸引力经过许多时还是不减少的。就是到了今日，高尔基对于西方和它的城市的文明还是狂热的，它的表面的光辉往往使他忽略了它的缺憾的方面。

高尔基虽在书报中觉得别有乐境，但是在玛高德皇后（即上面所说他所敬慕的妇人）及她的书籍所构成的迷人境界之外，贪吝卑鄙的现实却重重围困，使他感觉无限的痛苦。他每日的苦役时间的长久和使他疲顿不堪的工作，已使他难受。而且在做了仆人，看护，阍人，打杂跑腿的职务以外，还要替主人做送贿赂的麻烦工作，送给本城建筑工程师，市场检查员，以及其他的职员，借以换得证书允许种种舞弊的行为。尼斯尼诺伏格拉的有名市场，给与许多建筑师，承造厂，绘图师等等的每年大进款的机会，许多官署职员当然也包括在内。这些官吏的贪污，和他们所服务的政府之专制是成为正比例的。

这种贪吝卑鄙的现实，在高尔基虽有玛高德皇后的笑媚及普希金名句的安慰，最后仍使他感觉到受不了。他此时的眼睛因用得过度而出了毛病，在眼皮上经医生用过手术开了小刀。正在绷布解去之后，他偶与两个勤务兵争吵了一顿，虽然他的原意是想和平对付，并无寻衅之意，但是他的初愈的眼睛却被他们打得很痛。这已是很不幸的了，不料祸不单行，他竟被诬陷做贼。有人告发，说他偷了兵士里面一个人的钱，而绘图师的妻子更落井下石，当众诬他用了所偷的钱买得洗衣妇纳塔利亚的情爱，并且说她于前一夜曾经在大门口看见他和这个洗衣妇在一起。这事成为附近所风行的损坏名誉的一件事情。高尔基尤其增加苦痛与感觉侮辱的是恐怕玛高德皇后听见了这件事，要对他发生什么反感。后来虽由纳塔利亚出来强迫那个真贼——另一个勤务兵——依实承认，此事大白，但是受此无妄之灾者的名誉曾被毁谤，喧传一时，仍感觉到侮辱，可耻。所以高尔基不能再耐受那样的环境，未曾和玛高德皇后说一句话告别，就静悄悄的离开这个地方。

于是十三岁的高尔基又失业了。

第七章　神像店里

高尔基失业之后又想到伏尔加河，又在那儿找得一个轮船上厨房里助手的职务。和从前一样，他的好奇心又集中于水手和熙来攘往的旅客，他的眼睛又饱看伏尔加河上变化无穷的景象了。因为他近来在经验和印象方面的增加，求知和求了解的渴望更尖锐化。他到处遇着他所认为具有更好的天性，更优越的智慧，或至少具有反应的能力的人，他都热诚殷切的依附他。例如外祖母、“好生意”、史默利、玛高德皇后等都是。这种例外的朋友，在他孤寂时给他慰藉和智慧的，他简直可用一只手上的手指来计算，可见人数之寥寥不可多得。

在轮船上，他又和一位火夫，名叫耶各夫（Yakov）的，做了好朋友。那个火夫生得胸部广阔，体格雄伟，他的扁扁的鼻子和锄子一样的扁平，他的似熊的眼睛在浓厚的眉毛下面藏着，他的颊部生满了好像湿地上青苔似的一圈一圈的细毛，同类的发盖满了他的头上，好像一个固体的小帽。高尔基有所怀疑和质问，渴望有人给他以直接的回答，耶各夫却不能满足他的这种要求，因为他并不善于思考；每遇这个孩子迫他把他的意象和反应整理组织起来，他总觉麻烦讨厌。他所以吸引高尔基注意的地方是他的诚恳、直率、坦白无讳的兽性生活，老实公布的好色行为，夹着自然的和爱与宽恕。他生着一副强壮的体格和奇大的食欲，放纵于性的快乐而并不以为可羞，也不掩饰。他足迹遍历俄国内部及国外许多地方，谈起他的种种经验，很能引人入胜，娓娓动听。高尔基很热心的倾听他讲；虽则高尔基此时已有正确的批评眼光，能从他所讲的事物里面分出事实的真伪，但他却从他的农民的智慧里学得了不少知识。在外祖父和外祖母所讲给他听的故事里面，常包含着一种道德的教训，乃至他所看过的许多书里，有的显著的，有的暗示的，也都反映着著者的观察点，抉择，和判断。耶各夫却不然，他观察人生，叙述人生，却用绝对的超然态度，对着罪恶和道德不加轩轾。他的这种态度有时使这个好奇的孩子感觉不快，因为他很渴望知道定义和归纳的结果。但是这位未来的作家，一定曾从耶各夫的不偏不倚的，冷静的客观叙述，获得不少的诀窍。耶各夫只对于有关妇人的题目，特别兴奋起劲；他谈起他和妇人发生关系的种种情形，无不眉飞色舞，滔滔不绝。但是就是难以取悦的高尔基，对于他的性的纵乐也不觉得有何冒犯，因为他的话是老老实实的没有一点造作掩饰。

像耶各夫这样的人所以能吸引高尔基注意的，显然不是他的行为上有何积极的特性，却是他的不妥协的消极的德性，这种人是和常人不同的，不能用常例来评判的：只这个事实已引起这个孩子的注意和好奇心。这种不顾习俗成见的人，在高尔基当时看来，似乎特有他们自己的智慧，对于人生特有一种了解，这种了解如果给他知道了，也许可以解决一切的哑谜，解释一切的究竟为着什么的原因。这不过是高尔基的一种幻想，那是不消说的。他当时要渴想这样求得真理是永不成功的，他急欲知道很明确的“是”或“否”的欲望也无从满足的。他只觉得耶各夫这个人真奇怪。“耶各夫是什么一种人呢？”这个孩子每这样暗忖着。

他在轮船上工作了一季之后，重回故乡，进一个神像制造厂里去做学徒。但是他在漆绘神像的艺术方面的学习机会却很少，因为他只能在夜里才许在制造厂中帮助，其余一天到晚要在发行所里面做生意。他从前曾在鞋店里做过生意，想读者诸君还记得，现在他又要做生意了。他们做生意也是服从同样的格言，就是“倘若你不欺骗，你的货物便卖不出去”。他们教高尔基怎样把同行中做劲敌的店里的顾客引诱过来，怎样欺骗顾客说他们的神像质地怎样的好，怎样的古，并教他怎样区别各种各色使人缠夹不清的神像。尤其使他感觉困难的，是要硬记许多神的名字和每个神的意义。

高尔基的工作虽麻烦，但是他又得到仔细考察俄国商人的机会；亲见他们的生活之顽固、愚笨、贪婪，以及所过生活的烦闷，因此发生残忍，瞎谈，以及其他琐屑的恶习。后来高尔基的著作里对当时这班商人的生活情形，有过深刻的描写，现在撮引一段如下，以见一斑：

宾庭街（Gostiny Dvor）全市的商人和店伙们都过着一种奇异的生活，充满了幼稚笨拙而又常含恶意的玩弄。倘若有一个从外面来的乡下人询问有无捷径到城里某处，他们总是有意把错误的路线告诉他；这样的恶作剧后来弄成了习惯，他们虽这样做着，并不再觉得有什么快乐了。他们往往捉着一双老鼠，把它们的尾巴缚在一起，然后放在街上随它们走去，看着它们朝着两个相反的方向拉着，彼此咬着，哄笑为乐。有的时候，他们把火油泼在一只老鼠身上，放火烧起来。他们把一个破铅桶缚在一只狗的尾巴上，然后看它因恐怖而乱撞，乱嚷，在街上的鹅卵石上拼拼碰碰的响着。

他们关于此类的恶作剧的玩意儿多得很，简直好像各种人，尤其是乡下人，都生存着都是供给他们玩弄似的。他们对于一个人，总觉得喜欢和他寻寻开心，毁他，使得他不舒服。我所觉得奇怪的，在我所读的书里，何以从没有讲起人们竟有这样彼此互相虐待，互相嘲笑的行为。

此外他又描述一个店主和别人赌东道，叫他的一个怪可怜的伙计当众在两小时内吃完十磅碱肉，市上人围观着，看他那样尴尬形状，以为笑乐。后来那个伙计拼老命的吃下，只迟了四分钟，店主还不高兴。高尔基亲见这样的怪剧，他暗中思索，为什么这些好身手的人们围着这个怪可怜的脚色，为什么他的病态的饕餮在他们觉得可乐，经了许久的悲哀的揣想，他自己回答了自己的问句，解释这些商人所以有这样残忍和无意识的玩意儿，是由于他们的生活烦闷所压迫而酿成的。

在神像制造厂里面，高尔基又遇着一班不同的俄国人，他们不像那班商人的贪婪，也不像他们的自满。制造神像术，在俄国往昔原是僧侣的专利，除技能外，还须虔敬的从事。后来这种神怪的艺术成为寻常手艺，更以工厂制度的产生，分工制造，有的专制木坯，有的油漆表面，有的专做妆饰，最重要最后做的工作是面和手的油漆，是要由最好的专家做的。高尔基在晚间所遇的神像漆匠，和他在日间麻烦工作中所遇的粗鄙的惟利是图的商贩不同。除了他的工作多少还含有僧侣的性质之外，无论如何总还是一种手艺，还未染有商业化的粗鄙性质。这些工匠虽然工资微薄，生活艰苦，但是他们却有粗鄙商人所未梦见的尊严。不过在制造厂里受生活烦闷的压迫，也和高尔基在宾庭街上商店里所深切感觉到的一样。在这个地方，受压迫者也寻找出路，不过方式不同，他们所取的方式不是对着他人的冷酷残虐。每于聚讼纷纭慷慨高歌之外，有时再加上相聚痛饮和一顿拳打。在俄国的一般市民，越是目不识丁，越起劲于谈论上帝及人生，尤其起劲于歌唱跳舞。每遇神像漆匠里面有一个哼出一个调儿来，无论是教堂里的诗歌，高加索漂泊民族的情歌，或是一首山歌，其余的也一个一个的跟着凑热闹，由于自然而然的，他们的声音竟凑成一种和谐的唱歌队。他们越唱越忘情，索性把工作都停了，大家合起来大唱一顿，发泄发泄他们的闷气。

高尔基很受这些歌曲所感动。但是他们却也不是每事都能引起高尔基的柔和的情绪。他既曾浸润于书的境界中，不禁感觉到他的环境的污秽，这种污秽的生活，在其余的人都是司空见惯，熟视无睹的。他觉得奇怪的，是这些人在歌曲上及对生死及世界的滔滔不绝的谈论上，所表现的是多么伟大，多么高尚，却能忍受他们切身环境中的龌龊不堪的情形——潮湿腐败的地板，恶臭难闻的床铺，以及其他使得生活苦恼的种种屑务，这类事只要一个人肯略为留心照料，便很容易改正的。例如漆匠里面有一个名叫达维笃夫（Davidov），病得将死好几个月了，躺在他的高高的叠床上咳嗽着，由那床上吐下血来，夜阑人静中呻吟叫苦。有人建议把他送到医院里去，他说他就要死了，不必多此一举，其余马马虎虎的俄国人也就随他住在厂里。达维笃夫满身污浊，生满了虫蚤，高尔基看不过了，和他的同伴学徒巴佛尔（Pavel）替他洗了一次身，却成为那些工人的揶揄和辱骂的标的，好像他们两人犯了什么丢脸的可笑的过失似的！

他们有一种狂饮会，一来往往就是三四天。他们都到公共浴堂去洗浴，将夜回来时，满身洗得干净爽快了，便大喝大唱大舞。厂里遇着这个时候，也布置得整整齐齐，大桌上便由高尔基和巴佛尔洗涤得干净。雪克哈列夫（Zhikharev）——厂里最好的一个工人——带着酒肉食物回来，和他同来的还有一个身体魁梧的娼妇，她生着婴儿似的面孔和一对碧绿的眼睛，用迷人的音调说着甜蜜的关于寻常琐屑的话。各人对于这个妇女都存着夹有恐怖的好奇心。她的奇伟的身材，颟顸的举动，单调的声音，迟钝的言语，都使人肉麻。他们混在一起狼吞狂饮，喊着唱着，有意要喝醉，大吵大闹一番，但是悲哀的心理却笼罩着这个光线黯淡的房间。雪克哈列夫用足劲儿求得快乐，但他的面孔上仍带着苦容，暗伏着思乡的愁怀，大家虽围着娼妇跳舞瞎唱，各人都不过借此各遣愁怀而已。

高尔基看着他们这样怪可怜的一班人之花天酒地，不胜替他们伤感。他们待他都很好。因为他感谢他们待他的好意，更觉得对于他们生活的困苦和荒乐无度的粗鄙，异常难过。他鉴于他们的苦恼，往往想到他自己前途的命运，有时他竟被引诱想对运命屈服，随波逐流的飘荡着，在同流合污中寻求舒适，和常人瞎混，和常人一样。巴佛尔不过比高尔基大两岁，他的行为便和常人一样，酗酒、争吵，和对门一个人家里的女仆轧姘头。高尔基每于晚间躺在床上醒着，夜阑更深中仅闻同房中的伴侣鼾声呻吟声交作，感觉到孤寂的烦闷，常决意和他们沉溺在一起，第二次例假到时和他们一同到他们所到的地方去厮混。但是真到了那个时候，他总未曾去。他的生性之不易迁就，使他不能和常人随便瞎混而能处之泰然。大家酗酒，他闻着俄国麦酒却作呕；大家瞎轧姘头，他独中心向往着玛高德皇后和在书里所读到的巾帼英雄。之前在轮船上，和那个好色纵欲的火夫耶各夫一起的时候，他就深切的感觉到看书使他和其余的常人不同，深切的感觉到书籍使他不为许多诱惑所攻入。一个人既明白人们怎样恋爱和受苦，他便不愿到娼寮里面去。为着几个钱的代价来干这种罪恶的事，只能激起人的厌恶；尚以此事为甜蜜的人，只能激起人的怜悯。他所犯的惟一的恶习惯就是吸香烟，这个习惯，他至今虽因有肺病而仍然要犯的。

高尔基在那些神像漆匠们看来是多么重要，这在他的追述中未曾说起，大概是由于他的谦逊的缘故。他此时虽则只有十三岁，对于人生，所见识的比他们里面任何人都来得多；而且他的阅读，也扩充了他的眼界，超越他们的想像所能达到的境域之外。在他们的冗而且多的各种讨论里面，这个孩子往往能使长着胡子的师傅们不得不对他注意，倾耳静听他所说的话。他把他的读书的狂欲分给他们，工作的时候，他不再学习他们的手艺，却高声读书给他们听。他们很喜欢他这样读给他们听，乐此不疲，以致妨碍他们的工作。例如有一次高尔基从一个救火队长处借到一本俄国名诗人莱蒙托夫（Lemontov）著的《魔鬼》一书，在厂里开始读给他们听，他们听得入神，一个一个陆陆续续把他们油漆神像用的刷子都放了下来，渐渐的在这孩子的四周围成一个圆圈，此时这孩子自己的声音，也受着情绪的激动而呜咽着，他的眼眶里充满了热泪。他把这本书读后，很谨慎的锁在雪克哈列夫的箱子里面，他们每每叫高尔基把这本诗读了再读，甚至在他们里面多数已在床上去睡觉之后，他的朗诵往往使他们听了兴奋起来，听得入神的他们又渐渐的围着这位朗诵的孩子，此时他们多由床上重新起来，一半赤着身体，因天气寒冷而震颤着倾听。

有的夜里，他不读书给他们听，却用着巴佛尔的帮助，表演给他们看，给他们以娱乐。遇着这种时候，这两个孩子用煤烟和原来用于神像上的油漆，涂抹他们的面孔，再把蔴披在身上，妆成了满身长着毛的动物，扮演俄国的英雄或恶棍，中国的鬼怪，以及其他等等。他们演得活龙活现，滑稽唐突，使得那班观众笑得腹痛；而高尔基得着这样的鼓励和煽动，更想入非非，扮演出奇奇怪怪的脚色，或乘此机会发泄发泄他白天在商店里对于所目击的怪现状的愤懑，扮演那些肥胖颟顸的商人，或受他们欺骗诈财的土老儿。他的这些表现，就是那班严重虔敬的神像漆匠都不免为之捧腹大笑——艺术家再能希望得着更高的评判吗？他们狂呼着称赞这个孩子，并劝他利用他的天才去造成马戏班中的一个小丑脚色。这第一次的成功，竟未使他转移他的志愿到舞台上的事业方面去，却是一件可异的事情。以他的那个可以活动的脸部，异乎寻常的鼻子和眼睛，深的低音和其他关于戏剧的天才，若投身舞台，在这方面的成就也是未可限量的。

还有一事也可以表示那些漆匠对于高尔基是怎样的看得珍贵。在他的“取名的纪念日”，这个神像制造厂里的同人共送他一个“上帝的人亚勒赛”的雏形像（按亚勒赛是高尔基未用现在笔名时的名字，前面已提过）。这个像送给他的时候，雪克哈列夫还有一番长而严肃的演说。据高尔基所追述，他还很清楚的记得他当时演说里有这么几句话：

“你是谁？”雪克哈列夫问时大弹着手指，升着眉毛作态。“无他，只不过一个顽童，一个孤儿，年龄总共不过十三岁，但是我，几乎四倍于你的年龄，称赞你，赞成你对付事物能用老老实实的直率态度，不矫揉造作走旁路！希望你一生保持这个位置，那就好了！”

后来卡本杜克兴（Kapendyukhin）在旁扰断了他的话，对着这位演说家狂呼道：“喂！停止你的葬礼祷词，看——他的耳朵转成蓝色了。”用手打着高尔基的肩膀后，卡本杜克兴加上他的称赞，这样说道：

“我们所以觉得你好，是在乎你是一切平民的亲属，这才是好处所在！人们觉得不忍责骂你，恐怕孤独使你伤心，虽则当你却有原因受此责骂的时候。”

他说完之后，他们全体都用和爱的眼睛对着高尔基望着，看见他难为情的尴尬的样子，大家都好意的和他开玩笑。高尔基后来追述此时的感情上的激动，说“他们如再多说些，我或者要放声大哭，因为他们这班人对于我居然也觉得有些用处，使我得到出乎意料之外的愉快的感觉”。

若干年之后，这个高加索人卡本杜克兴的观察，重被俄国的苦工者响应起来，他们高呼高尔基是他们的“一切平民的亲属”。这是后来的事实，现且暂搁。且说当时高尔基虽和那些神像漆匠有愉快的关系，但是他对于那里的生活一天一天的觉得更不满意。厂里的惨象常使他心里难过，虽有时他把关于别人的苦恼设法消散消散，但是他个人的烦闷总难释然，就是有时勉自消遣，也是很短暂的时间，转瞬又感觉到烦闷了。在商店里过的日子更压迫得厉害。在那店里，在他上面的那个伙计对于这个倔强不易驾驭的异常的孩子，心里老不高兴，想种种方法来倾轧排挤他，甚至把钱袋故作无意的掉在地上，希望能引诱他拾起来，俾他有所借口，告发他不诚实。他此计不售之后，愈用出卑鄙的阴险手段，串通好一家附近的商店里的伙计，叫他用谄媚手段恳托他偷出一个神像来，后来又替他偷出更值钱的一本圣诗。显然的，这个孩子在当时对于尊重私有财产的观念并未发展得成熟，而且那个人恳求他救救他和他的家族的饥饿，引动他的怜悯，所以便照他的嘱托做了。但是高尔基的诚恳的同情，竟使那个人自己承认是依照本店的那个伙计的委托，要借此陷他犯罪的。这个孩子知道之后，且惊且愤。他的满腔恐惧和热望，简直没有一个为他所信托的人可与商量。外祖父吗？他曾经有一次在街上遇着他，当时这个老头儿正穿着一件厚的皮外套，很严肃的大摇大摆的走着，遥呼高尔基。他对高尔基望望，对他说道："呀，就是你……你现在是个漆绘神像的工匠了，呀，是的……好，向前干去，向前干去！"他把这孩子推开之后，依旧散他的步。外祖母此时工作得很勤，一面要照顾她的半痴了的丈夫，一面还要照顾她的那些苦命的孩子。高尔基对于她的振作的精神的敬仰仍未减少，但是他现在已觉得她被神话故事所蒙蔽，不能看清并了解人生的苦恼的现实情形。她对于他的一切怀疑和埋怨，总是这样的回答他道："一个人必须忍耐，小亚勒赛。"这种"憨徒的道德"，是外祖母对于一切困苦的万应药方。但是高尔基不能忍耐了，他打算逃遁——逃开那些动人哀怜的漆绘神像的工匠，逃开那个自满自傲的宾庭街，逃开他的穷苦生活相联属的尼斯尼诺伏格拉的故乡。春季到了，他的眼睛又转着视线到伏尔加河，他打算在轮船上找一件工作做，借此先到阿斯脱拉罕去，再从该处到波斯去。他怎么会想到波斯去？据高尔基后来的追述，记不清当时的准确理由。据他的猜度，也许是因为他在尼斯尼诺伏格拉的定期集市的市场上，曾看见过波斯商人，觉得很可爱。当时他看见“他们坐着如同石头偶像一样，镇静的吸着他们的水烟，他们的染着色的胡子伸入太阳光里去，他们的眼睛大而黑，好像无所不知似的”。此外关于波斯人的更早的追忆，他追述他的父亲在阿斯脱拉罕逝世时的情形，也曾经提起在当时他们所住的奇异的屋子里，“在楼上有长着胡子的染着色的波斯人住着，在地室里有一个老的黄色的加尔密克（Kalmyck）售卖羊皮”。这种儿童时代的追想，也许在此时很模糊的在他的脑经里激动着，此时他正在渴求新奇的境界，要逃开当前所习见的环境。

第八章　监工

高尔基十四岁了，他原想找着一个轮船上的工作，乘到波斯去，但无意中有一天遇着他的亲戚，就是他从他工作过的绘图师。这个亲戚劝他抛开波斯的梦，回去帮他工作。他在当年集市的市场上承办了好多店铺的建筑工程，要把一个监工的职务给他做——这种职务是要监视木匠和其他工人，防他们偷懒或偷窃材料。给他的工资在他算是再大没有的了——一个月五个卢布，每天再加上五个戈比克的膳费！高尔基对于这个绘图师的家中人是觉得很讨厌的，这在前面已经说过。但是他对于绘图师本人却有较好的感情，他觉得这个绘图师对于麻烦的家族及社会的顽俗也暗欲反叛，不过为环境所束缚，好像网中鱼罢了。且说当时这个绘图师遇着高尔基的时候，很和气的招呼他，他们彼此交换了耶稣复活节的接吻礼。这绘图师拿出一枝香烟请他吸，给他以对于平等人的一样的待遇，高尔基完全受他的好意所软化，就接受了他的雇用。于是此后约有两年的时间，无论他怎样的渴望着改换环境，仍在尼斯尼诺伏格拉。其实这在他没有多大的关系，无论他在故乡也好，住在喀山也好，或在黑海沿岸漂泊也好，或穿过高加索各山也好，无论他在什么地方，他总是根据直接的观察和分析，很坚毅的继续他的教育。在故乡再多住两年，也能增富他的经验，犹之乎在巴黎，或是纽约，或是其他有人类材料供研究的任何地方。所以他的著作中关于这个时期的追述，并不单调或是平淡，仍为有声有色的经历，使读者听着津津有味，兴趣盎然。

他担任了这个监工的职务之后，对于俄国的农人，又得到更亲切的知识。这种建筑工程里所用的木匠和泥水匠等等，大部分都是由各乡村里来的；他们离开了村间的家属，对于故乡都是念念不忘的。高尔基现在有了机会和他们混在一起，看着他们工作和游戏，倾听他们无限止的谈话，他自己也加入和他们一同谈，并且个别的和他们一个一个晤谈，最后觉得他们的矛盾和难于形容。他们似乎同时和爱而又无情；机巧而又迟钝；严正而又淫荡；智力上似乎敏捷而又呆笨；无前的勇敢而又消极的怯懦；似有反抗精神而又听天任命；似乎口若悬河而又有令人烦厌的模糊和散漫。总之他觉得这些农夫具有一种原始的狡猾的特性，有不尽显露于外而却有所隐藏的倾向，他觉得也许这种隐藏着不说出来的情形，却是最重要的事情。无论怎样，他觉得这真实的俄国农夫比他在书里所知道的是无限的更为复杂，更引人注意。其实他所发现的书本和实际生活之不能符合的事情多了，这并不是第一件。他一面考察俄国农民的实际状况，一面仍继续不断的看他的书，这些书是由从前玛高德皇后所租过的屋子里的新移入的受过教育的人家借来的，他这个时候很津津有味于阅看俄国的小说。他也喜欢看英国的名小说家史各得（Scott）和迭更司（Dickens）所著的小说，读了一遍还重新再读一遍。

高尔基所担任的监工一职，在他对于此事的本身觉得索然无味，而且对于他所爱的那些工人作侦探，在他尤觉得厌恶。那些工人对于这个异乎寻常的青年也很喜欢，每见他无法阻止他们偷料和怠惰，还心存好意的和他开玩笑。他听他们谈天，也引为至乐，有意挑动他们辩论，显露他们自己，意欲借此寻出他们的真实，但他的这个希望终属徒然。他虽觉得和那些工人谈谈是有趣的事情，但后来久了也感到单调，便不停的寻觅新颖的印象。有许多夜里，他都到一个小客栈里去，客栈的老板每遇有途过的歌者唱几首歌，愉快他的心灵，他便请他喝一杯麦酒。俄国人喜欢歌舞，我们在上面已注意过，这个小客栈里有一两个常来的歌者，他们的歌声能很奇异的把那听众——里面有小贩，有路人，有客栈里的伙计——变成一个静寂无声，富于情感，向往崇拜的群众。每在这个时候，高尔基也在倾耳静听这些自习的歌者的歌唱，虽则他也受着情绪上的很深的感动，但同时却留意观察同在倾听的别人，记下他们的反应。

他的好动和好奇心，更引他到不平常的不规则的地方去，和不平常的不规则的人接近。他此时还未实际过着漂泊的生活，但是漂泊者干的事情，却已引起他的注意。他此时跑到万人街（Millions' Street）里去，这是尼斯尼诺伏格拉的下流社会中人常到的地方，他在此地可以看见流氓生活的全境。有个四十岁的老农夫，名叫雅得利央（Ardalyon），是他的雇主绘图师所用的最好的泥水匠，忽然走上了歧途，到这里面过他放纵淫乱的生活，虽他屡欲自拔，终至堕落而不能回头，放荡不羁，不负责任，以及很快乐的和同伴们在下等生活里的纵情作乐，这种诱惑，已使不少人如雅得利央一样的陷入“赤足团”里面去，这是高尔基不久即在这里面知道的。雅得利央当时看见高尔基也到这里面去，大为欢迎，当他到附近不甚稳妥的地方去，他便毛遂自荐的做他的向导，做他的保护者。高尔基后来追述此时的情形，曾经说过：

> 我很留心看着那些人拥挤到这个旧而污秽的街上的小石屋里去。他们都是从寻常的生活里飘荡出来的，但是他们似乎创造了他们自己特有的一种生活，不受任何主人的节制，很快乐的过他们自己的生活。他们是无所牵挂的，勇敢的，他们使我追想到外祖父曾经谈过的伏尔加河驳船上船伙们的故事，他们很容易变成土匪或隐士。当他们没有工作可做的时候，他

们就从驳船上或轮船上作小窃，也不在乎的，但他们这种行为，我倒不觉得怎样不对。我当时看出一切人生都充满了贼的行为，好像穿得破旧不堪，只剩了灰线的外套。同时我并看出，这些人有的时候也能非常起劲的做他们的工作，一点不省他们的气力，例如遇着危急的事务，如救火，在河里移去冰块等事。总之他们所过的生活比其他什么人都来得痛快。

高尔基到万人街溜过几趟之后，即有人报告给他的雇主知道，这位绘图师就警告他不要再到这种贼和娼妓所在的街上去，说这条路是要引人到监牢和医院里去的。这个危险的要素并不能减损这个孩子的好奇心。不过他不久却为着别的原因，和这个狂放生活的街断绝了足迹。他对于这班“赤足团”中人，虽羡慕他们的自由和旷达，但有一事使他看了很觉得苦痛，是他们对待比他们弱小的人的残忍，尤其是对于妇女。他觉得究竟这些勇敢的脚色仍和宾庭街上的肥胖商人一样的卑鄙残酷！他因在书上读了不少可敬的妇女，所以对于妇女有他的武侠保护弱者的精神，看见他们虐待妇女，为之震怒，常常对于这种残忍的男子反抗，和他们挑战。试举下面一件事做个例子。

他每天上工，要经过一个“穷凶极恶的敌人”，是一个娼寮里的管门的。这个管门的有一天握着一个喝醉酒的妓女的两小腿，把她往街上的石路上拖着，被高尔基瞥见了，大为不平，把那个人痛打一顿。这个看门的不懂为什么有人对于他的这样执行合法的职务，敢加干涉，于是对于这个大胆的孩子设法报复。每天早晨他要拦住高尔基的去路，和他打一顿，但是因为每次他都打个败仗，于是他不得不另想办法来使他难堪。他起先不明白高尔基为什么干涉他，后来才很惊奇的知道原来是因为他虐待了那个妓女，于是他问高尔基如果虐待一只猫，要不要引起他的怜悯，高尔基承认也要引起的。过了几个早晨以后，当他去上工经过该处的时候，远见这个看门的正在抚摩一只猫。等到高尔基走得近了，他跳起来抓着这个猫的两腿，提起来把猫的头向着路边石板上乱撞一阵，把红血淋漓的猫向着高尔基的身上挥。他们两人乱打一顿，像狗一样的扭在地上打滚。高尔基后来追述此事，曾说：

> 后来，我坐在方场上的杂草里面，感觉到说不出的苦痛，几乎发狂，咬着我的嘴唇，使我自己不致号啕起来，就是现在，我还能追忆当时全身愤怒得震战，在这种状况之下，未致失却知觉或杀却一个人，真算是侥幸啊！

高尔基书看得越多，沉思越深入，他对于事物越认真，这种可厌的环境，在他也渐渐觉得不能再忍受了。他目击周围的污秽，不必要的残虐和卑鄙，以及酿成种种兽行的烦恼境遇，他愈益渴望得到文明的生活，他在书里所读到的洁净的文雅的生活。他所目睹的实际状况和他在书里所读到的境域，恰恰相反，但是这种相反并不使他精神颓唐。虽然周围的现实对于他的理想作激烈的打击，但他仍深信有其他合于他的理想的生活。他和外祖母、玛高德皇后，以及惹人想望令人兴奋的书籍接触的时候，每在心目中悬想有一种仙境，他仍深信这种仙境是可有的。这种信仰，使他不肯随波逐浪，同流合污，屈服于当前的环境。他后来这样说过：

> 我在当时不喝酒，也不嫖——代替这两种方式的嗜好是书籍。但是我愈看书，愈难忍受我当时所目睹的那些人同样的空虚无谓的生活。
>
> 我刚到了十五岁的年龄，但是有的时候我的感觉竟和成人一样。我在生活中的经验，在书中所看到的境域，以及我自己所无时或释的思索，这一切的一切，在我脑袋里简直好像在那里发涨，使我如负重责似的。我自己内省一下，觉得我这个贮满种种印象的收藏所，好像一个黑暗的贮藏室，乱七八糟的堆着形形色色的东西，我的能力和智慧不够把这些东西整理起来。同时这些贮藏着的东西虽然丰富得很，却不能很稳固的安顿着，只在面上飘流，推荡着我，好像流水推荡着一件飘流的外套一样。
>
> 我对于不愉快、疾病、冤苦，极端的痛恨。每遇着残忍的景象——无论是流血、打击，

或甚至不过用言语侮辱一个人——我都觉得受不了，在心里自然要发生一种反抗的情绪，不久便变成冷静的愤懑，甚至我自己要奋身起来，好像野兽一般的痛打一顿，打了之后，又觉得很苦痛的惭愧。有的时候，我愤极要打一个恶棍，奋不顾身的加入搏击，我现在还可以追忆当时惭愧和苦痛的心理。

我当时简直好像是两个人。一个人因为对于污秽的卑劣的事实看得太多了，似乎有些灰心，对于人生以及人们都存着不信任和猜疑的心理，对于每个人（包括自己）都存着一种无可奈何的怜悯的心理。这个人梦想一种和平的，孤寂的，周围没有别人的生活，梦想修道院，梦想一个看守山林者用的茅芦，梦想铁路上转辙工人藏身的小木房，梦想波斯，或是在一个城镇边境上一个更夫的职务。他的愿望只是少看见人，尽量和他们隔离得越远越好。

还有一个人，却受了诚实的聪明的书籍所熏陶；当他见到可怖势力横行的时候，感觉到这种势力要蹂躏他是如何的容易。但是他却不屈服，却要尽力奋斗，咬牙攘拳，准备应战。这个人无论爱人或是怜人，都是积极的，可比法国小说里所描写的勇敢的英雄，只要受着稍微的冒犯，他就由剑鞘里拔出他的宝剑来，立好应战的姿势。

上面所说的第一种人，可谓俄国智识阶级中大多数人特性的代表。上面所说的第二种人，是属于俄国人中极少数者，他们说了就要做的，要干出似乎怪诞离奇的伟大事业；是属于那些不顾现实的梦想者，这种人是高尔基在他的杰作《鹰之歌》一篇里面所尊崇的人物，他用以尊崇这类人物的标语现在已成为历史上的佳话了，那就是：“我们唱着歌，赞美着傻子的勇敢。”使得高尔基不为当前环境所拘束而亟欲扩充他的境域的，就靠他有了这种大胆的和好斗的自我。

在这样的心境中，这个十五岁的孩子下决心使自己有所作为，以免毁了他自己。一脑子装满了许多的印象，许多的沉思，许多的自己回答不出的疑问，带着一个突出向上的鼻子，好像表示有无限问题要探问似的，这个孩子便离开尼斯尼诺伏格拉，到一个沿伏尔加河的另一城市喀山去，暗中希望一到了那个地方，就能找到求学的机会。

第三编　青年时代

第九章 到喀山去

喀山（Kazan）是沿伏尔加河的一个城市，是东俄的一个文化中心，该处有博物院，以及其他的许多教育机关，包括该处的一个著名大学校。十五岁的高尔基由尼斯尼诺伏格拉来到这个城市，是充满着满腔的热诚要来求知识，求大学校的知识！以他这个穷小子，忽发这样的奇想，却是受一位朋友的怂恿。这位朋友名叫郁佛令诺夫（Yevreidov），是尼斯尼诺伏格拉一个中学校的学生。他看见这个平民的子弟却对于读书这件事有那么殷切的热狂，便劝他到喀山去，据说他的家属住在该处，如果高尔基有意去的话，可住在他的家里，六个月内可将投考的课程预备好，只要能考进了大学校，他一定可以得到政府的官费，五年之后，他便可以成为一个"科学家"了。郁佛令诺夫断然确定高尔基是"注定了要服务于科学”的，他并且把他和罗莫诺索夫（Mikhail Lomonosov）相比，说这个人也是一个平民的儿子，在十八世纪时由一个无知无识的渔人地位，一跃而为大学院里的一个学生。这个计划似乎是异常简单而一定可以办到的，“因为郁佛令诺夫十九岁了，又具一副好心肠”。依高尔基此时的经验，他应当是不易于受骗的，看见郁佛令诺夫这样的起劲，却被他所掀动。无论如何，高尔基已觉得尼斯尼诺伏格拉讨厌，他需要变换变换空气，喀山总比波斯较近而易于达到，所以他便决意去一趟。他的儿童时代及幼年时代均在外祖母指导之下，现在到了这个阶段的生活，诚然应受外祖母的最后的训诲。当她送高尔基到码头和他分别的时候，她对他说道：

“你留心，不要激怒别人——你总是喜欢横行的，你已造成粗暴和卤莽的脾气了！这是你由外祖父学来的；但是，你要看看外祖父：他活着，活着，最后终成一个笨拙的，一个苦痛的老头儿。你要牢记着一件事：裁判人的不是上帝，那是魔鬼的事情！好，再会吧……”

她一面在她的棕黄色的软瘪的两颊上揩着一些老

泪，一面继续说道：

“我们不能再见面了。你，一个不肯停息的脚色，要飘荡到很远去的——我是将要去世的人了。”

高尔基追述当时的情景，曾这样的说道：

“在动身的前几时，我和这个可爱的老妇人常分离，不常见着她，到了这个时候，我忽然很苦痛的觉到我将永远不能再和这位最疼爱我的人相见了。我立在船尾上，眼巴巴的望着她，看见她还立在码头上的栏杆旁，一只手书着十字架，还有一只手拿那破烂的围巾的边，揩着她的眼泪，她的黯然的老眼里，好像充满了对于人类的不能毁灭的爱的光辉。”

果然，这是高尔基最后一次看见他的外祖母。他后来听人传说她最后的状况，孤寂的，穷困的，但仍尽她的心力帮助并鼓励那些不及她所有的愉快的人生哲学的人们。高尔基有无数次的机会追想到外祖母的训诲——不要激怒别人，不要裁判他们，不要那样严厉和粗暴。但是在他所遇着的经验里面，要遵从这种训诲，倒不是一件容易的事情。

到了喀山之后，高尔基不久即发现郁佛令诺夫的好

在喀山生活时期的高尔基

高尔基和卡利乌资尼1903年在提弗利司。图下为高尔基的签字:“纪念我所遇着过的少数难得的教师和朋友之一——亚列山大·麦弗吉也维奇。麦仙

喀山民粹派达伦科夫所办的糕饼店

意和指导在实际上的价值是多么的微小。第一件，该处的当局先无意于鼓励未来的“罗莫诺索夫”。非但无意鼓励而已，反而有意阻碍。原来当时受过教育的青年酝酿成革命的运动，这种趋势使政府当局深信提倡教育，启迪民智，和保持已成立的现状是绝不相容的，是要弄到推翻现状的。当时专制政治之得苟延残喘，就靠着社会的太不平等，利用少数特受恩宠的人的拥护，压迫大多数无能力的民众，所以专制政体的生命就靠着人民的退化，无知识，顺从。这样一来，教育当然是可怕的一件东西，所以当局有意阻碍它的发展，务使多数人民愈难求得教育愈好，只要有极少数人受教育以供政府的利用，那就满意了。在十九世纪的下半叶，托尔斯泰伯爵（Count Dmitri Tolstoy）又令中等学校里采用学习困难的死的古文学，以消磨青年的时间和思想，排除能够唤起思想合于实际生活的科目。不但如此，同时并设法阻挡下等阶级求学。托尔斯泰伯爵的走狗和继承人达连诺夫伯爵（Count Delyanov）则更卤莽，竟发秘密通告给各校校长，明目张胆的叫他们不要录取下等阶级里的投考者，侮辱这班下等阶级的子弟为“女厨子的孩子！”现在在苏维埃的教育招贴上面，常可见到上面写着列宁的标语：“每个厨子必须被教得知道国家是怎样治理的。”但是当时的高尔基——一个被轻视的平民家中出身的未受过教育的孩子——对于十九世纪时代的不分皂白和阻人前进，有什么胜利的希望呢？

高尔基的不幸还不止此。他到了喀山几天之后，发觉郁佛令诺夫对于他的邻居虽具有一腔热诚和仁爱，而对于和他最为亲近的家属却冷淡无情。原来住在喀山的他的家属仅有一个寡妇和两个小儿子，住在一个破旧的小屋里，所恃以自给的仅为有限的抚恤金。久经患难的高尔基，他的眼光是锐敏而富有经验的，所以不久即看出这个寡妇省吃省用，千辛万苦的使这一些经济能勉强维持两个儿子的教育，同时又须顾到家中其他的需要，这使高尔基对她发生无限的同情。于是他便利用在伏尔加轮船上所得到的经验，在厨房里帮助他的女主人，但是青年的胃口特别好，食量特别大，而女主人家里的饭菜却极其有限，不够他的一饱，这倒不是一件易于对付的尴尬工作。郁佛令诺夫殷勤贡献给他的一番好意，在高尔基实感觉到烦恼而苦于无法享受！

这便是关于喀山的一场梦！高尔基也不愿再累他的女主人了，免得她吃饭的时候再来请他入座，所以一天到晚都在外面东跑西走的飘荡着，如遇着下雨的天气，跑也不好跑了，便蹲伏在隔壁烧坍了的屋子里漏得一塌糊涂的地室里面。后来高尔基追述这件事，开玩笑的说道:“这就是我的许多大学校里面的一个！”他要想进喀山大学的一场梦既清醒了，他知道了此路不通，便尽力寻觅替代的路，在漫长的雨天，躲在臭味四溢的地窖里，一个人独自沉思着，筹划着，梦想和现实交萦于脑际。幻象的消灭并不使他灰心。他告诉我们，他获得梦想异常的冒险事业和伟大的英雄的行为的能力，这种梦想的能力，在他生平陷入困难的时候，能振作他的精神，坚强他的意志，排除他的烦闷，鼓起他的希望，督促他的进取；又因为所遇着的困难的时候既多，他的这种梦想的能力愈益锐敏了。他既不存侥幸的念头，希冀外面有助力到来，也不希望发横财的运命，但是他却渐渐的养成一种坚毅的意志，所遇的境况愈艰苦，他觉得愈坚强，甚至觉得愈聪明。他早就明白，人是由于抵抗环境而造成的。

高尔基所著的自从喀山时代以后的追忆录，就用《我的大学》做题目（编者按，这个题目英文为 *My Universities*，"大学"系多数，即不仅指一个大学）。这种题目似乎不无含有愤愤不平的意味，因为当时他进不得实际的大学校，仅以他所处的社会算作大学校。但他在事后追想，却并不怀有这样怨恨的意味。他有这实际经验过了三十年后，才把此时的情景追忆着写下来，这记录却反映着平心静气的回顾，并且颇有哲学的幽默意味。学校围墙以外的实际的教育，比之正式的徒重文凭的教育，由托尔斯泰伯爵及其左右所指使的教授们略给一些予少数特权阶级的教育，两相比较，那前者是广阔得多了，深切得多了，有生气得多了。高尔基既不能加入特权阶级所入的学校，只得仍继续从前所受的教育训练，即从前所做过的跑腿的杂差，清道夫，厨房工役，以及其他为"女厨子的孩子"所尚能做到的种种职务。但是这个十五岁的瘦长的孩子，形状粗陋，生着一个惹人注意的鼻子，虽仍在中学校的年龄，到了这个时候，就艰苦备尝一端而言，可算是羽毛已丰的成年人了。他此时所选习的课程，是在长时期内切实的彻底的研究种种实用的价值、概念，和人类的相互关系。后来高尔基回顾到他在此时所入的“大学校”，对于这些“大学校”所教给他的知识和经验，一定是觉得十分满意的，虽则他在当时为着受这教育所付的艰苦备尝的代价是很大的。

在他的许多“大学校”里面，伏尔加河可算是他的最忠实的母校。在她的广大的河面，以及沿岸的无数的地方，他学得许多人生的知识经验。他到喀山不久之后，沿着伏尔加河的这个喀山埠头又和他结不解缘，这固然因为他不得不在这上面谋些生计，也因为这引人入胜的伏尔加河和沿岸的人民使他萦念不忘。在这个地方，现实和幻想又在他的生活里混合起来了。据他后来的追述，他在码头上每天能赚得十五个或二十个戈比克。在这个地方，他和那些脚夫，以漂泊为专业的人，以及其他干着偷偷摸摸不便公开的职业的人，混在一起。他说当时觉得好像“插入烧得红热的煤炭里面的一根铁条”——每天都给他充满了许多尖锐而令人兴奋的印象。在他的眼前，熙来攘往的都是一班毫不掩饰的贪婪的人，粗率本能的人，他却喜欢他们对于人生的痛恨，对于世界的嘲笑的态度，对于他们自己的满不在乎。他的个人的经验使他羡慕这些人，在他的心坎中唤起一种欲望，要投身加入他们里面，和他们同甘苦，如同在尼斯尼诺伏格拉一样。后来在喀山，在阿得萨（Ode-ssa），在里海沿岸，以及在他的“大学校”时代的全时期里面，他总是不由自主的倾向于最下等的人们。躬自亲历下层的生活，而又能活着把所经历的这种下层生活，著书告诉我们，在这类的著作家里面，高尔基大概是最与下层的生活有更亲切的接近。但照他自己说，他虽和下层的生活有更亲切的接近，却从来未曾乐而忘返的完全沉沦下去。和那班不负责任的人混在一起，有的时候诱惑力是很强烈的。当这种诱惑力最强烈的俄顷，高尔基的批评的观察的态度每能把他提住，不让他撞着下层的底面去。也许尤其是因为他梦想着外祖母所讲的仙境和玛高德皇后的豪侠武士，这种奇幻的梦想好像做了他的救生圈，在不可及的绝顶和太易接近的最低点的中间，把他悬提着。他做了下流人的一个亲近的同伴，效法他们对于人造的道德信条及标准完全不顾，但是却不肯随同他们违反摩西的十诫，无论是其中的第六条，或第八点，乃至仅属

第七条。在喀山的窃贼里面，其中有几个人的个人行为他也颇为羡慕的，但讲到他们的偷窃勾当，高尔基总不肯参加，这究是为着何故，高尔基后来的解释似乎不甚清楚。他说："当时依我的已往经验的趋势，就是加入这班窃贼同干，也是很自然的。我要力求上进和要求学的希望，都成了泡影，也迫我跑到他们的路上去。在饥饿、怨恨和痛心的时候和我觉得可犯的罪名甚至不仅反抗财产的神圣制度，可是青年的幻想阻挡我转到这条我势将踏上的路。此时我已读了好几本正经的书，这些书在我心里唤起我所要渴求的东西。这东西究竟是什么，我固觉得不明白，但总觉得比我在当前环境中所看见的东西都更有意义。"

高尔基在码头有时做做脚夫，并常和该处的下等社会中人接近，但同时却不因为做了这种工作和交际，便断绝了和智识阶级接触的机会。前一种人使他在精神上的不安宁为之停顿，后一种人却唤起他在精神上的不安宁，但是他自己却也不是随外物为转移，他有他的常识，有他的合理的行为。其实他所昵交的智识阶级，就经济方面及社会的地位方面说，仍和码头上的人物相距不远。若由达连诺夫伯爵看来，仍可斥他们为“女厨子的孩子”。此时高尔基所住的地方是在一个劣迹昭彰人言啧啧的公寓里，这个公寓名叫马鲁索夫卡（Marusovka），他在这个公寓里的楼梯下面一小间里，和一个学生名叫卜勒纳夫（Pletnev）的共榻。卜勒纳夫穷得连房租都付不出，但是他善于弹手风琴和唱着感人心脾的歌曲，使得那位房东太太——一个壮健姣好的老鸨——听着为之意夺魂销，和她的一钱不名的房客发生热烈的感情。马鲁索卡夫是一所庞大的破旧的屋子，里面住的人有饥饿的学生、妓女，和“早就该死而未死的人中鬼”。高尔基依照卜勒纳夫的建议，开始作有系统的阅读，目的要考得一张乡村教师的文凭。他觉得他的这种工作难极了，尤其觉得讨厌的是文法上的呆板格式。但是不久他才知道他的年龄还够不上担任教师的位置，于是他“欣然的”抛弃最后一次想受正式教育的企图。他既把这个最后的企图抛弃之后，仍受他自己的自由的实际的教育，在马鲁索夫卡的走廊上跑来跑去，实行他的老本领——观察。这个地方，嘈杂营营之声，自从早晨到午夜，都不停息，又因在那个世界里，秘密处所既不容易有，也为各人所不需要，所以这位观察者容易辨别声音之所由来，容易观察其中的趣剧和悲剧。他在那些潮湿的走廊上嗅着酸的刺鼻的气味；他静听着缝衣妇的缝机的辚辚声，歌剧团的歌女的练声声，准备作教会里的唱诗者的神学学生的低唱声，好像发了狂的喝醉的戏子的怒骂高唱声，喝醉酒的妓女，她们的嫖客，以及她们的老鸨的神经昏乱的急叫声——每当这样的时候，高尔基总是问着他自己这个老问句："这一切的一切，究竟为着什么？"在当时，在后来，他都找不着适当的答案。但是如同在此时以前，以及在此时以后，这位观察者的好奇心，使他就事实作缜密的观察，却比寻觅真理者之好作怨言，更有效果，更有价值。

在这个马鲁索夫卡"大学校"里面，高尔基对于形形色色，各种程度的文化和伦理，获得深切观察全景缩影的机会。有位发狂似的商人也住在这个公寓里，据他说住在这里是要获得"心灵"上的安慰，他每隔几时就请同屋里的房客到他的污浊的房间里去聚会，到的男子和妇女们，讲到他们的人生观，可算是各从不同的星球上降临的。遇着这种时候，高尔基又得尽量观察的机会。

由于郁佛令诺夫和卜勒纳夫的介绍，高尔基渐渐认识一班智识阶级中人，这一班人可以代表过渡的十九世纪，这些人物，后来他在所著的《四十年间》（Klim Samgin）第一卷（《旁观者》）里颇有讽刺的描写。二十年前，在俄国受过教育的青年都有一种见解，认为他们所以获得他们的特权地位，他们的知识和文化，其代价是在压迫一般平民，使他们屈服，使他们无知识。他们在良心上因此觉得难过，于是想出一种自赎的政策，就是要解放一般人民，要增进他们的知识。但是解放要靠知识的增加，而增加一般人民的知识，在专制政府中人却因为要自保生存而不得不加以阻碍。因为要打破这种恶毒的圈子，这班青年理想家便自己奋身起来对政府作不平等的斗争，决心要消灭它，或至少要用革命的恐怖政策来强迫它让步。他们对于所谓“人民”的爱，对于压迫阶级的显明的痛恨，使得这班社会上的享着特权的孩子们，虽在平日是文雅而温柔，此时对于枪毙敌人，炸杀敌人，却能毫不顾恤，百折不回。因此在几年里面，有少数用恐怖手段的激烈青年，不为囚狱、充军和枪决所恐惧，继续实行他们的惊人的活动。最后到一八八一年三月间刺杀沙皇亚历山大第二，达到了最高峰。

可是这些革命者的英雄的行为，都没有达到他们所抱的两个目的。在一方面，大多数人民的惰性，并不因枪杀和爆炸的隆隆远声所摇动；在别一方面，虽铲除了十几个贵人，甚至铲除了沙皇自己，也还不能使政府屈服。不但如此，反而变本加厉，亚历山大第三的统治比他的柔弱寡断的父亲还要来得反动，反而压迫得更厉害。其先赞扬这些勇敢无前的斗士的社会，满望着在此事成功之后可以获得利益，及至看见屡次失败，渐渐觉得恐怖政策之可厌，渴望和平，即出任何代价以求得此和平，亦在所不惜。俄国的最伟大的人物，托尔斯泰（Tolstoy）和朵斯妥维斯基（Dostoveysky）不自觉的替这个妥协的屈服的时代唱着主要的音调；前者是由于对罪恶不抵抗主义，后者则在演说中警戒国人："高傲的人，降卑你自己吧！"于是普通的一般公民就利用这些深远的思想来文饰他们的浅陋和怯懦。这种徒劳无功的感觉甚至侵入革命的青年里面去，这些革命的青年就是一八八一年三月行刺亚历山大第二事件发生参加恐怖政策所余下的。他们原把一般农民看作如何的神圣，如何的合于他们的理想，现在都感觉到这种理想露了破绽了。他们乃发生疑问，觉得这班农民似乎不值得智识阶级的牺牲；这种怀疑竟有遗毒于革命青年的心意之倾向。不但如此，此时因工业的发展，城市中的普罗列塔利亚（无产阶级）渐渐抬头，马克思的社会主义已渐渐的巩固它的地位，对于“民粹派”攻击不遗余力；这班“民粹派”中人乃相信俄国可跳过工业资本主义的一个阶段，直接跳到乡村共产主义的天堂里去。

高尔基渐和这班暗怀革命传说的喀山大学学生和其他智识阶级中人接触。他被人介绍给一个“民粹派”中人，名叫达伦科夫（Derenkov），他在一条静僻的街道上开了一家普通商店，将商业上的收入都用于这种革命的工作，把店后面的几个房间用作革命朋友秘密聚会之用。高尔基也有机会参加这种秘密会议，心里觉得很高兴。这是含有神秘和危险性质的冒险事业，如被警察探着了，参加的人便有入狱或充军的份儿，或两者同时要尝到的。此外在参加这种冒险的事业里面，高尔基觉得也许那些有学问的人能够解答他平日所感到烦闷的无数问题。到会的人里面，大多数是本地大学校的学生，并夹有一些充军到西比利亚回来的人物和由都市驱逐出来的学生。这班人都是年青、喧哗、易动感情的，聚起来讨论辩驳，往往是很激烈的攘臂叫号，各人把所带来的厚厚的书籍里面的话，证明他们自己的议论。高尔基对于他们这种理论上的斗争，是准备很不充分的。他告诉我们说："他们的真理，反因说话说得太多，使我寻不着头脑，好像穷人所吃的薄汤中浮着几小点脂肪似的。"他对他们的高谈阔论虽然有点莫名其妙，但是他很感觉到他们对于人民的忠心，对于俄国前途的愁虑，以及他们对于改善生活的决心。从他们所说的话里面，他常听到合于他自己平日"默思静念"的声音，他对于这些人几乎具有一腔的热诚，好像一个犯人获得这班人允许他以自由。具有一腔的热诚而却只是"几乎"，这又足以表示高尔基对于智识阶级的态度始终未能一致。

智识阶级究竟是指些什么人呢？这个几成口头禅的名词原不合文法，也不是俄国文所固有的，是在十九世纪中段才被人用得很普遍的。在反革命的一班人看来，这个名词乃包括有意推翻现状的一切人等——例如革命者，激烈派，自由主义者，被蔑视的民主主义者，戴着眼镜的书呆子，蓄着长发的男子，和剪着短发的妇人（这种男女很容易被人加上虚无党的头衔），总而言之，凡是能读能写，敢于独立思想，不遵从专制君主和神怪的希腊正教教堂所规定的训条的人，都一网包括在内就是了。在亚历山大第二统治的时代，有一班被政府用钱雇来的走狗，以“黑色百人团”（Black Hundreds）著称者，他们拿着国旗和教堂的旗帜，拿着沙皇的画像，拿着刀棍手枪，对大众作示威游行，叫嚣屠杀，所喊的口号就有：“杀死犹太人和智识阶级！”到一九一七年十一月的时候，在苏维埃里面，这个名词的意义是指带白领的布尔乔亚（资产阶级），叛徒，怯懦者，空谈者，以及其他种种无用的寄生者。所以智识阶级这个名词，其意义实在是很含糊的。在旧俄时代，你如说某人是智识阶级中人，你的意思也许是说他对于学问和人道主义是有兴味的，在道德上是有风骨的，在智力上是敏锐的，自认具有不自私自利的人生观，平日对人接物都能实行这个宗旨。但同时你也含有这样的意思，就是这种人也有一种难以捉摸的特性，这种特性表现于他们的自高声价，羞与常人为伍，和他们的贵族的习惯。这种特性虽难以言语形容，但却不致误会。所以“黑色百人团”的团员能很少错误的抓住一个智识阶级中人的头，用他的木棍来打碎它。他能辨得出一个智识阶级中人，好像他能辨得出一个以色列的子孙（犹太人）一样的锐利。

但是有一件事却是无疑的，就是“黑色百人团”的“猎犬”决不会疑心高尔基是属于智识阶级的一人。他的形貌和行为都和他们不类；他自己也不觉得是像一个智识阶级中人，而且和他们混在一起的时候常觉得不舒服。这并不是因为他的“出身低”，像柴霍甫也由农村中来的，但是他却可作最文雅的俄国智识阶级中人的代表。高尔基的声望很迅速的日益隆重，为社会中最上等的人士所推崇，他自己亦不惜大用钱财以赞助文化的和革命的事业。在一九一七年革命成功之后，因为他和列宁以及其他要人有相当的友谊和力量，掩护了不少俄国的智识阶级中人，给他们食住，拯救他们的枪决，但是他自己却永远不属于智识阶级。麦勒资科夫斯基夫人（Madame Merezhkovsky）在与友人谈话中，曾活龙活现的描述当时俄国的智识阶级对于高尔基的态度：据那班智识阶级看起来，高尔基是一个戴着丝制礼帽的黑人。

高尔基的令人可爱处就在他的粗鲁的强健的样子。他好像一个兵士，或是一个矿工，谈话和写作时是用着伏尔加河一带的土语，为人具有山林或海洋的气息。但是当他和智识阶级中人坐在一起的时候，或是当他描写他们的时候，或是当他写社论的时候（除他所作的小说戏剧之外，大多数文字都是报上的社论），或是当他努力提倡西方进步的文化，反对亚洲野蛮的习俗的时候，他便失却原有的态度，好像换了一个人了。

高尔基立于新闻家的地位，对于近代史上俄国智识阶级的有价值的使命，做了不少畅快的文字。但是在他的小说里面，有时也在他的回忆录里面，我们常看得出他对于这班智识阶级的反感。在他的好几种小说里面，他指出，智识阶级对于他们所捧为神圣的人民的仁爱是仅属表面的，常经不起真正的试验。他在喀山的时期中，对于他所遇的智识阶级中人，“几乎”不胜热烈的钦敬他们，这是上面曾经说过的。但他们始终和他不很混得来，最初因为他对于这班具有学者气概的君子人们，觉得胆小和敬畏；后来他看得穿了，对于他们的特性，有几点使他觉得很不痛快。

他们把他看作一件希奇的东西，彼此把他介绍的时候，说他是“天然的金块”，或“平民的儿子”，那种傲慢自豪的气概，简直好像街上的顽童在人行道上拾着了一个铜板，举以骄人的样子。高尔基对此很不高兴，他们对于人民的强烈的仁爱，诚然使他有很深的感动；他并觉得在这种仁爱里面，也许可以寻得并且了解人生的意义。但是他对于他们把人民捧得那样的神圣，那样的伟大，依他平日的实际经验，如所见的水手、木匠、泥水匠、码头脚夫，以及其他所谓“平民的儿子”，都和他们的理想不合，因此对于他们所崇拜的“人民”，其实际是否如他们所想像，不无怀疑。

而且一个博爱主义者在他的不自私里面，也许发生自私的自满心理。那班民粹派中人对于他们所想像的人民的自卑、愁虑，和屈膝，做得那样的过分，有时使人觉得他们含有虚伪欺骗难以承受的意味。他们以为人民对于他们这样的恩惠，当然应该感谢和尊敬的；假使人民对于他们没有这样的迅速的表现，他们便要对于这班人民显示他们原有的特殊地位了。例如上面曾经提到的民粹派中人达伦科夫，他尽把他所开的那个商店的收入，用于该派主义的宣传，而且为着这种革命运动，他不但倾其所有的收入，并且因为他把店后的房间作为存置秘密书籍的图书室及党人秘密会议之用，时有生命的危险，这不能不说是他的自我牺牲。可是那班年青的民粹派中人，却把这种的工作看作一种自降身份的事情，把自己看作降为奴役一般。他们把高尔基收到他们里面去，自以为具有指导他的权利，把他们所认为最好的事情叫他服从。但是一到这位“金块”对于事情有所揣测，发出大胆的疑问，对于所听所读的意见有所批评，选读自己所要读的书籍，到了这种时候，他们便把他视为忘恩负义的人，警告他的行为要改正，要读指导者所指示的书，暂时不必有所批评。

每隔几时，他便逃开这班智识阶级，跑到码头上去和他的下等朋友混在一起，一则要借此调换调换在智识阶级中的乌烟瘴气，二则也要替他自己和卜勒纳夫赚几个钱维持生活。在高尔基的回忆录里，他记有一段很可纪念的事实，可以看得出劳动的工作对于感觉智识上烦闷的人有怎样增强的力量。他描写一个码头脚夫的工会，这里面的收入和支出都是由会员公摊的；他所描写的事实是这班码头工人替一个在喀山附近碰着石礁的驳船起货的情形。他虽然年幼而且没有经验，他们也让他加入。当时正在一个寒冷狂风的秋夜，大雨澎湃，如倾泻的下来。这班码头脚夫被拖往驳船正在中途的时候，无不口出怨言嚣然怒骂。但是一到了地点之后，他们投身工作，非常起劲，使得刚才看见他们满不高兴的高尔基为之惊异不置。包啦，袋啦，好像羽毛似的飞着，这班壮健无比的脚夫大家赛着工作，叫喊呼号，一团高兴，轻快，有效率，好像大家参加一种快乐的游戏运动似的。“他们欣然拼命的干，好像他们患着劳动荒一样，把一百五十磅重的货袋，由各人手上抛来抛去，视为乐事，好像他们等着许久要干这件乐事似的。”后来货主催促他们增加速率，答应以三大桶麦酒为酬，他们更加起劲，工作的加速和加重，好像疯狂一样的猛力进行。由第一夜的半夜起，直至第二日下午两点钟止，这班脚夫在狂风横扫暴雨倾泻之下，不断的工作着，直到他们把全部分的货物，从这艘倒霉的驳船上搬完时才休。他们工毕回到喀山之后，倒下去就睡，好像醉汉一样，心里还念着三桶的麦酒。关于此事，高尔基有下面的追述：

我也抓着货袋，拖着抛来抛去，飞跑上去，又飞跑下来，抓着更多的货袋——我想当时我和我附近的件件东西，都在暴风疾雨中旋转着；那些人，简直好像可以整年累月的同样的可怕的快乐的工作下去，不觉得疲倦不顾到他们自己；他们简直好像只要握得住屋尖和尖塔，就能够把喀山全城搬到他们所要搬的地方去！

那天夜里，我经验着一种愉快的生活，为我从前所未尝过的。我的心坎中渴望能尽我的余生来干这种发狂似的踊跃的工作。当时怒涛猛烈的向着船面上横扫，暴雨向甲板上猛击，狂风在空中怒号，在黎明时的灰暗的烟雾中，赤着半身的雨水淋漓的一班人，上上下下的飞跑着，速率一些不减，喊着，笑着，炫示着他们的膂力。他们的劳动……

这些两脚野兽，他们的工作那样的聪明伶俐，那样的忘形的发狂的干着，令人觉得要去拘着他们，吻着他们。我当时觉得这种愉快的奋不顾身的精神能克服任何阻碍，能在世界上创造任何奇绩，能在一夜之间，布满大地以崇伟壮丽的宫室和城市，好像我们在神话故事里所读到的一样……

秋季到了，高尔基不得不寻觅一种比码头上供求杂乱的工作较为永久的职务。有几时他做过园丁，做过阍人，做过剧团里合唱班的唱歌者，最后他不得不学习糕饼店的职业。他在申密诺夫（Varily Semenov）所开的糕饼店里，开始他在身体及精神方面最辛苦而却最有教育价值的一个“大学校”生活。这个时期里面的情形，在他名著里的《廿六男与一女》、《康诺佛乐夫》，和《主人》等书里面有绘声绘色的描写。他在这一行业上所费的时间比较的久些，所受的训练也比较的充分些，所以这一段时期在他的追述中和其他部分有判然的差异。虽到了今日，他每谈起在糕饼店里作学徒时代的情形，仍谈得津津有味，活龙活现的描述怎样搓成面团，怎样把大块的面包推到烘炉里面去，怎样在准确的顷刻间，用正确的速率和方法，把这些大块的面包抓出来，结果便造成

“完备的面包”。

他在申密诺夫的糕饼店里，每日要做十四小时的好像地狱生活的苦工，每月仅得三个卢布的工资。这种苦工使高尔基“安静”了几时。他不得不抛弃达伦科夫会议的参加，这件事在他的单调的生活中是一件大憾事。他在申密诺夫糕饼店里的工作麻烦极了，除要做生意上的工作外，还要替老板做琐屑的家事，这许多事里面有一件是替老板饲他所钟爱的奇大无比的猪猡，这些猪猡又异常顽皮，当他喂饲的时候，和他烦扰不清。这样的忙碌着，简直是日无宁晷，在他工作所余下的时间极有限了，或用于睡眠，或用于和同事们谈谈。最初他们对他存着好奇心，把他当作一个怪物，但是他在他们的眼中看来，学问是异常的渊博，经验又异常的丰富，更加上他的青年热烈的有传染性的情感。他的诚意和严正的态度，使他们渐渐的对他发生良好的感情和敬意。尤其使得这些怪可怜的奴隶发生惊奇的钦佩，是这个孩子对于那位具有一切权力，使人惊恐畏惧的老板，能以尊严的态度作持久的反抗斗争，最后竟使他对这个孩子不得不刮目相看。申密诺夫为人机巧而残忍，肆无忌惮，对人喜嘲笑侮弄，贪欲无厌，醉的时候恶计万端，醒的时候冷酷无情，因为他是从最低贱出身的富人，所以愈益卑鄙，愈益榨取得厉害。以这样的一个凶狠猛恶的脚色，而高尔基以月得三个卢布工资的一个孩子，纯用他的青年血气使他屈服，默然俯首，甘拜下风，使那班糕饼工诧为奇事，认为是前所未闻的精神克服物质的空前胜利。当他们搓着面团或捏做糕饼的时候，高尔基大发议论，他们不自主的要倾耳静听这个孩子对他们滔滔不绝，所讲关于他由书本里所得的精华，或从智识阶级中所听得的议论。有一次老板知道他们有这样的聚会，踏进来惊散了他们，并替这个惹他厌恶的演说者上个绰号，叫做“瞎闹的喧谈家”。这个绰号居然和他结不解缘者好几年，后来不知怎样被秘密警察探悉，把这个名字记录下来，说是高尔基从事秘密行动时用的假名。高尔基追想当时的情形，他说，“我当时对于那班人究竟谈些什么，简直只有魔鬼知道，但无论如何，总是有关于唤起对于一种差异的，更容易的，更有意义的生活之希望。有的时候，我对此事获得胜利，因为在我对于他们大发议论之后，看见他们的熏干的面孔上表现着愁闷的神情，他们的眼睛闪烁着，也表现出愤怒的情绪，我心里竟觉得高兴，很自豪的以为我也‘和民粹派中人一同工作’，做‘开导’人民的工夫了”。

但是这种高兴的心境却也很少遇着。尤其多遇着的，是高尔基自觉他对于这些人民的惰性和无知，简直无力对付，要使他们从黑暗中重见光明，须有比高尔基所有的更大的火炬。他们很忍耐的很顺服的做主人的奴隶，这种好像家畜的忍耐和顺服，高尔基实觉无法使他们消除。这班人所知道的和所能容受的唯一娱乐，不过是酒店和娼寮，他有何法责备他们呢？他也和他们混在一起观察观察。但是那些娼妓对于这位大鼻子的仁兄不欢迎，因为他并不肯实际加入去嫖，她们觉得他也许是为监视她们的嫖客来的。到了后来，就是那些糕饼匠自己也叫他走开，不劳他奉陪到“安乐窝”里去，因为——例如其中有一人就这样的说，他们“和他同去混在一起，觉得不对”，“使他们好像是在父亲或牧师的面前”。

高尔基看见他自己使他们感觉到这样不便的结果，颇为懊丧，因为他无论到什么地方，总要想法增加一些知识。关于性的关系，他也很觉得惊异，并有研究的兴趣。他自己对于此事的概念却是一种奇异的混合物：一方面他在实际环境中所见所闻的是最粗陋的概念；一方面从书本里和梦想中所见到的又是理想化的很高尚的概念。在糕饼匠一类人常到的贱价的娼寮里，只须一个卢布就可买一个妇人过一个全夜。高尔基所见到的这种罪恶是粗陋、强暴，而实际并没有什么快乐。他看见那些同事虽勉强装作满不在乎，而他们的脸上却表现着难为情和尴尬的神气。尤其使他惊奇的，是他很痛心的探悉在这种地方，所谓智识阶级也到的，而且他们的行为还比那班被众视为下等人的更坏。固然，以肉欲自娱的幻想，对于大学生的吸引力，也和对于糕饼匠和脚夫一样。令人不寒而栗的，是听到娼妓们关于他们的优劣比较的谈论。据她们谈论的结果，认为读神学的学生，政府的办事人员，和一班所谓“纯洁分子”中人，纵欲更厉害，竟用种种残虐和任性的方式蹂躏妇人。在高尔基探悉这种黑幕，尤其觉得痛心。他从前不曾对那些糕饼匠们大发议论，盛称那些文雅高尚的智识阶级和他们对于改良平民生活的不自私的热诚吗？那些听众听了他的议论，就常有怀疑，对于他的这种赞美，每不禁大笑。高尔基到此才觉得他们确有见地，因为他们对于此中情形实在懂得更清楚。他们岂不听到娼妓所谈关于那些有学问的君子人们和他们的行为吗？小客栈和娼寮，在那些糕饼匠和他们一类的人，可以算是“大学校”。从城市文明的最黑暗的最污浊的场所，不知不觉中漏出一大串的可疑的传说，传到一般无知无识的人民的脑袋里面去，毒害了他们的脑袋。这种毒害，因妒忌和怨恨而更易于传播；这种妒忌和怨恨更易集矢于那些异于民众和为一般民众所不了解的人们。智识阶级之受一般人唾弃，很受这种传说的牵累。在西方各国，受过教育的人和未受过教育的人，其中隔阂莫甚于旧俄国。人民中有百分之八十五是文盲，一个人只须能读能写，就被人看作惊异和畏敬的人物，不过于惊异和畏敬中却常夹着猜疑。他们对于智识阶级既潜伏有这样的恶感，所以做帝俄政府的走狗，替政府组织“黑色百人团”的人，并不难从这类“大学校”的高足里面雇用团员。高尔基就听见那些糕饼匠欣然谈起，说他们要拿铁锤帮助攻打大学生。高尔基听了不胜愤怒，他自己好像一条细线，牵连着这判若两个的俄罗斯；但是他虽不胜愤怒，对于他们彼此间缺乏了解的隔阂，也觉得无力对付。

他在申密诺夫糕饼店中所获得的经验，要利用于民粹派的工作了。该派中人达伦科夫所开的普通商店，因该派本地工作上的费用日增，该店收入太少，不敷应用，所以他建议要再开一个糕饼店，俾得多赚几个钱来用于主义上的工作。他并提议要请高尔基去做助手。因为他认高尔基为“吾辈中人”，一方面可使这生意发达，收入增多；一方面也可借他监视所雇用的糕饼师傅，防他窃取店里所用的材料。

高尔基接受了他的嘱托，这个生意确做得发达，以致本店不敷用，迁移到一个更大的店铺。但是讲到监视糕饼师傅的道德，高尔基却只得承认失败。这个糕饼师傅，据高尔基所描述：“他的两鬓已斑白了，生着一副尖锐的胡子，干燥的面孔，面色好像腌过的猪腿，一双黑黑的表现一肚子转着念头的眼睛，和一个奇怪的嘴：他这个嘴，小得好像鲈鱼的尖嘴，嘴上两个厚厚的膨胀的嘴唇，其形状好像在想像中接吻似的。他的那双灼灼的眼睛，好像含有嘲弄的意味。”这位糕饼师傅和高尔基共同工作的第一夜，他就把若干鸡蛋，面粉和牛油，另外放开。高尔基问他放开作什么用，他很和爱的回答说“为着一位亭亭玉立的女子”，并接着说：“一位可……可……可爱的小女子！”高尔基的词严义正的企图，这位糕饼师傅却老老实实的觉得惊异，若行所无事的不加理会，高尔基倒被他弄得没有办法，从此以后对于他的“放开”，以及他对于那位“亭亭玉立的女子”之多情的行为，只得处于消极旁观的地位。

高尔基在这个“民粹派”所办的糕饼店里受着多少工资，无从查考，间接的我们可从这位糕饼师傅的话里猜到一些，他允许替高尔基在这个较大规模的店里提议每月十卢布，做他的高等助手的工资。这提议究竟通过了没有，不得而知，但有一事却是确然无疑的：那就是高尔基在职务上没有偷闲的机会。他的规定的服务时间是由每晚六时起至第二日的中午止；但那位糕饼师傅见他伶俐，几乎一切工作都推给他做。除要搓面团和烤面包之外，高尔基还要把烤好的货物亲送到达伦科夫的普通商店里去，还要把一篮一篮的这种货物分送到各机关里面去。在神学院的饭厅里，他要把甜的小馒头分散给学生吃，有的赊账，有的付现款，他这样在他们早餐桌旁跑来跑去的时候，也参加他们的谈话和辩论，例如关于托尔斯泰的讨论，或者竟谈到政治的问题，不过要特别谨慎就是了。他偶尔还依照“民粹派”中人的指示，把犯禁的书籍及阴谋的文件，藏在馒头下面，偷散给他们看。

高尔基把他的有限的余暇用来和许多种类的人谈话，或倾听他们的谈话，此外还用于读书。在安静的时候，他已在尝试用笔写些东西：在夜里，当他正在等候面团涨起的时候，他便急急忙忙的写他的韵文，大部分都是属于讽刺的方面。除了达伦科夫店后一班智识阶级外，他所认识的朋友里面还包括有若干有趣的工人和手艺工匠，以及各种社会阶级里几个奇怪的人物，这里面当然也包括着码头上的同志们和从前同事过的糕饼匠等等。这一切人，或多或少，都给他机会了解俄国及人情世故，使他好像在“大学校”里肄业，后来他把这里面考察所得，写成有声有色的文章。

他在当时这种“大学校”里所读的“科目”，真是形形色色，种类繁多！他在喀山所认识的朋友里面，竟有一个警察，名字叫做尼基福立区（Nikiforych）。我们要知道，在旧俄的时候，一个警察是最普遍的被人痛恨和贱视的动物，他的许多绰号里面有一个就叫做“法老”（Pharao）（古埃及压迫以色列人的暴君的名字）。但是高尔基既立于“大学校”里一个“学生”的地位，他对于科目上的题目并没有选择的自由。而且并不是他选择尼基福立区，却是尼基福立区选择到他。这个须发已白的勇敢轩昂的“法老”，早就常注意到在他管辖区域里的这个可疑的青年。我们在上面曾经说过的那个房客混杂的公寓，名叫马鲁索夫卡，就是这个警察所最喜到的最有效果的猎地，常常在这里面拘捕着政治犯的就是他；忍耐的察看青年卜勒纳夫的行动，乘他正在印刷秘密宣言的时候，突如其来把他捕去解到圣彼得堡的，也是他。当然，他也看出这个显然异乎寻常的孩子，高尔基，是那班码头脚夫的昵友，糕饼匠和其他工人的同志，并是被他所深恶痛绝的智识阶级的朋友。于此有件偶然碰巧的事情：糕饼师傅所姘的那个“亭亭玉立的女子”，就是尼基福立区的干女儿。这个远“亲”的关系，更给这个警察一种凭借的机会，把他的罪网张开到这个糕饼师傅的助手身上来。他屡次在街上故作无意中和高尔基攀谈，这位喀山的福尔摩斯很想用巧妙的探法，使高尔基自认读过托尔斯泰的著作。在事实上高尔基确曾读过，但这个警察所注意的，当然不是文学上的问题，是注意托尔斯泰所著的几本犯禁的小册子。这样的在街上好像偶然碰着的谈话有过几次之后，这位“法老”就请高尔基到他的家里去“喝一杯茶”。就是不及高尔基那样灵敏的人，也看得出尼基福立区的这样勾搭是另有作用的，在高尔基当然是心里明白，不过为着好奇心，他决定去跑一趟；况且在他把此事和达伦科夫一班人商量之后，他们也觉得如果不去，越使这个警察对于他们所开的那家糕饼店要增加猜疑。

关于当时访问的情形，高尔基的追述里这样说：“于是我就去尼基福立区的家里去拜访他。他所住的那个小穴里，三分之一的地位被一个俄国的炉灶占满了；还有一个三分之一的地位是放着一只双人榻，前面挂着印花棉布的帷帐，榻上堆满了如山的红色粗绒布套着的枕头；其余的地位所用着的妆饰品是一个食橱（放碗碟食物等用的），一个桌子，两张椅子，近窗口还有一张板凳。尼基福立区的制服解开了纽扣，就坐在这张板凳上，他的身体掩蔽着这个唯一的窗口。在我的旁边坐着他的妻子，她是一个胸脯丰满的年约二十岁左右的妇人，生着一副玫瑰红的面孔，一对奇异的灰蓝色的含着狡猾和包藏祸心的眼睛；她的焕发红色的嘴唇时时变动的努着装腔作势。”此外还有个特色，这位警察太太居然用脚在桌下和这位来宾勾搭；当她的“军神”不在注意的时候，竟敢公然的和他眉目传情。在这样的环境里面，高尔基好像上着一“课”关于俄国一般反对更变政策者的政治观。关于这一“课”，高尔基有下面一段怪有趣的追述：

> “一根看不见的线——你懂吗？”他这样的问着我，问的时候他睁圆着眼睛注视我的脸，那对眼睛睁得圆圆的，好像有了什么使他惊吓的样子。他接着说：“譬如你把皇帝当作一个蜘蛛……”
>
> “啊！上帝佑你！”他的妻子叫喊了起来。
>
> “不要多嘴，你！我这样说，不过是要求得明了起见，你这蠢货，这并不是有意毁谤，

你这雌马。把茶缸拿开！”

皱着眉毛，半闭着眼睛，他严肃的接下去说道：

“一根看不见的线——好像蜘蛛网上的线一样——由当今皇上亚历山大第三做中心，向外展布出来，经过省长以及其他等等官吏的等级而达到我自己身上，甚至并达到军队中最下级的兵士。大家都受着这根线的束缚和联系；皇上的沙皇国之所以能永远维持下去，就靠这根线的无形的势力。至于讲到那些卑鄙的波兰人、犹太人，和某种俄国人——他们都是受了背约的英国女皇的贿赂，一有机会，就想打断这根线，而在表面上，却自托于为人民而干的。”

据高尔基后来说，他对于当时智识阶级中的他的向导者和教师，谁都有相当的钦佩，但是他们里面没有一个能像尼基福立区把当时俄国国家的机构说得这样明确，说得这样活跃。他才觉得由中央的蜘蛛——也就是尼采所谓“冷酷的怪物”——做中心发出的看不见的线所构成的细网，历历如在眼前。尤其可异的，是这位老年的警察在谈话中居然有好些地方和这位哲学家的意见不谋而合。例如当他谈起关于拘捕卜勒纳夫的事，他竟说出一大篇好像尼采痛骂基督教的怜悯和慈悲道德的文章。他这样说：“在《圣经》中讲了许多关于怜悯的话。其实怜悯是一件害人的东西。这是我的想法。为着怜悯，我们不知耗费了多少金钱，用在不需要的或甚至恶毒的人民身上。济贫院哪，监狱哪，疯人院哪。我们应该帮助强壮的健康的人民，这样才不致把力量耗费。我们如尽管帮助懦弱的人——曾有谁能使一个懦弱的人强壮起来？因为这样皂白不分的混在一起，所以强壮的人也渐渐的变成懦弱了，而懦弱的人却反而牵累了他们。这真是一件大可商榷的问题。这里面有许多需要重加考虑的地方。我们明白，人生久和《圣经》所说的离得远了，人生已向着自己的途径前进。例如关于卜勒纳夫的事件——他这样毁了他自己，究竟为着什么？为着怜悯！我们把钱施给叫化子，却听任学生们毁了他们自己。喂，这是否合理呢？”

这个老警察所说的这些话，使高尔基获得很深刻的印象。这些话和外祖母的仁爱及怜悯的宗教观念，可谓背道而驰。依高尔基所得的经验，已使他怀疑外祖母的态度在实际上的效力。在尼基福立区的话里面，他倒觉得含有某种的真理，不过感觉不快的是这种话竟出于当时为众所痛恶的警察的嘴里。据有些文学批评家的意见，高尔基所著的关于漂泊者生活的若干小说，似受有尼采学说的影响。高尔基自己曾经说过，他在书本里所看到的观念，很少不是他在实际生活中所已经听到的。实际的生活和书本，对于他都有影响，这是无疑的。但是书本里的智识究竟还是纸上空谈，他从实际生活中所观察的所经验的事物，叙述起来自有其真确的活跃的特质。尼基福立区的一番谈话，对于高尔基，比他后来所读的好几本关于尼采的学说，影响更大，也就是这个缘故。

这个时候，高尔基正在苦求一种世界观，所以尼基福立区所说的具有暗示意味的话，正打动他的心弦。他此时正在很急切的寻觅一种出路的公式。民粹派中人的说法，在他看来似乎不切实际；而对于这一派的政敌，刚在开始的马克思主义者的驳论，在他的心里也尚未有明晰的反应。他有一次跑到城外一个荒废的屋子里，参加一个半夜的聚会。在这个聚会里，蒲列哈诺夫(George Plekhanov)宣读《我们的歧途》一文，大家辩论得非常激烈。当时青年乌立亚诺夫（Alesander Ulyanov）和他的同党（都是从前的喀山大学学生）因谋刺亚历山大第三被枪决，民粹派中的英雄主义已成十九世纪的回光返照，同时由国外对国人大声疾呼的有蒲列哈诺夫，爱塞尔洛（Axelrod），杜资（Deutsch），萨索立区（Zasulich），他们都是从前的民粹派中人，此时他们都从幻想的梦里觉醒了过来，树起了马克思的社会主义的旗帜，领导革命的青年。十年以后，这个新运动的领袖里面，有一位就是乌立亚诺夫的弟弟，名叫佛勒底密尔（Vladimir），他的更著名的名字就是列宁（Nikolay Lenin）。当时所聚讼纷纭的问题是异常重要的。他们所争辩的是：农村的，还是城市的俄国——在最近的将来，应采用那一种？从事农业的农民，还是工厂的工人——那一方面更需要革命运动的立刻注意？假使马克思是对的话，依据经济的决定论，把个人的地位降至零度，那末民粹派的个人的英雄主义便是儿戏了，但是这样一来，未免亵渎以前以身殉主义的烈士！他们对于这种种，引起很激烈的辩论。高尔基也在旁倾耳静听着，但他所听到的只是个人的强辩，彼此互作凶狠的攻击，在任何一方面，都嚣然各作张大其词的议论，以致此事的真理所在，反而淹没于高谈阔论和香烟浓雾里面。

高尔基对于人生愈益感觉到它的复杂。他的疑团和问句愈多起来，愈难寻得相当的答案，甚至于连讨论都不容易。因为尼基福立区对于高尔基所服务的糕饼店既加以注意，学生们觉得常到此处不稳妥。高尔基很羡慕这些学生，心里异常的嫉妒他们。当时的这些大学生都是暴躁如雷的，有的为着政治的理由，而且有的也为着大学本身的事情，和学校当局捣乱。高尔基所不能了解者，任何人既得享受在大学校里读书的权利，还有什么不满意的苦痛，要那样掀风作浪？他告诉我们，假使在那个时候，有人给他在大学校里读书的机会，即所需要的学费要每星期日当众用鞭打他一顿，他也情愿容纳这个条件，一点不出怨言。

“我把我自己怎么办好呢？”他继续不断的问着自己——没有人可供他请教。他年龄渐大，已到十九岁了，自觉自己的样子生得多么呆笨，如同托尔斯泰在他的青年时代一样，对于自己很觉得讨厌。同时他装满了一脑子的问题、印象和经验，但无法整理解释，好像挑着重担；青春的精力盈溢，筋肉强壮，但在性的方面却仍然贞洁，羞怯不前；要想将他的疑问和沉思所得，和朋友谈谈，宣泄宣泄他的烦闷，但是没有人了解他，使他感到悲怆的孤独。正在这个时候，他接到由尼斯尼诺伏格拉一个亲戚寄来的短简，告诉他关于外祖母逝世的消息。她在未死以前，竟做了乞丐，将奔乞所得，用来帮助若干懒惰的年青的亲戚。有一次她正在行乞的时候，忽在教堂的甬道上滑一脚跌了一交，把她的一条小腿跌断了，后来因为没人照顾，不久即患脱疽而死。高尔基得到这个消息之后，全身为之震颤。他在夜里坐在一个教堂广场的一堆柴火上面，独自一人呜咽着，极想把他的令人惊叹的外祖母的事绩告诉人。好几年以后，他读到柴霍甫著的《哀痛》一篇小说，里面叙述有个马车夫的儿子死了，关于他的儿子死的经过情形，听他诉说的唯一听者就只是他的马，高尔基不胜感慨，回想他当时独坐在教堂广场上哀念外祖母的时候，慰藉他的既没有马，也没有狗！过了几天之后，替达伦科夫料理家务的一个妇人问高尔基道：

“你为什么这样的不高兴？”

“不久以前我的外祖母死了！”

她听了竟觉得怪有趣似的，笑着问道：

“你异常的爱她吗？”

“是的。你还要听听关于她的别的情形吗？”

“不。”

当时高尔基所来往的智识阶级，对于他的个人的生活，都是这样淡漠的态度，这个妇人可算是他们的一个可作代表的榜样。这班智识分子都把高尔基看作“尚须加以同化的原料”，无怪唤不起高尔基对于他们的同情，也鼓动不起他对于他们的信任心。每遇高尔基开口要谈些在他们觉得没有兴趣的事情，他们总是要打断他的话头，对他说：“不必提起吧！”

正在这个时候，高尔基在民粹派所办的糕饼店里所作的事情，渐渐的失却为主义而努力的吸引力。生着一副好心肠的达伦科夫很柔和的对高尔基自承他们将要破产了，原来那班民粹派中人尽量的用着这个店里的收入，并未顾到相当的节制。店中现款箱里的钱，尽拿去应付种种的费用，以致所余下的款子不够支付购买面粉的钱。高尔基觉得人生渐失却了它的意义了。不但如此，在这样尴尬的时候，又加入一种妇女的纠纷。据高尔基后来所追述：

> 我当时觉得对达伦科夫的妹妹玛利亚(Maria)发生了恋爱。我又觉对纳德资达（Nadezhda shcherbatov）发生了恋爱，她是我们店里的洗衣妇，一个健壮红颊的女子，在她的那个红亮的嘴唇上总是现着一种同情愉快的笑。就普通情形说，我是发生了恋爱。我的年龄，我的性格，我的纠纷的生活，都需要我和妇人交际；这是急需的时期，并不算太早。我需要一个妇人的抚爱，至少需要一个妇人的友谊的注意。我需要自由的谈我自己的生平，需要在许多不相联贯的观念里面，在我的许多混杂的印象里面，寻出其中的关系来。

在这种物质及精神的烦闷中，他最后竟想自杀！当时是一八八七年的十二月，他买到一枝旧手枪，对准他的心开放，那颗弹子穿过了一个肺，藏在肺的后面。幸亏他的体格强健，不到一个月，他复元了，又在糕饼店里工作。关于此次企图自杀的情形，高尔基在他所著的《麦卡一生中的一次事变》（*An Incident in the Life of Makar*）一篇小说里，有“夫子自道”的叙述，说来颇详，现撮述其大意如下。

这篇小说里所说的主人公麦卡，据著者说是一个自修的十九岁的青年。他做劳动工作的时候是兴会淋漓的很愉快的干，他的这种精神常传染给他的同事，他梦想着能够唤起人类的共同努力，解放他们自己，铲除凡能压迫毁坏他们的生活的一切。麦卡喜欢看书，在夜里的时候，他不从睡眠里寻觅工余的休息，却喜作种种梦想。他所读愈多，所想愈多，在他的工作同伴看来，似乎愈格格不相入，他开始疑他自己烦扰了他们。于是他和智识阶级来往，希望由此获得交际和了解，但是他觉得和他们之格格不相入，比对那些未受教育的劳动者为尤甚。他们见他是一个自修出来的平民的儿子，都存着好奇心，这种态度很使他觉得烦恼；他对于他们所用的死的书本的语言，也不大懂，并且觉得他们对于他也不能了解。在这个同一的时候，他想他自己忽陷入了情网，但又不能确定究竟是对于搭尼亚（Tanya）呢，还是对于纳斯惕亚（Nastya）[这是假托的名字，在实际是玛利亚（Maria）和纳德资达（Nadezhda）]？他对于她们两位都不隐藏他的心事，她们觉得他怪有趣的。他是个无家可归的人，和她们接近，好像一个人在冬天严寒的夜里，冷得刺骨，跑近十字街头有烟火的地方；他以为这些聪明的女子——两个里面的那一个，他并不在乎——肯把她们自己的一些出诸心坎的话，肯把一个妇人抚爱的话告诉他，使他听了能从他的心里一扫孤寂渴望的烦闷。但是她们却和他开玩笑，提醒他已过了十八岁的年纪，劝他多看几本正经的书。麦卡的头是疲顿极了，他不能再消化更多书本上的智慧，他只活着回想一生所受别人对他的无限的"虐待和创痕"。他断定他自己是一无所用的，对于别人也是一无益处的。回想到他鼓励同伴工人所用的激昂慷慨的话，和这些话在他们所唤起的希望的感觉，他觉得自己是个欺骗者，决意要枪决自己！

他于是在一个旧货摊上买了一枝生了锈的手枪，在一本解剖学的图解书上把胸部里的心脏的地位研究一番，弄个清楚，最后为着准备实行这件严重的事情，特于事前先往公共的浴室去洗澡，把全身擦洗个干净。他然后回到“家”里去。他的这个“家”是怎样的呢？那就是糕饼店里在店面排列样品的玻璃窗箱的后面和一个无窗的墙壁之间的一块地方。走进店里所经过的那扇门，挂有一块毡作门帘。在排列样品的玻璃窗箱的后面，就摆着麦卡的一个小床，在床的前面放着一个木箱，就当作椅子用；这上面放着几本书，一盏小油灯，还有一张从一本他用了五个戈比克买来的书上撕下来的奥温（Robert Owen）（英国的改造家和社会主义者）的画像。在墙上挂有一张旧的雷卡密尔（Julie Ricamier）（法国的女文学家）的石印像，还有一张“柏林斯基（Belinsky）（俄国的文艺批评家）的多刺的好像鸟的面孔”。每遇有人开门从街上走进店里的时候，总有风从排列样品的玻璃箱的罅隙中吹进来。在这种愉快的环境中，麦卡准备他的长途的旅行——自杀。他不免有书呆子气的地方，有一件事很可表示出来，就是他仍要学着自杀者的向例，要留下一张字条做他的遗书。他写了一张又一张，都觉得措辞不能称心。他写着："我要去死了，因为我不再尊重我自己了。"又写："没有一个人爱我，也没有一个人需要我。"又写："生活太苦，我不能再忍受了。"又写："我要去死了，因为没有一个人需要我。我也不需要任何人。"写了一大堆，他忽然想到没有人他可将这张字条写给他！

正在这个当儿，店门忽然有人推开了，布满灰尘的毡帘动着，从帘后现出纳斯惕亚（店里的女店员）的玫瑰红的快乐的脸。她问道：

"你在这里做什么？"

"我正在写东西。"

"做诗吗？"

"不是。"

"那么做什么呢？"

麦卡摇着他的头，出乎他自己意外的承认着说：

"关于我自己的死的一张字条。我不像能够把这张字条写得成。"

"呀，多么聪明！"纳斯惕亚这样叫喊起来，喊的时候还扭着她的鼻子，那个鼻子也是玫瑰红的颜色。她站在那里，一只手握着门钮，还有一只手攀着毡门帘；她的上半身向前倾，伸着她的围有一根绒带的美丽的头颈，摇着她的黑的梳得平滑的头。在她的伸出的腕臂和窈窕身体中间，挂着她的长而厚的辫带。

麦卡对她望着，觉得心里忽然闪灿着一种小小的胆怯的希望，好像一盏神灯里的火焰似的，当时这个女子静默了一会儿之后，又笑着说道：

"你还是把我的高跟皮鞋刷刷亮吧——史脱尔斯基（Strelsky）明天要演《哈姆雷特》（*Hamlet*）（莎士比亚的名剧），我要去看他。你肯吗？"

"不。"麦卡叹一口气回答她，把刚才的希望都消灭了。

她动着她的稀薄的眉毛，表示奇异的说道：

"为什么不？"

"老实告诉你，我要在今天里枪决我自己。我此刻就要离开这个地方！"

她的身体往后倾，转瞬即翩若惊鸿的不见了，只留下这样一句埋怨的声音：

“呸！你这个人是那么讨厌！”

此外还有一段关于麦卡和这位女店员的谈话，也怪有趣的，现亦略述如下。

当麦卡要出去自杀，正在店中走出去的时候，纳斯惕亚正坐在柜台后面看书。

“现在要到哪里去？”她这样的问着，问的时候并未仰起她的头，只不过瞟着眼斜看着他，并于无意中现出她向所常有的笑容，寻常在一笑之后每继以几句嘲笑的话。

“为着我自己的事情。”麦卡回答她。

“赴约吗？”

“赴死的约。”麦卡几乎要把这句话脱口而出，但是抑制住自己，未曾说出来。

麦卡在冬季的一个全夜里向着伏尔加河走去。他知道在这河滨有一处岸旁峭岩壁立，他打算在这个地方枪决他自己，使得他的身体于受弹后向下滚，也许可以葬在雪里，等到春初，他的尸身可在河上飘流出来。高尔基所著的这本小说里，随后很详细的说起麦卡途中遇着一个鞑靼人做夜里更夫的，这个更夫正为着有一只小猫被人抛在外面听它冷得冰冻，忧虑着不知怎么办才好。他用断断续续的俄语向麦卡请教，问他怎样可以救救这只小猫的生命。麦卡建议叫他把小猫揽在怀抱里，一面可以救了小猫的命，一面这个老头儿也可以更温暖些。后来麦卡向自己开枪倒地之后，被人救了起来，当时他因伤流血，而且被他的身上的粗布衬衫烧焦得很厉害，原来在他拉着枪上弹机的时候，他的衬衣烧着了。陪他到一个医院里去的，也是这个鞑靼更夫，在途中的时候，这个更夫很悲痛的哭着道："为着猫，为着畜生，他知道怜悯；为着他自己，一点儿怜悯也不知道！唉，没有辨别力的脑袋啊！"

在这本小说里跟着描写得历历如绘的，是关于在医院里的情景：弹子怎样的钳取出来，麦卡对于诙谐的外科医生怎样的愤怒，他的梦想和幻想，以及和他同病室里的病人等等。但是有一件实际的情形，他在这本小说里却未曾提起，就是在医院里，他经过史笃登资基（Professor N. I. Studantsky）教授检验之后，麦卡听见他断言这个似乎昏沉去的病人是无望的了！随后他又听见有个青年的驻院医生建议把他的弹子钳取出来，因为这个弹子很近在上面。这个教授同意了他的建议，但是很怀疑的样子，认为没有什么希望。

我们在这本小说里看到麦卡在医院里渐渐复元的时候，于字里行间可以看出他虽然恨自己未将自己枪毙，还要寻得机会自杀，可是他的心里却在模糊中希望着生活，希望着有人来抚爱他。正在这个当儿，纳斯惕亚居然来看他了。她刚到的时候，她的健康，她的活泼愉快的脸，简直使他想喊出“哈罗！”但是他再仔细一看，看见纳斯惕亚的含有愠意的小鼻子，不愿意似的努着的上唇，因为她赤着手臂和肩部而急于他顾的眼睛，他便冷了半截。随后他们的谈话是很简单的；当纳斯惕亚离去的时候，麦卡很明晰的感觉到“生活是一种侮辱，再活着是不值得的”。第二个来看他的人也是属于智识阶级——一个医科学生。他对于麦卡自杀的事件觉得异常的奇怪，问了许多话，当他觉得有些答语和在教科书上所说的相符的时候，他摇着头表示对的意思。麦卡觉得人们的讨厌，甚至于那位和爱的老年的鞑靼更夫来看他，请他痊后到僧院污水沟附近的他的茅屋里和他一同喝茶，也不能安慰他，也不能鼓起他的愉快的精神。他的心里渐渐的感觉到自我的卑微，感觉到自己的无用，觉得在此天下滔滔鄙夫得志的环境中，要想求得“美”和“善”，是没有希望的：他又想到只有死是一条唯一的合理的出路。

……但是忽然间有一件简单而出乎意外的事情发生，这件事立刻振作他的精神，不再往消极的路上走：突如其来的跑进他的病室里有三个熟人（都是来自申密诺夫的糕饼店）——一个是滑稽好笑的生得黑黑的糕饼匠，一个是身体生得不相称的脸像黄鼠狼的少年，还有一个是健壮、阔肩、皱眉含怒的青年。

这三个乡曲似的脚色跑进医院里来，一肚子怀着鬼胎似的笑着，欢乐似的闪烁着他们的眼睛，看见医院里那样的清洁，使他们自惭形秽，怪难为情似的，颇觉受窘，不敢直冲进来，就停在门口东张西望的看着许多病榻。

“那里就是他！”那个糕饼匠轻微的叫喊着，同时用手指着麦卡，现出他的白牙齿。

他们三个人蹑手蹑脚的用脚趾踏地走上来，好像不留神就要踏破了地板似的，并把他们拿着包裹的污浊的手藏在后面。其中有两个很和爱的笑着，第三个却作苦笑，好像含着什么怨恨似的。

“那……那……那里就是他！”那个糕饼匠重复的说着，同时拖长他的嘴唇，好像一个老太婆，并用一只烘焦得发红的手捋着他的黑的小胡子。这个时候，其中的那位少年就把一个纸包推给麦卡，哽咽着好像说不出话来，只轻微的迅速的说道：

“柠檬，最好的……你可以加在茶里喝。”

“哈罗！”阔肩的那个脚色说着，同时好像愤怒似的和麦卡握着手。“哦，你的情形怎样？你瘦了……”

“还不很瘦，”那个糕饼匠插嘴说着，“当然，疾病不是一件抚爱的事情，但是你用不着愁虑！……好，这是带来给你的：一包饼干，还有——糖……”

“他们许你吸烟吗？”那个愤怒的脚色问着，同时把他的手插入衣袋里面去。

“弟兄们，我是怎样的快活啊！”麦卡喃喃的说着，感动得流下泪来。

“他们不许你……吸烟吗？”那个愤怒的脚色向着

一边看着，很动气的这样问，他的手在他的蓝布衬裤的袋里扰动着。他接着说："唉，跟他们只有绝路！我带了烟来，又带了糖果来：你觉得喜欢吸烟，或要吃糖，你尽可很容易的实行……你这里是多么洁净啊！……"

麦卡很看得出他们里面有两个是在拼命假装着滑稽有趣，心平气和，还有一位实急得汗流浃背，在表面上极力要现出镇静的样子，而他们却没有一个是能应付裕如的：三对眼睛都怪可怜的闪烁着，上下飘动着，左右辗转着，尽力使彼此的眼睛不打对照，并不看着麦卡。

"好，谢谢你们！"麦卡哽咽的喃喃的说。

他们都坐了下来，两个坐在床沿，一个坐在木凳上。其中的少年最高兴的锐声问道：

"几时他们可以许你离院？"

糕饼匠插着说道：

"为什么要问？你自己可以看得出，他在这个顷刻间就可准备走的！"

第三人用正正经经的音调，打着这个主意："一等你可以起身的时候，弟兄，你就直跑到我们的地方来！"

然后他们三位同时脱口而出的你一句我一句的说

道：

“当然！”

“我们可以让你做一种容易的工作。”

“耶稣圣诞的假期就要到了。”

“躺在这里不烦闷吗？”

“当然，还用得着问吗？”

“实际上就是这样的。”

麦卡用他的抖颤着的手抓住他们的粗糙的手，笑着，呜咽的哭着：

“呀，弟兄们……魔鬼捉你去吧！”

他们倏然间静默了下来，麦卡看出因为他的眼泪，使他们的那种勉强的一团高兴的样子都烟消云散了，三对眼睛都红了起来，一种柔和的耳语打入他的心坎中：

“喂，你！你怎么可以这样，喂？”

“你简直给我们一个打击。”

第三个声音插进来，虽也柔和，但却严重：

“但是你在平日却常说‘弟兄们’……却常说‘真理’……却常说……”

“这是应该做的一件事吗？喂！”

“‘弟兄们’，你常这样说，现在你竟去……”

麦卡感动极了，默然无语，他只笑着，哭着，快乐得说不出话来，轮流抓着他们的手，看不见别的什么，深深的觉到他已为着长期的坚决的人生而恢复了他原来的精神了。

这个当儿，那位愤怒的朋友，正正经经的把麦卡赤着的胸部盖好，嘴里嚷着说道：

“是的，弟兄，你平日尽管口若悬河的谈了又谈，但现在你自己却……但是，留心，我们不要听你受了寒，我们是从外面来的，是从冷……”

在窗外面落着很厚的雪，把已往的种种都埋葬了。

以上所说的是高尔基所著的那本小说里的大概情形。

果然，高尔基“为着长期的坚决的人生而恢复了他原来的精神了”。这种惊心动魄的戏剧的经验，愈使他更为坚强，俾得应付后来的坚持到底的奋斗。从申密诺夫糕饼店来的从前的伙伴，那样殷勤恳挚的来慰问他，一定给了他很深刻的印象。他们为着同类的感人的至情，他们所表示的彼此关系的自然态度，都是他在智识阶级中所得不到的，现在忽然的表现出来，使他受着很深刻的感动，简直是给他一种警告，向他提出一种要求。他由此很明白的看清什么地方是他所“归属”的，什么地方不是他所“归属”的。我们在前面已经说过，以后还要时时遇到的，就是高尔基虽和俄国的智识阶级有过长时期的合作，而且很努力的保障过了他们尤其是在一九一七年革命成功之后，但是他和他们一起的时候，或是描写他们的时候，对于这班智识阶级仍不免有所怀疑，不免感觉到不自在。在别一方面，那些笨头笨脑呆手呆脚的直率粗鲁的“弟兄们”，他们走进死气沉沉的医院里来，就会带来令人兴奋的新鲜空气，他们却使高尔基死心塌地的敬爱他们，为他们而努力。他是“归属”于他们的，知道他们的苦楚，他们的暗中摸索的无知无识，他们的除在俄国歌曲里不能表现的渴望和悲哀。他虽是他们的，但也有和他们差异的地方，那就是他已自拔于他们的停滞的下层，好像得着了一副翼膀，能够用文字作明白的表示。如同上面所说的几位伙伴曾经提起过的：“‘弟兄们’，你常这样说……‘真理’，你常这样说……”因为他有这样特殊的地位，所以他负有双重的责任：一方面要使他的黑暗中的弟兄们分享他的翼膀，他的“真理”；一方面要把他们的生活和他们的真的自我，宣布于世界，告诉给以爱民自命的智识阶级听。

高尔基由医院里出来，回到达伦科夫的糕饼店里，不到几个星期，他就离开喀山，到一个村镇里去，他的许多“大学校”的喀山时期便告一结束，至于他离开喀山后的情形，容在下章里再谈吧。

第十章　在一个农村里

常在达伦科夫糕饼店后面参加聚会的智识阶级里面，高尔基尤其注意的有一位强壮挺胸的人，生着一副丰盛的美髯，头上剃得精光，好像鞑靼人的头一样。他穿着一件紧身灰色的哥萨克式的外衣，坐在一个角上吸他的短的烟管，用他的镇定的灰色的眼睛注视一切。这个人所以引人奇异的，是在许多热烈激昂的谈话和辩论的人里面，他很少开口。高尔基很诧异的自问着："这个长着胡子的大汉总是静默着，究竟为着什么事情？"

这个大汉，大家都叫他做柯克合尔（Khokhol），这是俄国人常给与乌克兰人（Ukrainians）的一种绰号。这个字的意义原指一撮发的意象，在往古乌克兰人剪发时总在头顶上留着一撮发，所以沿传下来有这样的一种绰号。且说这位柯克合尔是刚从辽远的西比利亚的雅库脱省（Yakut）回来的，他从前因为有了民粹派的倾向，被充军到那个地方过了十年。在聚会的时候，高尔基觉得这位静默的大汉时常把他的镇定的注视转到他的身上来，倒使他觉得局促不安。

高尔基由医院里回到达伦科夫糕饼店里数星期之后，这位柯克合尔就到店里来找他，很扼要的和他商量，要请他到一个农村里去，这个乡村名叫克拉斯诺维笃伏（Krasnovidov）（可意译为美景），沿着伏尔加河，他在该处开了一家普通商店。他要请高尔基去帮忙，并说明这种职务无须多的时间，所以在公余尽可利用他的一个良好的图书室看看书。在高尔基因为近来有了一件伤心的悲剧，他当然很殷切的要利用这个机会离开喀山。两天之后，他们就乘坐一个木筏在伏尔加河浮流下去，该处距喀山约有四十哩路，高尔基在此春季，得在本乡河上的万象回春中呼吸着，似乎是他的开始“复元”的吉兆。

克拉斯诺维笃伏是在一个壁立的削岩上面，是伏尔加河上的旅行者所喜到的游玩美景的一个胜地。高尔基在该处住了几个月，好像他又读了另一种确有价值的

“大学科目”。他在此处获得了解俄国农村的机会，直接的不含感情作用的作一番详细的考察。就大概说，克拉斯诺维笃伏可作为俄国农村的代表。从这个地方，好像从一滴水里面可看出全部的水一样，高尔基可看到俄国的农民的生活，看出他们的光明的以及黑暗的方面。

他在此地常和卢默斯（Mikhail Antonovich Romas，那位静默大汉的真名）接近，也得着不少的益处。他是一个知识渊博的人，对高尔基在读书方面能给以实际有益的指导。高尔基在此地读书颇多，除俄国著作家如普希金（Pushkin 诗人），刚查罗夫（Goncharov 小说家），涅克拉索夫（Nekrasov 诗人），泽礼塞夫斯基（Chernyshevsky 著作家、政治家）等等的名著外，并读到巴克尔（Buckle 英历史家），霍布士（Hobbes 英哲学家，），勒启（Lecky 爱尔兰史家兼哲学家），泰罗（Taylor 英戏剧家），密尔（Mill 英哲学家），达尔文（Darwin 英博物学家）等等的名著。卢默斯很注重关于自然科学书籍的阅读，认为是很重要的；高尔基正在知识饥荒之中，遇着他所觉得是新的东西——关于宇宙和人生的事实上的知识——他总是好像狼吞虎咽的吸收进去。

他的指导者警告他不要听任书籍"掩蔽了人"，就是不要为书本所蔽，而对于实际的人生反而不加研究观察，以致糊涂。其实关于这一层，高尔基是久有经验的了。

卢默斯也是民粹派中人，为着他的主义，也受了不少的牺牲，但是他和高尔基在喀山所遇见的一班"爱民者"却不同。他自己就是一个铁匠的儿子，所以他对于一般人民的实况很明白，不致于把他们看得如何的理想化，把他们说得如何的神怪，只鼓励他们自己救济自己。他在这个农村里开了一家普通商店，意思是要把这个店作为启迪一般农民的中心机关。卢默斯希望利用这个小商店，用很便宜的价格售卖货物，用很公平的态度和一般人民交易，把他们看作同等的人，看作朋友一样，想借此种种行为来吸引当地的居民。果然，这个店的门廊，居然成为村里好作诙谐谈话的人以及形形色色的人聚会的地方。高尔基在旁听到他们的高谈阔论，心里觉得奇怪的是卢默斯尽在默然的吸着他的烟管，并不利用这个机会插入几句启迪他们的话。等到他们散去之后，高尔基就问他这是什么缘故。卢默斯老实告诉这不能忍耐的青年，说他不急于再回到西比利亚的雅库脱去，因为如果他即依高尔基的意思，对那些农人说出什么启迪的话，他仍有充军到该处的份儿。他知道那些农人都是谨慎的，对人每易猜疑，尤其怕的是生人。

这些农民虽在一八六一年经过了解放，但是还不甚了解他们的“自由”的意义。依他们看来，以为所谓“自由”，就是人人可以任意做去的意思，而他们所敌对的无数的地主贵族却四方八面来禁阻他们的活动。这些农民仍迷信沙皇，相信他有驾驭一切的神秘的权力，并相信他对于农民的慈善的态度。他们以为沙皇是人民的父亲，所以他要使人民从地主贵族的管辖之下解放出来，归他个人保护。他们以为能给他们以真正自由的只有沙皇，不过要等到他把贵族的权力完全消灭之后。到了那个时候，人民便可大享幸福，便要根据平等的标准，把一切财产都重新分配一番。

卢默斯知道农民是怎样的顽固，知道他们的信仰和迷信是怎样的巩固。依他看来，要于顷刻之间把他们对于沙皇的信任心铲除，如同一班暴躁的革命者所欲尝试的一样，那是徒劳而无功的愚事。他以为对于农民须用柔顺的手段；要灌输智慧给他们，须慢慢儿用顺势疗病的办法；要对他们有所宣传，也须适合于他们的沿传的意见，无论这意见是怎样的错误。卢默斯告诉高尔基，说第一步须渐渐的使农民明白他们应争得选举统治者的权利，由警察而省长，乃至沙皇自己，最好都须由他们选举出来。高尔基听他这样的说法，不禁喊着，说这样办法是一种缓慢的程序，或许要拖到一百年，也说不定。卢默斯揶揄他道：

“你的原意是要在几天里面把一切都办好吗？”

依卢默斯所建议的战术，须要很大的忍耐、毅力、常识、冷静，尤其重要的是坚信他们的主义的公正和最后胜利的必得。可是民粹派中的大多数人却是年青的豪气的人物，不能容纳这样的一个中庸而缓慢的政策。当马克思的社会主义者异军突起的时候，他们不再枝枝节节的去对付农民问题的争辩，决定采用蒲列哈诺夫（Plekhanov，俄国马克思主义者的先进分子）的口号：“俄国革命要成功的话，必是劳动阶级的革命，否则便完全不成功。”民粹派中人对于这种意见却加以揶揄，说他们为着蚊虫而忽略了象——因为在当时依他们看起来，“普罗列塔利亚”在数量上及心理上都微细得不足计较。

列宁证明了蒲列哈诺夫的论断不错，不过后来他要使一九一七年普罗列塔利亚的胜利不至如昙花之一现，也不得不采用卢默斯的政策，那就是不得不常常对农民迁就，采用折衷办法，不得不对他们的年代久远的意见和成见让步。

且说当时卢默斯在那农村里开着一家普通商店，暗中进行他的启迪农民的工作，他和他的一班随从的人，都不得不应付这农村里的猜疑和仇视。他虽极力的谨慎而且缄默，绝不轻举妄动，但是在农民方面，仍感到他这个人不免含有“异样”的原素。他对于他们的仁爱，辅助他们和他们合作的热心，而并没有牟利的希望，这种情形已使他们觉得他是一个异乎寻常的，大可怀疑的人物。在这农村里，除他所开的这个商店之外，还有两家小商店，他们当然怨恨又有第三家店开了出来，尤其是这新开的店所取的价格都比他们来得便宜。卢默斯开始替种菜园的农民组织合作社，使他们不再受中人的剥削。这类的事业，又使他开罪了当地的富翁和有势力的人，并且开罪了他们的走狗——牧师。他们都觉得他的可恨。在这农村里，总有几个农民，用种种手段剥削其他不知侵略的听天由命的农民，大发其财，这种暴发户的富农，他们剥削原属阶级的恶毒，尤甚于豪绅和商人。可异的是农民对于这班富农竟反而常加敬重，以他们自己阶级中人也有能发财能高升的为荣。现在因斯达林实行列宁的遗训，“帮助最贫的农民和中农，无所顾惜的攻击富农”，这种富农已几于绝迹了。

在这个农村里，卢默斯、高尔基，和其他三四个同情者，常常须留意有人用卑劣的手段使他们吃苦头。当他们在黑夜里出门的时候，他们就须提防有手拿木棍的暴徒埋伏着打他们；遇着这种时候，卢默斯不得不开枪，当然是向天空开，才能使这班暴徒惊散。讲到高尔基，他也有一次被人于暗中打伤他的小腿，使他拐着走路走了好几时，这是因为他喜在夜里在伏尔加河的边岸跑来跑去，或在该处于孤寂中大作其梦想，或在该处和友爱的渔人谈话，于是便受了这样的责罚。有一次这个店里的厨房里的灶上忽有炸药爆发，幸而敌人在柴隙里所放的火药不多，损坏还不算厉害。该店的房东是一个精明而聪慧的农民，他当时刚巧也在旁边，猜度这种情形，喊着“开战！”其实卢默斯在这个农村里所经受的一切大大小小的烦扰，名为“开战”，也未尝不是适当的名词。但是高尔基仍记得在喀山的时候听到一班民粹派中人对于农民恭维无所不至，现在看见这班农民的无意识的胡闹，以怨报德，简直莫名其妙，更不能有所宽恕了。

高尔基从前在书本上看到，以及听见城市智识阶级谈起，都说在农村的人民的生活比城市的来得健康而温和，现在他身历其境，才知道这是幻想，不再上当了。他明明看见那些农民都是愁苦的奴隶，很少愉快的。其中有许多甚至因为过分的苦役而伤坏了身体，尤其是妇女，因为工作过劳，生产期中及生产后都缺乏相当的休养，以致未老已衰，生着各种病痛，此外尚须时受她们丈夫所视为当然的鞭挞。“一个人的心灵被激怒的时候，除打妻子，还有什么人可打？”这是几年以后高尔基所描写的漂泊者提出的问句。依高尔基的观察，农民的生活也不见得简单：“他们的生活需要对于泥土有紧张的灵敏，对于别人的关系尤需要狡猾的手段。”总之他觉得农民的生活既不温和，也不合理，只在暗中摸索着好像瞎子一样；他们常觉得有什么可怕的事情，彼此间多所猜疑，不能信任。他对于农村的生活看得愈多，对于城市的生活反觉得可贵，因为在城市里的工作还不致于使人到那样绝望的地步，在城市生活的人还知道渴望着快乐，还有发生疑问的勇气，还有种种目的可说。就是说到所谓道德上的腐化，城市也未见得比农村更坏，更卑劣。例如在农村里，乡下青年所惯做的一种戏弄就是在田里捉到几个女子，把她们的裙翻过来（她们在裙里是不穿裤的），紧紧的包扎在她们的头上。这种恶作剧的行为，他们通称为“把女子当作一朵花玩”。这些女子由脚跟以上直到腰际，都被他们这样剥得赤裸裸的，都锐声急喊着骂着，但那些恶作剧的男子显然视为乐事——有意把她们慢慢的解下来。诚然，到教堂里去，这在农村确比城市里为多，但是在“农村夜间教堂里的大会，青年们却捏摸女子的屁股——这似乎是他们所以到教堂里的唯一理由。在星期日，牧师每从讲坛上对着他们骂道：‘你们这班畜生！你们不能另到一个地方去表演这种种丑态恶行吗？’”

但是虽在这个仇视风气的农村里，高尔基却有几个本地人和他发生特别亲密的感情，这些人也未尝没有可取之处。他到该处的第一夜，就遇着卢默斯的最忠诚的一个助手，名叫易索特（Izot），他是一个长而瘦的渔人，生着红如玫瑰的两颊，一对光亮蓝色的眼睛，一个大而直的鼻子，一副卷曲着的胡子，和头上的一堆红发。他的身上衣服只有一件衬衫，一条裤子；他的脚和头总是赤着的。他有过人的膂力，生得漂亮，而又聪明，为农村中人所畏惧，但因为他十分诚心拥护卢默斯，亦为他们所怀恨。在晚间卢默斯常对几个亲近的人讲演历史或其他题目，遇着没有这种讲演的夜里，高尔基就教易索特怎样看书。这个学生却很灵敏而肯于受教，当他能够从书上读几行的时候，快乐得什么似的，高尔基见他这样的天真的欢乐，也觉到异常的愉快。不过有一件事却使易索特不无失望，因为他的教师不能为他解释"读书"的神秘。他这样的问着高尔基："替我解释解释看，老弟，一切都说完的时候，这件事怎样能发生，我却有点莫名其妙！你看着这几行，这几行的东西都成为文字的形式，而我又对这些文字看得懂——活的文字，我们自己的文字：我怎样能够看得懂呢？并没人附着我的耳朵告诉我。倘若这些是图画，我能了解这是什么一回事。但是照现在的样子，好像是把思想印在书上——这是怎样办到的？”那位教师对于这位学生的想入非非，却苦于无法解释！

高尔基一面教易索特读书，一面也因为易索特对于农村情形特别熟悉，给他不少知识。易索特对于农村的了解，明白农村的需要和特殊的情形，对于团体和个人都能有正确的判断，这种种在高尔基都觉得很有价值的，很可宝贵的。他的唯一的弱点，就是和许多妇女轧姘头。他对于这类事的如愿以偿，不觉得有什么可以自傲，也不觉得有什么可鄙，简直好像不知道这类事在宗教方面的道德上有什么问题。有一次他却很幽默的自己承认道：“当然，我在这件事里弄糟了。在做丈夫的人对此事没有不愤怒的，就是我替他们设身处地想想，也是要觉得愤怒的。不过一个人对于女子也有不自禁发生怜惜的地方；一个女子，你知道，好像是你的第二灵魂。她活着从没有什么假期，从没有人加以抚爱；工作着好像一只马一样，她所知道的生活就不过如此。做丈夫的没有时间顾到爱情；而我却是个自由的人。有许多做妻子的，就在她们结婚的第一年，饱受她们丈夫的拳击。哦，是的，那是我的温柔的特性，我总是和她们厮混着。

我只请求她们一件事：女子们，不要彼此动气——我对于你们都是始终如一的！不要彼此妒忌，我对你们一视同仁，我对于你们都一样的觉得怜惜。”

在夜里，高尔基在河边的时候，有时看见易索特也在他的身边。易索特在这种万籁俱寂冷气沁人的夜里，常诉说他的梦想。他说他的许多志愿里面，有一个是要先由书本上学得智慧，然后沿着河边漂泊，教导一般人民。他这样说：“老弟，分你的心灵给别人共享，这是多么一件好事！就是女子们——其中有几个，如果你坦白的和她们谈——她们也能够了解你的！”在易索特只静默的在这样夜里和高尔基在一起的时候——有时他于静默之中偶尔叹一口气，说一短句，或呐喊一阵——高尔基也感觉得愉快。

不久以后，当易索特在一只小船上捞鱼的时候，被人从后面把他的脑袋后部砍掉，结果了他的一条性命。他因为好色的缘故，妻子被他诱惑去的丈夫很不少，不过据卢默斯和他的家人所猜度，认为这倒不是什么丈夫的辣手，却是因为他在农村中做人勇敢、自由，和不受农村中的习俗所拘束的智慧，受人嫉妒而丧命。总之在这个农村里，易索特总算是高尔基最喜欢的一个。卢默斯的房东潘柯夫（Pankov）是一个聪明的青年农民，不管他的父亲和其他本地顽固派的反对，毅然把他的屋子租给卢默斯，他的这种行为，似乎不无可取，但是高尔基对于他的印象，觉得他还太偏重于实际，太易于感受刺激。在这农村里，高尔基所尚觉得具有多少好感的乡下人，还有几个，但都是如易索特一样，都不是耕田的人，都是没有土地也没有家的人，由任何引得社会敬重的有了屋产的人看起来，都是“一无所长”的脚色。

卢默斯在这个农村因工作受人嫉妒及怀疑所招致的敌人，最后决意要断绝他的左道的（因为在他们看来是异乎寻常的）种种活动。在一个云散风清的秋季早晨，卢默斯保藏火油和其他易燃的液体的仓库被人放火烧起来了。不到几分钟，所有几幢屋子都焚烧起来，爆裂炸发，几有殃及全村的危险。俄国农村房屋都是木料造的，大约每隔七年，全俄总要经过烧一次。很少农民曾保火险，但是当屋子被烧的时候，他们却漠然袖手旁观，听天由命让狂火烧得一塌糊涂。卢默斯见火势燎原，急于灌救，他用鞭打着一班农民，强迫他们聚拢来，帮同扑灭这个火患，叫他们有的到村庄附近的伏尔加河里提出一桶一桶的水来，有的把已着火的篱笆及仓库设法拆除，想借此保全其他未被烧的茅屋，但是他虽筋疲力尽，仍是徒劳而无功。那班农民虽在表面上服从他的命令，这是他们向来对于威权的声音所惯有的态度，但在实际上却阴阳怪气，懒洋洋的从事，一遇到前面的火花达到他们面前的时候，他们就作鸟兽散了。他们既这样的苟且敷衍，于是只有卢默斯和高尔基，连同几个热心的助手，和这个狂火抵抗。此时高尔基用他的全身的气力，尽他对于卢默斯的忠诚，并因对一般农民的惰性和愚蠢的痛恨，奋不顾身的加入救火。他神志昏迷，几葬身于火窟者不止一次，每次在他们把水冲到他面上之后，他清醒了起来，仍鼓其新勇气向前冲去，和他在当时所认为仇敌的奋斗。

最后这个大火居然停止了。在卢默斯什么都失去了，但是他的竞争者和敌人却有意暗示，说他自己有意放火，事前早把货物都搬到浴堂里存好。这样一来，就有一班狂怒的群众围着卢默斯，迫他同往浴堂察看，到时把锁钥打坏了进去，后来虽看清浴堂里并没有什么货物存着，他们的横暴的心理仍不稍减。卢默斯和高尔基都手里拿好木棍背对背的立着，避免从后面来的打击，前面还要对付那班不讲理的横蛮的暴徒群众。高尔基的腰上还插着一个斧头，这件事使得他们略为胆怯了一些，那班暴徒群众的怯懦心理，已显在表面上。不料忽有一个身裁短小的拐着脚的农民，用他的木制的小腿跳跃着，锐声狂叫："用砖头抛掷他们！从后面掷去！掷中他们好了，我不怕连累！"果然，他自己就是第一人把一个砖头打中了高尔基的腹部，但是高尔基的同伴戈喀许卿（Kukushkin）奋不顾身向他上面罩下去；他们两人扭在一堆，扭着不放，一同滚到山谷下面去，还是紧紧的扭拖着。幸而又有几个卢默斯的同情者赶到，才把这群暴徒驱散。

卢默斯在这个农村里的事业便这样的终止了。他的精明无比的房东潘柯夫决意要承办他的商业，并挽留高尔基帮他办下去。高尔基不喜欢潘柯夫之为人，这是我们在上面已经知道的，而且他在克拉斯诺维笃伏的这一幕，卢默斯既去，也算结束，所以不受房东的挽留。在高尔基和卢默斯离别的前夕，他们在那天夜里都躺在地板上，卢默斯说道：

“你为着这般农民动气吗？请你不要这样啊。他们不过是愚蠢罢了。怨恨便也是愚蠢！”

他说的这几句话不能安慰高尔基，他还觉得历历在目的是那横蛮的呼声：“把砖头抛掷他们！从后面掷去！”高尔基沉思着这般农民——一般奇怪的孩子，单独个人，未尝不天真烂漫，未尝不和爱，但就一群看，却只见他们对于在土地上苦役的压迫只知道胆怯畏缩、伪善，或只见他们狂暴得好像豺狼似的。他觉得不能和这班人同在一处过活，他老实把他对于民粹派所恭维的“人民”的失望或觉悟告诉卢默斯。卢默斯责备他作过早的论断，临别的时候对他说道：

“不可匆促的斥责别人，斥责是一件最简单的事情——你不要让它诱惑你。要用冷静的态度观察各种事物。请你记着这几句话：件件事情都要过去的，件件事情都要向着更好的方面变化的。你嫌慢吗？但是在别方面看，却是坚定的！要作细密的观察和接触，不要怕，但是不可匆促的斥责别人！再会吧，老友！”

十五年之后，他们两位果然再会于波兰的一个村镇名叫塞德力资（Sedletz），卢默斯仍被逐放在该处，当时他为着组织民粹派用的秘密印刷所，又被充军到雅库脱十年。且说他在那个农村里对高尔基的临别赠言，和外祖母说的话颇相似；外祖母也信仰最后的改良，也警戒高尔基不可轻易判断和斥责别人，她说这不是上帝的事务，却是魔鬼的事务。虽则高尔基对于农民的意见永未改变——他在一九一七年还著一文痛骂他们——但他对于卢默斯却有许多地方觉得感激他。卢默斯主张迟缓而坚定的训导，虽在不能忍耐的十九岁青年高尔基看来是无可取的，但后来到他鼓吹俄国文化事业的时候，却把这种主张作根据。即在当时，他和卢默斯在农村里的许多谈话，也使他所胡乱存蓄的知识更能切实化。

高尔基和卢默斯离别之后，孤零零的独自留在克拉斯诺维笃伏，他自说"好像一只丧家之犬"。有几时他和巴立诺夫（Barinov）住在一起，即住在他的浴堂里。他们两人同到各村里漂荡着，有时替富农工作，替他们打谷，掘蕃薯，修剪果园。最后巴立诺夫劝他作长途的漂泊，以里海为他们最后的目的地。此时高尔基还未曾见过海。虽在事实上里海不过是一个大湖，但巴立诺夫却说得天花乱坠，简直说得连大西洋比它还望尘莫及！他每对高尔基说：“老弟，这个海不像你所知道的任何东西。你在它的面前，简直小得像一只蚊虫！你只要望着这个海，便要觉得自己缩小得不知所云。而且在该处的生活又甜蜜动人。有形形色色的人聚在那个地方。有一次甚至于修道院的头儿也到那里去。这也是无足怪的，他平日工作和其他任何人是一样的。此外还有一位女厨子，她曾经做过某处县知事老爷的姘头——她能望着什么比这个更荣幸的呢？但是不，她却不能忍受，对县知事老爷说道：‘我异常的爱你，老爷，但是——再会吧！’这是因为一个人一旦看见了这个海，他总是恋恋不舍的。讲到这个海的广大吗：那只好像天空一样，这个海上是从来没有过拥挤的！”

高尔基得着巴立诺夫做伙伴，开始向伏尔加河下流前进了，有时在一条驳船上工作，有时在一般载客的轮船上偷乘，有时暂在某埠上拖延，他们慢慢地辛勤地向南行到伏尔加的河口。在里海沿岸他们也还加入过一个渔业合作社工作。随后高尔基便开始他的漂泊的生活。

第十一章　做守夜

由里海的鱼场，高尔基又向前漂泊，走到伏尔加铁路的支路上一个车站，那个地方叫做杜布棱卡（Dobrinka），在该站充当站上的守夜（好像寻常的更夫，但只巡逻看守而并不打更），从每日下午六点钟起，直至第二日早晨六点钟，他手上拿着一根粗棍，巡走该站的各货栈，在狂风怒号大雪纷飞及在大草原上面上上下下急驶着的火车辚辚声中，留神辨别偷窃的人们的声音。每隔几时，他便远见雪堆后面躲着卑颜奴膝的人物——这些都是高加索人，是准备来偷窃一包一包面粉的。他们的偷窃行为一被发现之后，就哀求诈哭，现出种种丑态，甚至要送半个卢布给高尔基行贿，但是高尔基却严行拒绝：他明知他们偷窃非为救穷，却为着酗酒的需用。有的时候，这班高加索人叫一个生得漂亮的妇人名叫莱婀斯卡（Lyoska）的替他们从中说项，她用来说项的方法却也很奇特。她把她的羊皮外衣解开，做出谄媚的样子，显示她的柔软的乳房，把她的身体和易受诱惑的守夜者讲交易，换一包面粉。她对于高尔基也依法炮制，但却不能成功；他仍有他的理想、踌躇和梦想，他仍在看书、思考、质疑，要寻求一个人生的公式来，换句话说，就是要替他自己寻得一条做人的出路来。但是他的好奇却仍和从前一样，他虽拒绝了莱婀斯卡的诱惑，却和她在货栈的阶石上闲谈了一阵，这一阵的闲谈，又增加了一些观察方面的知识。他所不能无感的是高加索人素以敬神及守旧闻于世，莱婀斯卡不敢在他们面前吸烟，因为他们不能忍受一个妇女有这种轻佻的行为；但是他们却能忍心怂恿她把好好的身体出卖，换取一包面粉，他们拿着这包面粉便可多买一瓶俄国的麦酒喝！这在高尔基可算是上了"道德"的一课。他所肄业的"大学校"永不关门，随处都给他增加知识经验的机会。

高尔基做这个守夜职务的时候，有一件不幸的事情，便是因为意外的跌伤，毁了他的歌喉。当他在喀山的时候，他原有男子高音的歌喉，而且还曾经实用过。

在码头上做脚夫和加入申密诺夫糕饼店之间的一段时期里，他试做过园丁和阍人之外，还靠他的好喉咙加入过一个唱歌队。当时有一天他的饥饿的眼睛忽注意到一个"招请唱歌队人材"的招贴，他贸然跑进去作毛遂自荐，很出于他自己意料之外的，竟合格被雇用了。同时还有一个颀长美秀的青年和他一同进去自荐的，却落了选；这个青年就是以后在世界上著盛名的独唱家谢利雅平（Feodor Chaliapin）。在杜布棱卡站当守夜的时候，有一个秋夜里狂风暴雨，高尔基爬到一个很高的面粉袋堆成的高堆上面去展置油布，忽被一阵大风把他卷在油布里，吹到铁路轨道上去。他撞在铁轨上，失去知觉，后来虽幸而醒来，喉咙已肿得不得了。据他说当时由医生把喉咙刺破的时候，脓水涌出，几乎塞住了呼吸。因为这一次的伤痛，他在一个时期里，声音完全没有了。后来虽渐渐的有了声音，但恢复原有的高音已无望，只剩下低的沙音了。

大概在这个不幸事件未发生以前，高尔基因为具有一副高音的好喉咙，很得杜布棱卡车站的站长赏识，在某几个夜里，准许他不必到差，俾得到他的家里，在他所开的狂乐纵饮的宴会里面唱歌以娱来宾。高尔基在他的著述中，对于革命以前的俄国关于这类的宴会，有很详细的描写。当时在站长家中这种宴会里听高尔基唱歌的一班欢呼痛饮的宴客，都是属于旧俄的豪绅阶级，其中有带肩章的官吏，有大腹贾，有牧师。那位做东道主的站长名叫裴托维斯基（Afrikan Petrovsky），他的身体魁梧，生着许多黑胡子，一对凸出的黑沉沉的眼睛，是一个声名狼藉的恶棍。他打起他属下来的时候，异常横暴，往往打伤他们的牙齿和耳朵！据说曾经打死他的妻子。凡是经过里海各埠的货车，到了该站的时候，该站职员都须依照他的命令，把货车开起来，替他偷窃丝货以及其他的细软珍品。这些东西，他拿去售卖，收入的钱就用于"遁世的生活"，这是他自己对于狂欢宴会所加的名称。几年后裴托维斯基被人列举种种罪状提出控诉，但是他在铁路的董事会里有奥援，在旧俄，只要有奥援便非法律所能制裁。关于此事，还有一件怪有趣的旧俄的特色。他被控之后，有人拿着法院里所发的搜查证，到他的办公处来搜查。他看见他们来了，就在自己的抽屉里拿出一张纸交给一位调查员，对他说道："在这张纸上，我已老老实实的把所偷到的东西写得清清楚楚！”他的目无法纪，可以概见，而旧俄的腐败，也不消说了。

关于当时狂乐会的情形，据高尔基所述，大概如下：裴托维斯基公毕回家之后，把钮扣灿烂的制服脱下，穿上一件大红的丝制的俄国式衬衫，上面有阔而厚的绒袖口，穿上绿色精皮的鞑靼式的高统皮靴，在他的堆着黑发的头顶上，戴着一顶黑紫绣金的平顶的东方式小帽。他所请的宾客大略有这样的人物：警察局副局长马斯洛夫（Maslov），秃头、肥圆、胡子剃得精光，像一个天主教的牧师，生着一个鹰鼻，一对好像娼妓所有的狐狸似的小眼睛；他是一个狠毒、狡猾、阴险的人，绰号叫“女戏子”。其次轮着一个本地肥皂厂的老板，名叫史得拍卿（Tlkhon Stepakhin），是一个魁伟的红发的农民出身，笨重得好像一只牛，看上去总像半睡着的样子；在他的工厂里面，工人总受着烟气的毒害而渐渐伤害了身体，虽有好几次被人控告对于工人的伤害，但是他除了罚几个钱，别的一无愁虑。还有一位客人名叫华洛西洛夫（Voroshilov），是一个只剩着一只眼的教会里的执事，一个醉汉，身上总是肮脏油腻的，对于六弦琴与和合琴都弹得很好；他的一副麻脸上生着高颊骨，布满着灰色胡子，粗得像豪猪身上的猪毛，但他却有一双好像妇女所有的保养得很好的纤手，还有一只美丽的深蓝色的眼睛——他的绰号叫做“媚眼”。

男宾之外还有女宾。这些女宾是由村中和高加索居留地来的活泼泼的女子，莱婀斯卡也在内。她们围坐着一椅，喝了许多酒，吃了许多菜，简直呻吟着走不大动了。那位肥皂厂的老板开始打噎，依着他的信号，他们都跑入别一个更为广大的房间里去，到了那里，他们跟着六弦琴的调儿，共同唱起来。俄国人普通是擅长于合唱的，他们自然同声唱着一样的调儿，和谐的唱着。那位教会执事弹着跳舞的调儿，笨重如牛的史得拍卿独自一人跳舞起来，表显出乎意料之外的弹性，好像野兽似的美态，以及他的独出心裁的运动的合拍，使得大家看着出神，既而大发其狂乐。眼泪、拥抱、呼喊，他们一个一个的也应着那位不知疲劳的教会执事的琴声，跳舞起来，有的单独的舞，有的合群的舞。高尔基依裴托维斯基的命令，把他所广蓄的歌调，一曲唱了又一曲；他有意选唱那些最悲哀最动人的调儿，引动得他们都热泪涌流，发狂乱喊。既而裴托维斯基狂呼："脱女子们的衣服！"于是史得拍卿慢慢的执行他的职务，先脱裙，继脱衬衣，最后脱得精光，他正正经经的把她们推在一个角上。那些男子便细看这些脱得精光的女子，狂欢的批评并赞赏她们的身体，好像他们对于歌曲和跳舞一样。然后他们男女一伙儿走回较小的房间里，重复吃着喝着；据高尔基说："在该处便开始实行不能描写和令人着魔的事情。"

高尔基每次参加这样的狂欢会，他总是直等到会毕才走，甚至等到"不能描写和令人着魔的事情"之后才走。他平日喜欢从门上匙孔中张望，东张西躲着偷听，以及察看形形色色的地狱生活，用艺术家的好奇心来解释，都有自圆的说法。但高尔基却常用道德的或求知的理由来辩护他的好奇心。他说当这种时候，杂闹喧扰的"肉欲宴"只引起他的愤懑和苦痛，夹着怜悯那些男子，尤其是那些女子的心理。但是由于他对于知识的狂热，他并不拒绝参加这种"遁世的生活"。他回想到卢默斯临别的赠言，劝他要随处观察，因为也许在有些地方可以发现自己所用得着的真理；劝他要不畏惧的生活着，不要避开不合意的或可怕的事情。高尔基说：“我未尝自逸的各处张望，由此知道了许多事情，这些事情，为着我自己起见，还是不知道的好，但是我却须把这种事情告诉别人，因为这是他们的困苦生活，兽性进攻人性的惨剧。”

高尔基后来不得不离开杜布棱卡却另有一个理由。裴托维斯基有个女厨子，是个躯体奇伟的妇人，生着一对绿的小眼睛，对于高尔基怀恨极了，因为他对于她曲意巴结马斯洛夫——所谓“女戏子”的卑鄙行为，略有轻视的批评。她自以为是崇拜这位警察官吏，认高尔基的侮辱是全出于毁谤作用。为着这件事，她决意作坚决的持续的报复。高尔基替自己辩解道：“我当时怎能猜到积藏在那些粗骨头里的一堆肥油胖肉，就含有在她看来那样不可侵犯和珍贵的东西？这样一来，我从生活里学得一个教训，就是从此才了解一切人类是有同等的一律的价值，秘密藏在他们身里的东西都须敬重，对于他们要更为谨慎，更为细密。”但是他却须支付这个教训的代价。玛伦密恩娜（Maremyana）——那位女厨子的名字——故意和他为难，在他每日十二小时的职务做完之后，支配许多家里和马厩里的事情叫他做，使他简直没有余空的时间睡觉或读书。此时高尔基已是有些文绉绉的底子了，表示他的伎俩，诗不诗散文不成散文约写了一份呈文，呈给在波里索格勒贝斯克（Borisoglebsk）的上级员司，老实询问每日替站长倒污水桶是否在他的职务范围里面。这篇文章是他第一次的文学上的成功，倘若成功是可用结果来判定的话：他上了这篇呈文之后，居然被调往波里索格勒贝斯克的运货车站上服务，专任保护并修理麻袋及油布的事情。

他在这个新的服务的地方，所遇着的人又是完全另外一种不同的人物。该处的同事约有六十人左右，差不多全是政治犯，从前的囚犯，和放逐在该处的犯人，由一位颇有冒险性的人名叫爱达都洛夫（Adadwraov）的主持录用，意思是要借此将那段伏尔加铁路上的偷窃欺诈的恶习根本铲除。铁路当局对于他的建议虽觉怀疑，但是答应试作这件异常的试验，雇用正式的“祖国的仇敌”来保护祖国。这班人在爱达都洛夫领导之下，很诚恳的做他们的工作，居然于短时期内揭穿铁路上职员的舞弊制度，因为他们混在这些职员里面担任各种职务，所以都逃不过他们的耳目。依这班人的教育，语言文字的知识，高尚的理想，卓越的才能，原可担任更重要的工作。但是在专制时代的俄国，这种现象却能表示当时政府的黑暗，把人民中最有才能最有爱国心的分子，都认为仇敌，把他们关在监牢里面去，不许他们有所活动。不但政府方面，就在一般人民方面，也像卢默斯在克拉斯诺维笃伏农村里一样，这班显然忠实的人也不为他们所喜，甚至于被他们所畏惧，所怀恨。除因为他们看不过和他们异趣的人之外，还有一个原因，那就是他们在铁路上揭发弊端这件事，是一件众所不愿有的事情。在俄国未革命以前，一般人民有个根深蒂固的成见，认为政府和人民之间，彼此的利益总是立于相反的地位，所以一般人民对于国营或官督的事业的舞弊，不觉得是什么不该做的事情。例如在火车上揭发不买车票偷乘车的乘客，或揭发火车上卖票员把一半车费藏入私囊的事情，这种对于弊端的揭发，在当时甚至被人视为是一种无须做的卑鄙的行为。爱达都洛夫所领导的一班人在铁路上做铲除舞弊的工作，在一般人看来竟用这同样的眼光。

高尔基既和这班智识阶级中人有了接近的机会，他希望他们能使他得到安慰，不至再像他所遇着的裴托维斯基一类的人物。此时他一面替车站上看守麻袋和油布，防备掠夺的高加索人，一面却利用时间阅读莎士比亚和海涅（Heine，德国诗人）的著作，“梦想伟大的英雄的行为，和人生的光明的愉快”。可是他愈益感觉到书本上的描述和实际的生活是彼此大不相同的。我们试撮举他所描述的当时环境中的几件事情，可见一斑，据他说：

> 在这个城里，所嗅到的只是油腻、肥皂和腐肉的气味，当地的市长招集牧师到他的广场上举行祭礼，要借此驱出他的水井里的鬼怪。
>
> 市立学校里有一个教员每逢星期六便在浴堂里鞭挞他的妻子。有的时候，她在被窝中逃了出来，她也顾不得许多，就赤裸裸的在果园里跑来跑去，她的丈夫手上抓着棍子向她追逐着。这个教员的邻居请到他们所认识的朋友，从他们的篱笆空隙中参观。我也被他请去看

过——在许多参观者里面，和某人打了起来，很费力的才逃避了警察的拘捕。其中有人训戒我说道：

“喂，你为什么这样的大惊小怪？谁不喜欢看这样的事情？就是在莫斯科，他们也不给你看到这样的把戏！”

铁路上有一个职员，我在他的家里租了一个小铺位，每月出租金一个卢布。他很正经的对我说，凡是犹太人不但是骗子，而且都是雌婆雄。我和他争辩。在夜里的时候，他竟偷偷捏捏的潜到我的床边来，后面还跟着他的妻子和内弟，意思是要察看察看我是否犹太人？我要赶走他们，不得不用力扭伤这个职员的手臂，打伤他的内弟的脸。

本地警察总监有个女厨子，要使铁路上一位工程师对她发生温柔的感情，请他吃饼，在这些饼里面，预先加入她的月经水。这个女厨子有一个伙伴竟把此中秘密，偷告给那位工程师知道，那个可怜虫听了这样可怕的妖术，吓得魂不附体，赶紧跑去看一个医生，宣言他的肚子里有些东西喧嚷着，在里面作出猪声来！医生笑他发傻，但他回到家里去，竟在地窖中悬梁自杀！

浸渍于莎士比亚和海涅名著的这位铁路看守人，目击本地城市生活里面这类寻常的事情，在他的心里和良心上都觉得异常的难过。他往往到智识阶级（即在铁路上铲除积弊的那班人）那里去，很殷切而愤懑的把每日所见这类可怕的情形告诉给他们听。使他觉得诧异的，是这班人竟把他所说的种种故事视为滑稽的或平淡无奇的轶事，于是他们里面有的听了大发一笑，有的听了竟现出失望的淡漠态度。高尔基所说的种种并不是凭空杜撰的，都是从实际生活上观察得来的，他们对于这一点竟不觉得；这也怪不得，因为他们对于这种实际生活原来就隔阂得很，所以也不能够解释这种实际生活中的"轶事"。关于裴托维斯基的狂乐会的情形，高尔基也告诉了他们，据他说，当他把此事告诉给他们听的时候，"觉得这班所谓熏陶于'文化'里面的人，对于那班野蛮人的娱乐，竟有羡慕不置的意思，不过在表面上不愿老实说出罢了”。他对于这班智识阶级中人愈研究愈觉得骇异。他们的高一层的生活，他们对于名著的讨论，对于个人在历史上使命的研究，在这位寻觅真理的青年看来，都不觉得有什么可羡可妒。

在当年的春季，他又被调往伏尔加河及顿河支流沿岸的格勒台亚车站（Krutaya），升任秤货的职务。但是这个铁路“大学校”，在我们这位“大学生”已觉得不耐烦了，他又要动了。而且他此时已二十一岁了，已将到服兵役的时期了，依向例凡是俄人到了这样的时期，都应回到本乡去受检验，决定是否适宜于加入兵役，为沙皇效劳。

一八八九年的五月，高尔基从察里津（Tsaritsyn）[即现在斯达林格拉（Stalingrad）]出发，希望在九月可以达到尼斯尼诺伏格拉。途中大半都是步行漂荡着，在各农村，高加索人居留地，或是修道院里，做些工役糊口。在夜里，有时也乘铁路上的货车。他到了里森（Ryazan）的时候，忽变了方针，由伏尔加河的支流亚喀（Oka）下游前进，走到莫斯科，往访托尔斯泰（Leo

Tolstoy）。但是他好像注定了须在数年以后才遇得着这位伟人，因为当时托尔斯泰刚巧不在莫斯科，已到他的“三一修道院”去了。

在莫斯科的运货车站上，高尔基得到一个家畜押送人的同意，加入帮他押送一群八只公牛，这八只公牛原打算送到尼斯尼诺伏格拉去屠杀的。其中有五只还算有较好的行为，易于押送，其余几只，在途中专和高尔基捣乱，使他种种为难，等到它们把他弄得走头无路的时候，便鼻子喷气，大发牛鸣，好像表示胜利似的！每到了暂停的地方，押送者抛给高尔基一大束干草，对他喊道：“去招待它们吧！”据高尔基说：“我和这些公牛混了三十四小时，心里想，决不会再遇着比这些公牛更野蛮的畜生！”

在下章里，我们要谈到高尔基回到故乡后的情形。

第十二章　回到故乡

高尔基到故乡后所遇到的欢迎，一点儿也不愉快。他到了后，就实践安得雷叶夫（Leonid Andreyev）所谓每个俄国公民的义务，在牢狱里住几时！他到了尼斯尼诺伏格拉之后，暂住在从前在喀山所认识的一位朋友苏莫夫(Somav)寓所里面。苏莫夫曾被充军到西比利亚去，此时刚才回来，和他住在一处的还有一位政治嫌疑犯，名叫蔡钦（Chekin），从前做过农村教员。十月，当地宪兵队长卜斯南斯基将军（Poznansky）接到从圣彼得堡颁到拘捕苏莫夫的命令。据他报告省长，这个命令正中他的下怀，因为他早对那个寓所里三个房客有所怀疑，他们常受在政治上“不安”分子的访问，不用仆人，甚至不许房东的仆人替他们收拾房间。现由圣彼得堡颁来的这个命令，正可以供他往该处搜查的借口。但是在当时的俄国有件事常发生的，就是每遇这种搜查的事情，宪兵总是迟了一点，在他们到的时候，蔡钦和苏莫夫早已闻风逃避了。当他们正在房里搜查的时候，高尔基却凑巧从外面走进来，被他们在身上大搜而特搜。据宪兵的报告中所说："皮西科夫（即高尔基的真名）被搜查时的行为极无礼貌，极顽强。"他们要从他口里探出苏莫夫的行踪，把他捉将官里去，关在牢狱里，直等到苏莫夫在喀山被捕的消息到后，才把他释放。

关于这件事，在苏俄最近曾公布的警察案卷里面，有当时卜斯南斯基将军报告的原文，其中对于高尔基有这样的一段叙述：

> 据喀山的宪兵队长对我调查的答复，承他告诉我关于皮西科夫在喀山的行动纪录，证明我所久有的意见，即皮西科夫确是人民里面政治上的危险分子借以合作的祸源。据该答复所述，皮西科夫在喀山一个糕饼店里工作，这个店就是为着不忠于政府的目的而开设的；他在该店里和许多叛徒往返，在他们里面另用一个

绰号；他还阅看专门性质的书籍，这类书都是不大正当的，依他的文化程度和所受的教育，都不大相称……

上面一段是官署报告里的说法。而高尔基自己对于当时此事的叙述，却另有一段有趣的轶闻。据说他被拘之后，关闭于尼斯尼诺伏格拉牢监中的第四座的楼塔里面。卜斯南斯基将军把他提到他的办公处去讯问，他看见了这位将军是个很奇特的老头儿，肥胖颟顸，不整洁，脸色微紫，一对“潮湿的不清楚不光亮的眼睛，看上去好像是悲伤而又疲倦似的”。他的家庭里的内幕和他自己是患有吗啡瘾的，高尔基早有所闻。这位将军见了高尔基之后，颇得他的欢心，因为他很称赞他所写的诗句，这些诗被宪兵搜查之后，连同其他文件一同带给卜斯南斯基看的。这个老头儿初见他的时候，很严厉的问道：“你是那一种的革命家！”接着说：“你不是犹太人，也不是波兰人。哦，我看见了，你还能写些文学，好，这是值得做的事情！等我把你释放之后，可把你的草稿送给柯洛伦科（Korolenko）看看——你认识他吗？

不认识吗？他是一位最重要的著作家，并不比屠格涅夫（Turgennev）坏啊。”高尔基后来听得不耐烦了，就四面张望，对于办公桌旁一个玻璃橱里排着的几个奖章，颇为注意。那位将军看见他的视线转到这橱里面，就立起来，把橱里的奖章一个一个的拿出给他看，还对他大谈各个奖章的来历，那种高兴的态度，简直好像一个搜藏古董的。在叫他退回牢狱以前，他还偶然问高尔基爱不爱能唱的鸟。高尔基原曾做过捕鸟以谋生的，对于他的这个题目当然说来头头是道，竟使这位将军在门口立着不动，倾耳静听了许久，当这个时候，那些卫兵却在旁立正着，等候押送这个犯人到牢狱里去。过了几天之后，高尔基又被提审，坐在这位将军的面前。他现着很暴戾的神气问道：“你当然知道苏莫夫到了什么地方去，你早就应该老实告诉我，我知道之后早就立刻把你释放了。而且你对于搜查的官员也不该那样的嘲弄他……就普通说……”他说到此处，忽然俯身靠近高尔基，很和婉的问道：“你近来还捕鸟吗？”

俄国的作家，尤其是有革命倾向的，对于官吏是很少同情的。像屠格涅夫和托尔斯泰，对于官吏都是有意轻视的。高尔基当然也没有理由要替旧俄统治下的官吏掩饰，不过在他的著作里，有好几处对于旧官吏的叙述，也用着他的向所习惯的坦白不偏的好奇心，关于卜斯南斯基的这件意外的事情，并有一种奇异的结局。大约过了十年之后，高尔基又被拘禁在尼斯尼诺伏格拉牢狱里面去。在宪兵公署待审的时候，有一位青年副官向他问道："你记得卜斯南斯基将军吗？他就是我的父亲。他非常注意你的命运，一向留心到你在文学上的成功，并常说他是第一个知道你的天才的人。他在托木斯克（Tomsk）过世了。在他尚未过世以前不久的时候，他嘱咐我把一堆奖章送给你，他觉得你很爱这些奖章，当然，这要看你愿意领受的话。"高尔基说当时他听了这番话，异常感动。他出了牢狱之后，就把这堆奖章存入尼斯尼诺伏格拉的博物院里去，永留纪念。

且说此时高尔基对于人生仍觉得是缠夹不清：他还没有寻得一个做人的公式，一个出路，因为这个缘故，他仍依照他的幻想，逃遁到别地方去。他从前曾经梦想过要到波斯去，现在他不再到波斯去，却要参加一个军事探险队到帕米尔去，研究研究阿富汗边界的情形。他想到此行所能看见的沙漠，希马拉雅山，这是多么的好玩！但不幸在招兵站的那位嬉皮笑脸的医生却说他的体格不合，说他的肺部是穿孔的，而且在他的一个小腿上还有扩张血管的毛病。于是他的一团高兴竟被浇着一盆冷水。他的肺部所以有穿孔，关于此事的来历，我们在前面已经谈过，想读者还能记得。讲到他的一个小腿上的血管扩充毛病，至今还有时给他苦痛，叫他不得不睡在床上休养休养。遇着这种时候，他便回想到从前得到这个毛病的情形：

我（高尔基自称）得到这个毛病，是在伏尔加河沿岸做码头脚夫的时候。我当时在二十岁左右，膂力强壮，常常用而有余。有一次我和几个伙伴们去游泳。我把衣服脱下，正在用脚伸入水里去尝试尝试的时候，有一位老脚夫对我喊道：

“你看，阿勒赛：你毁了你的腿了，你看那个腿上的肿的地方。请你告诉我，为背起货物的时候，先用那一只脚向前走？”

"右脚。"

"难怪你的那只腿出了毛病了！你应该先用左脚向前走。唉，你就此完了：你永不能成为得力的脚夫了。咳！这是多么可惜啊！"

这是高尔基得到腿痛的原因。他因为肺腿两病的妨碍，被那位检验体格的医生拒绝了。那时他刚巧认得帕米尔探险队中的一个军官，他把俄国的中央亚细亚形容得天花乱坠，并建议高尔基可往登记做地志组的义务员，答应替他布置一切官样文章的手续，可将考试展延，先行加入工作。不料几天之后，这个军官很觉难为情的告诉他，说官署里有存案，里面说他是个"政治的叛徒"，并责备高尔基不该对他掩藏这件事。这在高尔基听见了也深为骇异，因为从未料到，"中央蜘蛛"的那根"看不见的线"对沙皇的人民所设的天罗地网，竟有如此之周密！于此关于卜斯南斯基将军又得到另一个证明，证明他是个君子人而同时却是个宪兵队长。

这样一来，高尔基的另一梦想又成幻灭了。他只得在尼斯尼诺伏格拉暂谋栖止，在该处居然住了两年左右。在这两年里面，他所做的职务颇多：曾在一个潮湿的地窖里，于洗涤酒瓶及装置麦酒之外，还要将窖内的一桶一桶的酒推滚出来；做过售卖苹果酒小贩；又在一个蒸馏水公司里做过伙计，但后来却被赶了出来，因为他用拳头打死了老板娘的一只咬他的猎犬。最后他在一个律师名叫赖宁（A. I. Lanin）的事务所里担任书记。据高尔基说："他（指赖宁）对于我的教育方面有很大的影响。他是一个学识渊博品性高尚的人物，我受他的益处，比受任何人的都来得多。"高尔基对于他所感激的人，往往推崇逾分，但是他对于赖宁的敬佩，只要看他把他的第一次的小说集写明为纪念他而发行——这小说集的发行是他的第一次的出乎意料之外的成功，便是一个很好的佐证。

当高尔基陪着八个公牛向尼斯尼诺伏格拉进行的时候，别的旅客有他们的种种娱乐，而他最珍贵的一件东西却是他所带的一本笔记簿子，里面抄着他的抒情诗和他所自称的"一首散文和韵文的好诗：老橡树的歌"。关于这几首诗，他后来照他平常的直率态度告诉我们说："我不愿自欺，尤其是在那个时候，我自觉学识很有限，但是我却很诚实的自信确曾写了非凡的作品。我曾把十余年来所亲历的形形色色的、困苦艰难的生活所造成的感想，都收蓄在里面。我相信凡是读了我的诗的人，都要惊于我所告诉的事物之新颖；我所述的故事之真实，要使世界上一切人类看了为之惊心动魄；他们一读了之后，就要感觉到诚实的，纯洁的，和愉快的生活。我的欲望除此以外没有别的，没有过于这种效果以外的什么欲望。”

踌躇了好几个星期之后，高尔基带着他的诗去访问柯洛伦科，就是卜斯南斯基将军所推举的“不比屠格涅夫坏”的作家。在当时柯洛伦科的声誉已经横溢，大家都知道他是个在政治上为主义而不惜牺牲的人物，同时知道他是个著作家。他曾被充军到西比利亚北部辽远的区域，当时刚由该处回来，他所著的小说《麦卡的梦》（*Makar's Dream*）仍脍炙人口，虽则当时他的著作已较前更有了进步。他生得矮矮胖胖的，曲卷着的胡子，淡褐色的眼睛，在当时俄国的文学界里是一位公认的最为群众所敬爱的人物。听到他的大名的人，不但要想到他是一位作家，尤其想到他的博爱的胸怀，无可怀疑的纯洁，以及热心助人的德性。他在小说里流露信仰和希望，这在俄国作者里面不多见，他也是其中的一位；但他却不是一位取悦于人的乐观者，也不是消极的不抵抗者，却是因为他深信人类有最后的善，所以对于他所认为人生的赘疣，作多年的奋斗。俄国的实际状况，充满了枪决、成见、专横，以及强权胜于公理的种种现象，都使他不得不起来抗斗，死而后已。此处所谓“死而后已”，却有其真实的意义，因为在他临终的时候，还替被压迫者主张公道，反抗特权的阶级——在此时系指胜利了的布尔希维克党人。他于一九二一年为尽瘁衰弱而死，死的时候，虽在俄国被封锁和饥荒的时期里面，苏维埃当局要对他特加优待，予以例外的医药上的照顾和粮食上的供给，他以自愿同甘苦，不愿独享优越的待遇，竟拒绝不受。

高尔基在他的自传里面，承认柯洛伦科对于他的文学上的成功有很大的助力。据他初次晤见柯洛伦科的印象，料不到在他死后，他（高尔基）会在自传上写下因自己在文学上的成功而念到他的助力的话。他初次晤见柯洛伦科把他的诗给他看的时候，给他批评得很厉害。

他笑着指出了许多“笔误”，指出了一处又一处，高尔基后来追想当时的情形，这样的说过：“我当时看见他指出了许多笔误，简直汗颜无地，脸色一定是通红得如红热的煤炭一样。”柯洛伦科看出了他的窘状，便笑着说起当时有位文学家也曾犯了几个错误，这在他算是出于慰藉的意思，但是高尔基已窘得无以自容，不能再静听他说什么，也不能了解什么，他的唯一的欲望便是赶紧逃遁，逃出这个耻辱。他回去之后，闷闷不乐者好几天。

大约过了两星期之后，柯洛伦科把他的原稿送回来了，在稿件的卷夹上还注了这样的几句话：

“要由‘这篇歌’来判断你的能力，这是一件困难的事情；但是我想你是有能力的。可就你曾经阅历过的事情写些下来，再送下给我看看。我不是一个韵文的评判者，你的歌我看了似乎不懂，虽则有几行是有精彩的。”

高尔基接到了这个附简，他的“闷闷不乐”仍然不能消失。他不懂柯洛伦科所谓“就你曾经阅历过的事情写些下来”究竟是什么意思。他想，他在那首“歌”里所写下的东西，那有一件不是他曾经阅历过的呢？他觉得不高兴，觉得是受了侮辱。他抓着这本稿子往燃得热烘烘的炉子里一掷。从此他在尼斯尼诺伏格拉所余下的时间里，一句散文或韵文都不写，“虽则有时他很想写”。

但他虽然动了气不再去访柯洛伦科，而却不能忘情在这个城市里住着这位名闻遐迩的当代文学家。一八八六年至一八九六年间的尼斯尼诺伏格拉，简直是在他的大名之下存在着，大家想起这城市，就要联想着他，因为居民中的各阶级与政府当局都时常注意到他。他是个小说家，所办的月刊《俄罗斯之富》（*Russkoye Bogatstvo*）在当时俄国言论界又占很大的势力。没有社会上的罪恶能够逃出他的视线；他对于作恶者的追究和被牺牲者的伸雪，不知道有什么休息，也不知道有什么畏惧，在当时的黑暗统治之下，作尽量的宣传和救济。在智识阶级里面，柯洛伦科有一小群特别亲近的朋友组织了一个小团体，名称为“端严的哲学家会”。这里面的分子，差不多都有民粹派中人所有的学识，但是他们对于一般人民并不像民粹派中人之一味的唱高调，瞎恭维，却有分析的态度。因为这个缘故，柯洛伦科和他的这班朋友，很引起民粹派中一般党员的猜忌。

高尔基渐渐的注意到马克思的“铁的逻辑”（iron logic），并加入一个小小团体，专门研究并辩论马克思的《资本论》。在当时的俄国，真正的马克思信徒的数量还有限，不为人所注重，远不及仍然占有很大势力的民粹派和过渡各时期中的英雄主义的倾向。到了那个时候，民粹派所主张的不自私的自我表现的个人英雄主义，已渐渐退化为专顾个人安全和自我享乐的虚伪的个人主义的倾向了。在这过渡的时期里，一般青年往往用一种取巧的诡辩以自文饰。他们把民粹派中所谓个人主义和马克思的“有定论”混合起来。他们这样的诡辩着说：倘若进步是由历史的需要所定的，那么个人的努力是无效的，是用不着的了；这样看来，还是“让我们把手插在衣袋里，不必动心的吹调儿玩就行了”。在当时的俄国，有思想和受过教育的人是很有限的，这样消极的态度，便等于社会的停滞和个人的明哲保身主义了。高尔基对于这班青年以滑稽的诡辩来嘲笑“智识阶级的责任”，很感觉到不安。

他参加智识阶级中人的各种会议，静听了他们的热烈的讨论和不需要的猛烈的辩论，他愈益觉得心里的矛盾感想，无以自解。有一次在一个夏季的夜里，他坐在朝着伏尔加河的一个峭岩上面，忽觉有一个强壮的肩膀对他微微的推动一下，注视之后，才看见是柯洛伦科，他来坐在高尔基的旁边。高尔基乘此机会把他对于智识阶级的疑团和痛苦告诉他，说这班智识阶级对于本国实际情形的隔阂，和现实脱离了关系，并受一般国民的怨恨。柯洛伦科认为高尔基的观察是对的，但是他的结论却不这样的悲观。他以为无论在什么地方，智识阶级中人总常常和一般人民是分离的，但这种现象却是因为智识阶级总是跑在一般人民的前面，这就是他们的历史的使命。他说："智识阶级好像是每次的酝酿革命的酵母，是每件新的建设的事业基础中的第一块石头。例如苏格拉底（Socrates 希腊哲学家），白鲁诺（Giordano Bruno 意大利哲学家），伽利略（Galileo 意大利天文学家及哲学家），罗伯斯庇尔（Robespierre 法国革命家），以及俄国的十二月党人（Decembrists 参加一八二五年十二月的暴动），勃牢夫斯卡亚（Perovskaya）和塞里亚波夫（Zhelyabov 民粹派实行恐怖政策者的领袖，和亚历山大第二的被刺有关）以及现在正在逐放中的饥饿的人，今天夜里正在俯首看书，准备为正义而奋斗，必要时当然还准备入狱的人——凡此等等都是人生最有生气的势力，都是人生最锐利最灵敏的工具。”他接着说道：“人类开始创造历史之日，正是第一智识分子初出现的时候；关于伯罗米修士（Prometheus）的神话，就是叙述他发明取火的故事，由此使人类和野兽有了分别。”

柯洛伦科说时的口气异常诚恳，高尔基受着深刻的感动，他此时所受于他的训诲，好像所受于外祖母及卢默斯的一样，都是劝他不要把显明的缺点作判断的标准。他虽受了感动，但却仍未得到什么安慰。他此时心境之纷乱和烦闷，比在喀山的时代还要厉害。他此时比从前更感觉到一脑子塞满了许多的观念和印象，不能解决心里的矛盾感想，尤其缺乏的是一个公式，使他能用作根据，把思想表现于行动，由此可以利用他所贮藏的精力。高尔基追述当时的情况，曾经这样说过：“我并未曾受过在学校里所得到的训练；再说得正确些，就是我没有学得在学校里所学得到的思想的技术。我搜集了许多材料，这些材料都需要一番整理和组织的，但是要做这件工作，非有闲暇不可，这种闲暇却是我所没有的。一方面，我从书里看到了许多情形，为我所深信；在别一方面，关于现实的生活，我又有了相当的知识：这两方面的矛盾，我无法解释，是我感觉到异常苦痛的事情。我固然觉得自己比从前渐渐的聪明了些；但同时觉得上面所说的情况害了我自己：我好像一只胡乱载货的船，把船倾侧在一边去了。”

高尔基于是患着很严重的精神上的不消化病症。他在一篇幽默的见闻录，题为《哲学的罪恶》（*On the Evils of Philosophy*）的文章里面，曾经说起他和一位博学的学生尼柯雷（Nikolay）的谈话，对于他有了奇异的影响（尼柯雷偶然把尼采的著作零星的翻译些给他听）。尼柯雷依从他的请求，开始把哲学史讲给他听，但是在他讲到恩柏多克利（Empedocles）的人生观的时候，高尔基忽患着神经病，被幻觉所围困。他忽然觉得世界失却了系统，在他的眼前忽现着凌空的没有脸的人头，现着手掌，好像极大的蜘蛛似的树根，现着巨大的公牛的没有眼睛的脸，而这些公牛的眼睛却在这些脸的上面跳跃着，形状着实可怕。他的这位明师责备他具有不能自己节制的想像，很不高兴的中断了他对于恩柏多克利哲学的讨论。随后尼柯雷被人请到莫斯科去了，这位怪可怜的高尔基独自一人留下继续发他的神经病，没有什么人来安慰他。无论是在睡眠中，或是在醒的时候，他总觉得有许多令人可怕的残缺不全的，不相联属的，发狂似的印象追逐着他，使他失声狂喊，有时把正在鼾睡中的房东太太惊醒，有时因正在街上闲走着，把鞑靼更夫吓得慌乱起来，把他送回家去，劝他上床去睡。他觉得自己是要癫狂了，勇敢地极力挣扎着，要恢复他的精神上的平衡。尤其使他觉得难堪的，是他的雇主赖宁律师怪他在抄写法律文件的时候竟把不相干的和没有意义的韵文插写在里面，在这些韵文里大说他自己的苦楚，他不能祷告，以及其他语无伦次的话。他在清醒的时候，心里总在畏惧狂病又要到来；倘若不是两年前的自杀经验，使他相信“自杀是件自侮的蠢事”，他简直又要自杀了。

最后有人极力劝他去看医生，请教医生有什么疗治的方法。有一位精神病治疗专家替他诊验了两小时之久，然后对他说道：

“最重要的，我的朋友，你必须把所有的书抛弃掉，把你所有的胡思乱想抛到九霄云外。照你的体格看来，你是一个健康的人，而竟弄到这样的支离破碎，你自己应觉得惭愧。你需要有劳动身体的工作。喂，关于女性方面怎样？原来这样！那也是不对的！让别人实行节欲，但是为着你自己，你须认识一个女子，一个热烈于恋爱把戏的女子——这事于你是有益处的。”

这位医生说了这段话之外，还说了其他几种劝告，但在高尔基看来，是“同样的讨厌和不能容纳的”。最后这个医生开了一张方子给他。据高尔基的追述，几天之后他就离开了尼斯尼诺伏格拉，到信比尔斯克省（Simbirsk）托尔斯泰新村里去；但是等他到了的时候，该村已被毁了。他从来不服膺托尔斯泰学说中关于“简单化”和“无抵抗”的方面；而且恰恰相反，他相信为他自己以及为人类的幸福起见，文化和文明是应该提倡的，对于现有的罪恶须作积极的反抗，在他也认为是非常的重要。他此时所以会跑到托尔斯泰新村里去，因为在那个短时期里，他极想要借此逃开主人和侮辱，在新村里可自己耕种，自己收获——得到休息和沉思的机会。

不过关于他何以在此时要离开尼斯尼诺伏格拉，却还有一段情形，他漏而未说。原来此时促成他离开故乡的还与一个女子有关系。高尔基离开喀山时，为着女子问题而演了一幕自杀的悲剧而又可谓滑稽剧的情形，我们已经谈过。此次促成他离开故乡，又有一个女子的关系夹在里面。他在《哲学的罪恶》一书里所描写的鬼怪里面，有一个是被这样的描写着：

> ……既而人都不见了……他是个圆圆的好像一个肥皂泡，没有手臂，只有一个钟面代替脸，两只红萝葡的手：从我小时起，我就极讨厌红萝葡。我知道这是我所爱的妇人的丈夫，他这样假装着，使我认不出是他，既而他变成一个真的人，小小而肥胖的身裁，一副美髯，从他的和爱眼睛里现出温柔的视线；笑着告诉我关于我对于他的妻所怀想的一切歹念头，这除了我自己以外决不会有别人知道的。
>
> “滚出去”我对他呼喊着。

我们知道他在此处所描写的这个鬼怪，就是波兰人波尔斯洛（Boleslaw），他的“初恋”者的丈夫。他在一本书里，即名为《初恋》的一本书里，对于这个人的描述，颇有怨恨的意味。据说波尔斯洛是属于秘密的革命党人里的一个，这班人偏于理论上的讨论，不很有实际的活动。波尔斯洛就异常热烈于辩论，衣服褴褛肮脏，不修边幅（甚至吃饭后听任食物余屑挂在胡子上，被苍蝇轰着），并且行所无事的做他的妻的寄生虫。她曾在贵族女学院里教养大的，曾在巴黎学过产科及油画，随后嫁给这个以亡命为业的波兰革命党人，生了一个女孩儿，此时正和她的女儿及波尔斯洛住在一个破旧老屋中的一个小小地室里。这个妇人生得漂亮，聪明，有许多关于各种小事的特长，并具有愉快的天性，虽她此时所处的环境很不舒服，而且她要一天忙到晚，要烹饪，要洗涤，要从相片上摹绘油画，要照顾女儿，有的时候还要替波尔斯洛计算一些关于统计的材料，但在她似乎都不置意；她的丈夫却专在各处大辩论其葛拉德士吞（Gladsto 英政治家）的政策和帕涅尔（Parnell）的战术。（帕涅尔为爱尔兰争独立的领袖，和葛拉德士吞同时，且为政治上的敌手。)

高尔基以一热情的童贞青年的不顾理由的热诚，对于这个妇人发生着热恋。她的贵族的出身；她到过巴黎、维也纳、柏林，及他在书里想像到的其他令人神往的地方，她在这些地方所过的生活情形；她虽比他长大了十年，但仍有她的婀娜的美态及天真烂漫的女孩儿气；她虽处穷乏和污浊的环境中，仍能保持她的活泼愉快的态度——凡此种种，都使高尔基对她倾倒不置。她也喜欢他，喜欢他的天真，他的强健，他的诚挚，以及他的未为书籍和讨论所毁坏的新精神。如在一个平常的青年，立于高尔基的地位，要和这妇人暗渡陈仓，私相往来，并非难事；而且这种行为，在当时那个环境中，也不算什么一回事。但是高尔基却不愿为；他已看过最粗劣的性的关系，认为是苦痛的事情，他自己对妇女却抱有一种高尚的观念，不以这种苟且的寻常行为为满足。“我是到这个世界里来反对的”，这句话是他常说的，是他的不妥协精神的标语。他并这样的承认：“我不知道这种浪漫的梦想怎样会发生，并常存于我的心里，但是我却深信在我所知道的事物后面，必有某种我所不知道的东西，在这里面暗藏着对于妇女交际的高尚的神秘的意义；在第一次拥抱时的后面藏匿着一种伟大的，愉快的，甚至可怕的东西；这种快乐的经验，使我为之精神焕发，获得新的生命。”

高尔基的热诚获得这个妇人的情爱，但是当她把这件事情老实和波尔斯洛商量的时候，这位美髯绿眼的波兰人却为之挥泪，说出许多伤感的话，并且恫吓着说，倘若他被离弃，他一定要死亡，“好像一朵得不着日光的花”。她看他那样可怜，心里不忍，便劝高尔基将此事作罢，她说高尔基尚在年富力强时代，而波尔斯洛却那样懦弱无助得可怜，使他这样的一个可怜虫伤心，是一件错误的事情。高尔基后来告诉我们，正在这个时候，他第一次对于懦弱者感觉得深刻的愤恨。后来他还有许多机会看到“坚强者被懦弱者所围困时所受的悲惨的无可奈何的苦境；为着要保持那些活该被毁者的无价值的生存，反而糟蹋了有价值的心力和脑力”，他此时一定要追想到从前尼基福立区对于他所说的的尼采的箴言。

高尔基此时不得不和他所爱的这个妇人分手，但后来他仍和她相遇，并圆满达到他们的“初恋”目的。这是后事，将来还要谈到，现在暂且不提。且说他此时在情绪上因受着很大的挫折，在意识上也受着不能消化所得的知识的苦痛，和那班智识阶级又混不来，于是他觉得不得不离开尼斯尼诺伏格拉了。关于此次的离开故乡，他在所著的自传里有这样的记述："在一八九〇年，我开始觉得和一班智识阶级人混不来，因此我又开始我的漂泊生涯了。"这样一来，他要变成智识阶级中一分子的又一企图，最后又失败了！

第十三章　漂泊到提弗利司

高尔基这个时候二十一岁了。在他的一封信里有过这几句话:“我在俄国各处漂泊着，并非出于流浪的嗜好，乃是要看看我所在生活的地，与我周围的人民。”高尔基对于他自己的自然的倾向和动作，每喜提出更高的目的来解释，无论他的动机何在，他在此后二十一岁及二十二岁的两年间，过着长期的漂泊生活就是了。他在这两年间所经的地方很多，区域很广。这足以表示他在当时是怎样的不能停息自逸，怎样的不愿长期留住于任何一个地方，也不愿受任何职务的拘束。在一八九〇年的春初，他就离开尼斯尼诺伏格拉，向着伏尔加河下游漂泊着，直到了察里津。当年五月，他在顿河流域，经过乌克兰，达到比萨拉比亚（Bessarabia），随后他由比萨拉比亚漂泊到克尔逊省（Kherson），在该省商埠奥得萨（Odessa）住了一些时候，前往克里米亚（Cremia），由该处沿着黑海沿岸，经过北高加索（North Caucasus），最后在一八九一年的秋季，到了乔治亚（Georgia）的首都提弗利司（Tiflis）。

由于这个长期的漂泊生活，高尔基更获得异常丰富的种种印象。他的文学上的声誉，原由于所描写的关于形形色色的俄国的小说和闻见录，而这些小说和闻见录的材料，就由于这几年漂泊生活中所得的无穷尽的藏蓄。所以他所写的内容，不是由脑里空想出来的，都是根据他所亲身观察的实际生活。例如他所著的《一个人的产生》（*The Birth of a Man*），其中事实就是他在黑海的高加索海岸上所亲遇的，当时他竟自己做了“接生妇”，帮助一个素昧生平的农妇接生一个新国民！又例如他所著的《通奸的妻》（*The Adultlrous Wife*），其中所述残酷可怕的情形并非出于他的想像，是他在克尔逊省的一个乡村里目睹的一种本地风俗：当时他看见有一大群人兴高采烈的随着一个赤身裸体缚在一辆马车后面的妇人。同时她所激怒的丈夫一鞭一鞭的挞着她，受着鞭挞的她缓缓的向前挨着走，很困苦的拖着她的受着伤流着血的身体。高尔基在这篇小说里所遗漏的，是当时他看见了这样的惨状，不能再保持他旁观者的态度，走上去加以干涉，结果被那班愤怒的农民毒打一顿，打得昏晕过去！

这个长期漂泊的时代是高尔基的最有价值的“大学校”，他在这个“大学校”里学习了许多东西，增加了不少的知识经验，这是不消说的。在这段时期的末了的时候，他又得一个可纪念的经验，在他所著的《我的旅伴》（*My Travelling Ccmpanion*）里面曾有详细的叙述。他当时在奥得萨一埠上做码头脚夫，和一位乔治亚的青年交上了朋友，这位青年在码头上的居民中显然是一个衣服丽都的游手好闲者，不知怎的竟被高尔基所注意。这位乔治亚青年告诉他，说他自己（青年自己）是提弗利司一个富有的亲王的儿子，因船搁浅被盗劫，流落该处，一钱不名，思乡甚切。高尔基对他作毛遂自荐，愿陪他一同漂泊前行，不畏长途的艰苦，助他回到提弗利司。在这位自命亲王儿子的脚色，当然是答应了。在途中的时候，一切事情都是高尔基一人干，一切愁虑都由他一个人担当，而这位所谓亲王儿子也者却闲情逸致，漠不动心，听任他的伴侣这样的照料供应，甚至还要欺骗他（指高尔基），辱骂他，后来越弄越荒谬，竟公然讥诮他的柔软心肠和易受人骗。每隔几时，这位亲王儿子总要在高尔基面前大吹其牛，说他家里怎样的富有，所交游的又怎样的阔绰，并答应高尔基，一到了提弗利司，他的父亲一定要厚厚的酬报他的儿子的向导者和救主。经过许多辛勤困苦的星期，高尔基才随着这个贵客到提弗利司。这位亲王表示在白天穿着身上的那样褴褛的衣服进城，怪不好意思，吩咐高尔基等到夜里才进去，后来到了夜里，他静悄悄的一人溜之乎也，在黑暗中不见了！据高尔基说："从那时以后，我就从未再遇着他。我和这个伴侣混在一起差不多有了四个月，但是我每回想到他，仍有快乐的感觉，而且觉得好笑。他教了我许多知识，这些知识是我们在有智慧的人所著的厚厚的书本里所寻不着的，因为人生的智慧比人的智慧常是更为深刻的，更为广阔的。"

这件意外的际遇，算是高尔基两年间的漂泊生活的结束。他在奥得萨无意中遇着了这位冒充花花公子的乔治亚青年，虽是一件可笑的事情，但却因为有了这件事，引他漂泊到高加索的中心区域，在该处开始他的文学的事业，发表他的第一篇小说，而且是第一次在他的著作上用“高尔基”做他的笔名。

高尔基在提弗利司所遇着的第一件事是被捉到警察局里去！原来他不知怎的和街上一件吵闹的事情发生了关系，他当然是帮助被侮辱的一方面出力。他的那副卤莽的面孔，不恭的态度，和褴褛的衣服，那些“法老”们看了很引起怀疑。他们一定要严究他是什么人，谁敢担保他在政治上或其他方面是一个安分的人。幸而高尔基记起纳卡洛夫（Mikhail Nachalov）的名字，这个人是在高加索铁路上当职员的，是他从前在尼斯尼诺伏格拉所认识的。他把这个人的名字告诉警察局之后，即由该局派了两个警察，押着他把这个人寻出来。他后来竟寻得了这个人，由这个人说明高尔基是什么人，才许他在提弗利司得到相当的自由，不过这自由也就很有限的了。

纳卡洛夫帮助高尔基在提弗利司铁路工厂的会计处寻得一个职员的职务。这个职务在高尔基可算是比较的文雅的事务，使他能利用他的闲暇时间专心于精细的阅读，并参加其他有关于文化的活动。他对于当时所谓“公会”里面的阅书和讨论，有很热烈的参加。此所谓“公会”，即当时有一班人称呼高尔基和他的两个伙伴所住的一个颇大的地室，是向他人分租的；在这个“公会”里面，常有许多人来聚会，先后参加的人数逾二百人之多。大部分时间，他们都用于讨论民粹派中人所出的书报，尤其是关于小说的一类，有时也偶尔讨论到关于社会的和政治的题目。高尔基在这个“公会”里颇为多数人所钦佩，因为他的经验丰富，说起来又能有声有色，娓娓动听。据当时目击者所传说，对于他的印象是：“一个颀长的青年，有着一副广阔的肩膀，生着一个体育家的体格，加上一个广阔而粗鲁的俄国式的面孔，头上长着长长的头发……看上去并不是一个快乐的面孔；面孔上的那对聪明深思的眼睛却表现着力量和坚决意志的存在。”当时他的体格的强健，具有异常的膂力，我们在他所著的小说《错误》（*A Mistake*）一篇里面亦偶然看到。他在这篇小说里描述过这样的一件事：在他所认识的乔治亚人里面，有一个名叫赤塔资（Gigo Chitadze）的是一个青年农夫，在提弗利司的工人里面积极宣传马克思的社会主义，因为工作过劳，竟致发生神经错乱的毛病。他的同志们在能够于医院里替他寻得一个安顿的地方以前，不得不轮流在他的病榻旁边监视他。但是后来他的神经病发得异常凶猛，没有人敢留着伴他，只有高尔基独自一人伴他九日之久。好几次赤塔资想杀他的这个“卫兵”，在他监视到最末的一夜，这个病人把床铺拉起打碎，手里拿着一块打破剩下的木板，对着走进房间的人冲前打去。幸亏高尔基居然能把他镇压下去，把他弄到床上睡下，很安稳的缚着。

高尔基是在一八九一年十一月入铁路上任事，到了一八九二年的夏季，这个“公会”分散了，他便由原住的那个地室里迁居，搬到卡利乌资尼（Alexander Kalyuzhny）家里去同住，在那里他得一个独住的安静的房间。卡利乌资尼是民粹派中的一个革命者，被罚到西比利亚的迦拉矿里做了六年苦工之后，再被放逐到提弗利司来的。他有一个大的图书室，高尔基认他是影响他的教育的第三人。高尔基以为他生平在教育上最受益的朋友，依功绩排起次序来，第一个是伏尔加轮船上的厨子史默利，第二个是赖宁律师，第三个就是卡利乌资尼，第四个轮到严格批评他，使他气得目瞪口呆的柯洛伦科。据说卡利乌资尼曾经极力劝过高尔基不要分心于研究算学及其他中学的科目，只要专心阅读好的小说。高尔基曾受过柯洛伦科的一顿打击，后从垂头丧气中恢复了之后，又时在静悄悄的写他的韵文，而他的第一次的散文小说《麦卡邱特拉》(*Makar Chudra*)却是受了卡利乌资尼的直接建议才写的。他听见高尔基把这篇小说里的事实讲给他听之后，就把高尔基锁在房间里，强他把这个事实写下来。这篇小说写好之后，就登在一八九二年十一月二十四日出版的《高加索日报》上。在这篇小说上，他第一次署名“高尔基”。这个名字的原文是“怨苦”的意思。据他说，他所以用这个署名，是临时随便用的。当时他把这篇小说送到该报的编辑室里去的时候，他们一定要他署名，他就随便用了这个笔名，不料这个名字后来竟震动了近代的文坛。这一年的秋季，他接到赖宁律师来的一个电报，说在他的律师事务所里又有一个位置要请他去担任，他因此即乘着下一班的轮船到尼斯尼诺伏格拉去。

《麦卡邱特拉》这篇小说的发表，是高尔基踏上文坛的第一步，在当时他的这件事的本身当然不能算是怎样的重要，但是这是他的第一篇小说的第一次的见于印刷，这在他确有鼓励他再向前努力的作用。讲到卡利乌资尼对他的文学事业发轫时的赞助，只要看他后来在一九二五年十月二十五日自索棱托（Sorrento）寄给卡利乌资尼的一封信，就很可明了，现将这封信的内容译述如下：

我的挚爱的好友和先生卡利乌资尼：

自从我很幸运的遇着你以来，荏苒三十四年了。我们的第二次，也就是第末次的相遇，也在二十年以前了。

在那段时间里，我所遇着过的人以百计，这里面尽有崇大和灿烂的人物。但是他们里面没有一个能像你那样获得我的铭感不忘，我实永远不能忘记你在我心中的印象。

这是因为你，我的挚爱的朋友，是第一人把真诚的慈爱待我。

你是第一人用你的温柔的眼睛很和爱地看着我，使我永不能忘；你是第一人不把我看作《奇人传》里来的脚色，一个无目的的漂泊者，怪好玩而却令人怀疑的东西。我还记得，当你倾耳静听我告诉你关于我的见闻，关于我自己身世的时候，你那副眼睛是多么和爱而同情！我当时自己明白，在你的面前，我不可以有所傲视：而且因为受了你的感化，我至今从不敢自大，对于我自己的估量从来没有夸张过，对于人生所给我的苦楚，也从来没有夸张过。

我必须老实的承认，你是第一人使我把自己看得严重。我在已往的三十年间，所以能光荣的服务于俄国的艺术，这都是出于你的鼓励，为我所铭感不能忘的。

我能有机会把这个意思用这许多字写出来告诉你，觉得很愉快——使人知道以人类的和爱待他的邻居是怎样的一件好事。

我的老友，我的挚爱的先生，我诚恳地坚定地握着你的手。皮西科夫上。

以后的高尔基，便走进“由漂泊者到著作家”的时代了。

第四编　由漂泊者到著作家

第十四章　重返故乡

高尔基廿三岁时在提弗利司的铁路上会计处任办事员，一面自己读书，并尝试著作，第二年的九月（即一八九二年，他二十四岁），第一次把他的小说《麦克邱特拉》发表于当地的《高加索日报》，而且是第一次用他的笔名“高尔基”，这些我们在上面已约略的谈过了。他第一次看见他自己的著作印了发表出来，心里觉得怎样的愉快，那是不消说的。在当时的俄国，距今四十一年前的俄国，文盲是一件很流行的事情，所以在一般人看来，印在纸上的文字简直可以引起人的惊愕和敬佩。况且在高尔基，素来对于书籍及作者，具有崇拜的态度，所以他的第一篇小说《麦卡邱特拉》第一次出现于提弗利司的《高加索日报》上，在他确是一件大事。所可惜的是这个时候外祖母已经去世了；否则她看见她的外孙由漂泊者一跃而为著作家，她是要怎样的快乐？要怎样的感谢她所崇拜的上帝和圣母？因为她一定要相信她的外孙所以能安稳的渡过人生的崄巇曲径，全是由于上帝和圣母所引导。就是外祖父吧，假使他此时也还在人世，也要捻着他的红胡子，表示满意，因为教过高尔基认识教堂里用的斯拉夫的字，教过高尔基背诵祷词和圣诗，不是他吗？

但是有件事却使他的一团高兴冷了下来，那就是，他的好像有魔术作用的“高尔基”的署名虽印在报上发表了出来，他仍不免于穷困，仍要为着物质上的生存而继续挣扎着。他在九月间在提弗利司第一次发表他的著作，十月间就应赖宁律师之招，重返尼斯尼诺伏格拉。一到了故乡之后，他对于庸俗的需要不能再漠然置之了！他此时要负起供养家庭的责任，有了家室了。他上次不得不离开尼斯尼诺伏格拉，也为着爱上了一个有夫之妇名叫奥尔嘉（Olga Kamimsky），是个波兰政治亡命者波尔斯洛的妻子，因为她的丈夫不愿离她，高尔基因失恋而离开故乡，过他的长期的漂泊生涯，这事我们在前面曾经提过的。到了这个时候，这个妇人，也就是他所著的《我的初恋》（*My First Love*）里面的女主角，又和他的生活发生关系了。

高尔基在前次离开故乡出外漂泊的时期中，这个妇人的印象无时不萦回于他的脑际，他经过许多地狱的生活而不致同流合污的堕入深渊者，也许就是这个萦回脑际的印象使他洁身自爱，不甘堕落，和以前玛高德皇后的印象能使他超越庸俗，有同类的功用。他对于这个妇人的情爱之深挚，只要看一件事就可知道：高尔基自己承认，当他听见她到了提弗利司的时候——正在他的著作第一次发表不久以后——他“以一个二十三岁的强壮青年，竟生平第一次的昏晕过去”。她的丈夫住在法国，她自己和小女儿回到俄国来玩玩。她在提弗利司遇着高尔基，看见他仍然和两年前一样的那样天真的笨拙的崇拜着她，觉得很愉快；高尔基在他所作的韵文里自称是她的“愉快的奴隶”，说她的心是“生在这个缺乏鲜花的大地上的一切花中的最可爱的一朵”，她听了也很欣悦的容纳他的好意。但是当他鼓起勇气向她提议同居之爱的时候，她却在她的房里缩退到角落里去，后来她才建议叫他独自一人先往尼斯尼诺伏格拉，在该处等候她的回音。他照她的嘱咐做了。就在那一年，一八九三年的冬季，她居然带着她的女儿到该处来找他，和他实行同居之爱了。在几个月里面，高尔基获得厕身文坛的光荣，又享到他所谓“理想的”恋爱的幸福。

不过他的蜜月却消耗于怪可怜的寓所里。他此时在赖宁律师事务所里所得的工资，加上他在文学作品方面的收入，一定是极为有限的，因为我们只来看看他为他的那个“爱巢”，每月只出得起两个卢布的租金，便可知道他的窘迫。他和他的爱人所住的屋子，是租用一个常在醺醉中的牧师的花园里一个浴室。这个浴室的四围墙外有许多矮树，把小小的几个窗遮满，弄得屋里黑暗，他要把这些矮树砍掉，这位牧师却坚持不许。这个浴室里还分作两间，里面一间是正室，他让他的爱人和女儿同住在里面，他自己就住在连着的附室。这个附室里却冷而透风，高尔基夜里在这个房间里工作的时候，冷得不耐，把所有的衣服都包在身上，最外一层把地毯都盖上！但这样的包裹着还是冷，他还是免不了患了很厉害的风湿症。这个病症，在他看来是“几乎超出自然律之外”的事情，因为他向来自豪于他的健康的体格和耐苦的能力。几年之后，他一定还要觉得奇异的，因为他的忍受寒冷的代价，竟使他患着肺痨病了。

爱人母女所住的正室里比较的温暖些，但是每次把火炉烧着之后，全屋里都充满着腐蚀、肥皂，和潮湿的浴室所熏蒸的令人作呕的臭味。原来那个房东牧师的家族从前用着这个浴室的时候，依俄国的习惯，充满热的水蒸气在这里面，所以现在特别的潮湿。在春天，这个浴室又来了许多蜘蛛和猪虱，使母女俩吓得缩做一团；高尔基只得继续不断的用一只橡皮的套鞋和这些蜘蛛、猪虱斗争。

高尔基因贫乏而不能使他所心爱的人得到好一些的住所，较富于滋养的粮食，或买些玩具给她的小女儿，很感觉到惭愧和烦恼。讲到他自己的享受，他并不在意，因为他一向是穷乏惯了的，不过现在要使这个文弱的妇人和她的美丽的女儿受苦，在他却觉得是一件苦痛的事情。幸亏这个妇人颇有勇气，她不但从无一句埋怨诉苦的话，而且还做些零星的工作来帮助他，例如摹绘画像，绘画地图，替邻近妇女们规划巴黎式的女帽等等。她生着愉快的天性，不但不以他们的穷苦为意，而且设法使她的爱人感觉满意和快乐。无论何时，他们一有了几个多下的卢布，他们就办些俄国的宴席（她虽出身贵族，而且在外国是享福惯了的，但却喜欢吃纯粹的俄国菜），请到十几位她所认识的朋友来共乐一番。

高尔基和这个妇人同居了两年多。他在著作里虽未指明她的名字，但据最近发表的俄国警察局的文件，我们知道她是名叫奥尔嘉，是波兰政治亡命者波尔斯洛的妻子，婀娜妩媚，聪慧灵敏。以二十四岁的童贞青年高尔基，素来反对他生平所目睹的粗率和浅薄的生活；依他所想像的妇女标准，妇女要能合于他的理想，是一件很不容易的事情。他的强壮的身体需要一个女性的抚爱，这在奥尔嘉是很能使他满意的。但是高尔基所要求的不仅形体上的满足，他所理想的妇人，是要有他在玛高德皇后时期中及以前所读的许多美丽妇女所有的一切德性。讲得具体些，他所理想的妇人，至小限度，须是一个母亲和“有创造力的灵感”之源泉；换句话说，就是她有母亲那样的挚爱，而又能使她的爱人感觉到她对于他发生心灵上的感应，使他由此灵感而有所创造。他和奥尔嘉结合未久之后，在一个月夜拥抱的时候，他把他对于性的关系的理想解释给她听。她听了之后，用她的睁大了的怀疑的眼睛对他看着，并对他问道：“你说的是真心话吗？你真的这样想吗？”他说的确是真心话，因此他们俩终于要分手了。她的性情是愉快的，随随便便的，一点没有拘谨的习惯，对于请来宴会的那些男客，她也放浪形骸，卖弄风骚，更为高尔基所不喜。她的欣悦、柔顺和诙谐，使得那些来宴会的客人为之着了迷，往往做出过分的举动，须高尔基时作“校正”，不许他们胡闹。他所用来“校正”的办法并不常是和平的，因此他们也常有埋怨和诉苦的话。其中有一位仁兄的耳朵被他拉得过猛，愤然咆哮着说道：“就是说我错了——我情愿赔不是。但是何必拉我的耳朵！我是个顽童吗？我比那个野蛮的坯子（按指高尔基）几乎长了一倍，他竟敢拉我的耳朵！他尽可以打我，那倒是比较的适当的行为！”

后来奥尔嘉问高尔基是否妒忌，他愤然的加以否认。据高尔基说，他此时“年青而又有自信力，说不到什么妒忌”。他觉得烦恼的，是他恐怕一个妇人和别个男子亲密的俄顷间，要把他自己的（指高尔基自己）思想和感觉——一个人仅愿他所心爱的人知道的思想和感觉——泄漏给那别个男子知道。他说："和妇人交际，有这样的一种推心置腹的刹那间：这时你对自己都好像是个素昧生平的生人，把你的心公开给她，好像一个上帝的信徒把他的心公开给上帝一样。"高尔基也许自己觉得他过分的否认含有妒忌的意思，所以他自言自语道："也许就是这个畏惧的心理（即恐怕妇人将自己的思想和感觉泄漏出去）成为妒忌的根源吧？"

高尔基自己争辩不受妒忌的拘束，这句话我们姑置不论，但他因为奥尔嘉对别个男子亲密而感觉烦恼，这是一件无疑的事实。在那个浴室里的同乐会，虽由高尔基时加"校正"，但已在尼斯尼诺伏格拉传闻遐迩，被人作为谈资，甚或绘声绘影，锦上添花，说得怪难听。除了这种令人不快的悠悠众口之外，高尔基并觉得在这种家庭生活的状况里面，他不能写出什么著作来。他虽说在当时他还未能深信自己能成为一个真正的作家，所以奥尔嘉对于他在文学上的努力的淡漠态度，并不使他感觉到烦恼，但是有一件事却使他觉得很难过。有一天早晨，他把在夜里所写的《老妇易塞基尔》那篇小说读给她听，仔细一看，才看出她已沉沉的睡去，睡得很酣，“睡中很均匀的很和平的呼吸着，好像一个婴儿似的”。三十年后，他回想到这件事情，笑着承认，在当时“一个人觉得要睡，就应有睡的权利。这种无可非议的权利，却使他感觉到很深刻的烦恼”。

他仍为奥尔嘉的聪明伶俐，愉悦幽默，形体的和精神的纯净所倾倒，换言之，即仍被她的温文尔雅所吸动；但是他们的人生观在根本上的分歧，在他却一天一天的觉得显明而难受。他曾经说过一件事，颇足以表明他们俩的见解和态度的不同。

“有一天在市上有一个警察打着一个美丽的老头儿，只有一只眼的犹太人，说他从一个商人那里偷了一堆苦萝卜。后来他被这个警察拖去，他慢慢的走着。那一种严肃的态度，栩栩如绘。他的大而且黑的眼睛很严肃的注视着炎热蔚蓝的天空，由他的破碎的嘴上流下来的血，缓缓的滴在他的长髯上面，使得他的白胡子染得鲜红。

“这件事发生距今已三十年了。但在此时我还可追想他那种对着天空注视，无言无语中含着斥责的态度；

还可追想当时他的白眉毛在这个老头儿的脸上颤动着，历历如在目前。这样的加于一个人类的侮辱，实令人永不能忘却，而且也不该忘却！

“我回到家里的时候，颓丧已极，愤懑苦痛，形于面容，……每在这样的刹那间，我深刻的特别清晰的感觉到我在此世上所认为最最亲密的人是怎样的对我疏远。

“当我把这件犹太人被打的事情告诉她的时候，她大为诧异，竟这样的对我说道：‘那就是你这样发狂的原因吗？哦！你的神经是多么怯弱啊！’

“后来她又问我：‘你曾经说他是美丽的老头儿吗？但是如果他只有一个眼睛，他怎能美丽呢？’”

我们看了高尔基在上面所提起的这件事，可知他们俩在精神上的隔阂了。但据高尔基告诉我们，他们却没有过激烈的吵闹，因为以他生平的阅历，已知道怎样宽恕别人，并觉得“各人在绝对真理的未被知的上帝之前，都是有罪恶的，不过或多或少罢了”。他们俩都同意，认为他们还是分离的好，于是不久以后，高尔基便往萨麻拉（Samara）去。奥尔嘉也离开尼斯尼诺伏格拉，去加入一个剧团里面去。她现在已不在人世了。

在高尔基重返故乡的这段时期内，还有一件事应该补叙的，那便是几年前看到他的《老橡之歌》，把他批评得垂头丧气的柯洛伦科又自动的来指导了。高尔基在喀山一个日报，名叫《伏尔加旅客》的上面，登了不少小品文字和小说，当时柯洛伦科也在该报任特约撰述，又注意到高尔基的文字，请他去看他，一见面就恭贺他已将著作印出发表。最初他颇不得高尔基的欢迎，后来因为他的诚意和盛情感动了高尔基，才免了他的猜疑。他对于高尔基的著作既有严厉的批评和讥讽的校正，说的时候也仍出于直率而诚挚的态度，他的这种态度和他的那对眼睛的幽默的闪烁，使他的这个倔强成性的学生也不得不为之心折，终身服膺，终身敬爱他。

高尔基所著的小说登在伏尔加的日报上渐渐的比前更多了，柯洛伦科显然的对于他的进展加以密切的注意，这只要看他每次和高尔基晤叙的时候，对于高尔基的每篇小说都能说来烂熟，如数家珍，而且对于他在体裁上的弱点，老实痛评，不留余地。最后他请高尔基替他和文学界泰斗密克海洛夫斯基（Mikhaylovsky）所办的文学月刊（名《俄罗斯之富》（*Russkoye Bogatstvo*）撰文，并叮嘱他道："他们要把你的著作登在月刊上，我希望你要特别郑重的做。"这个建议，在高尔基一定是很重视的，因为他回家之后，就坐下来写《折尔卡士》（*Chelkash*）这篇小说。这篇小说里的故事，是他在尼科来叶夫（Nikolayev）的时候听见一个奥得萨漂泊者告诉他的。他尽两天的工夫把这篇小说写好之后，交给柯洛伦科。过几天之后，柯洛伦科对他道贺，说他"写得不坏，简直是一篇好小说，由整块上雕成的"。以素来严格的文学批评家如柯洛伦科，得到他的赞许是一件很不容易的事情，他对高尔基的这篇小说，于赞许之余，仍不客气的撮举他的缺点，并在草稿上替他修正了和"文法抵触"的几个地方。最后他告诉高尔基这篇小说可以登在他的文学月刊里面，并要给他第一篇的地位登出来，以示优异！

柯洛伦科虽已这样答应了高尔基，但直到第二年，一八九五年的六月，才在他的文学月刊上发表出来。高尔基的著作登在这种月刊上，即暗示柯洛伦科和当时在文学界负重望的密克海洛夫斯基承认他在文坛的地位，这样一来，他在文学上的胜利是确定的了。但是他还不免过窘苦的生活，在好几年之后，他才能专心一志于撰著小说，此时他仍须做些新闻界的业务，借以糊口。我们在高尔基于一八九四年十月写给柯洛伦科的一张短简里，可以看见他的诉苦，说起他患了病（小腿和胸部作痛），因为付不出租金，被房东赶了出来，并说起他曾把《海边》（*By the Sea*）一篇小说送到文学月刊，竟未得到回音。他并在这张短简里请先付若干关于《折尔卡士》一篇小说的稿费，其窘境可以想见。柯洛伦科的同事密克海洛夫斯基对于这位新进的撰述员，显然有不愿轻信的态度；他在此时曾有一信写给柯洛伦科："倘若你有机会遇着皮西科夫（即高尔基），请你告诉他，他的那篇小说《海边》，本刊未拟付印……他是个奇怪的脚色；无疑的，他是具有天才的，但是因为他的偏见和缺乏宗旨，我们对他觉得失望……"后来高尔基又投一稿，仍被退还。一九〇五年四月，柯洛伦科有一信给密克海洛夫斯基，说他接到高尔基来了一封"含泪的信"，里面说他的小说《错误》被退还，"未附有一个字的解释"，即退还时没有一个字说明何以不用的理由。

这篇小说，大概是经过柯洛伦科认为可用，转送给密克海洛夫斯基的；据他的意思，这篇小说“确能表现天才，虽所写的题目异乎寻常，但却写得有声有色”，现既被退还，他请求密克海洛夫斯基写“两三个字”给高尔基，或至少写给他自己，说明这篇小说所以不用的理由。密克海洛夫斯基的复信说，他对这篇小说仅能模糊的记忆，但是他可断言这篇小说“颇缺乏宗旨，有了这样的缺憾，无论是写得美丽，或是写得真实，都无法补救；内容所提示的，不过是两个狂人的虚构的独断的心理……这篇小说的作者无疑的是有天才的，但是倘若他仍老是这样不长进，专写些像《海边》和《错误》那样冗长而沉闷的作品，他便是一个无望的人了……”总之，他对于这位新进的作者屡次表示不满意就是了。

当时投稿于大杂志，要想常能发表出来，很不是一件容易的事情，这只要看高尔基的头两卷的小说集里许多材料是由日报上的稿子重印出来的，大半还是伏尔加区域的日报上汇集下来的，就可以明白了。但是日报上对于小说的酬金却是很微薄的，于是高尔基不得不另寻一个“小评栏主笔”的职务。所谓“小评栏”，是俄国报模仿法国报的办法，在报上，尤其是在下半页，特辟一栏，专载小品文字及关于日常所遇见的各种事件的批评。高尔基现在所要寻的位置，就是这种“小评栏”的主笔职务。关于此事，又得到柯洛伦科的臂助。

柯洛伦科对于高尔基的恋爱史和其中的变迁情形，颇有所闻，好几次对高尔基谈起他听到外面对他家中宴会和浴室内出丑事件的谣言，并表示不赞成他这样的生活方式。高尔基对于这件事虽极易动气，而且厌恶干涉他的好管闲事的一班人，但鉴于柯洛伦科完全出于爱护他的好意，为之感动，就把这件事的经过情形，源源本本的老实告诉他。这个老前辈劝他抛弃这样的生活，并离开尼斯尼诺伏格拉，答应他把他介绍给《萨麻拉日报》(*Samrskayaa Gazeta*)。高尔基对于奥尔嘉的爱情关系，本想停止，现在又经这位老前辈的再三叮嘱，和他的原意正合，便决意于征求她的同意后，和她分离，他自己乃于一八九五年二月到萨麻拉去。

第十五章　在萨麻拉

我们如追溯高尔基此时和以前的行踪，可述之如下：尼斯尼诺伏格拉——阿斯脱拉罕——尼斯尼诺伏格拉——喀山——尼斯尼诺伏格拉——阿斯脱拉罕——又回到尼斯尼诺伏格拉——萨麻拉——尼斯尼诺伏格拉——总之，高尔基的幼年青年及初登文坛的时代，他的流浪的踪迹，大概都是沿着伏尔加河。我们在本章里是要叙述他在萨麻拉的情形。萨麻拉是沿着南伏尔加河的一个可作俄国省会城市代表的一个地方，高尔基在该处过了一年多。这个城市里的居民有俄人，有蒙古人，出产酸马乳，为沟通西比利亚和中亚商业的良好口岸，土地肥沃而常闹饥荒的矛盾现象，都有名于世。如同别的沿着伏尔加河的口岸一样，在萨麻拉，社会阶梯最上层有一个占势力的顽固的商人阶级，在最下层有一班流氓阶级，在这两层的中间是智识阶级。由于柯洛伦科的介绍，高尔基就在该处两家日报里面的一家，名叫《萨麻拉日报》，得到一个“小评栏”主笔的位置，每月薪金一百卢布，小说稿费每行另酬三个戈比克。

高尔基追想当时的情形，说他“每天用着克拉密达（‘Jehudiil Chlamyda’）的好的笔名写着坏的小评”，他在该栏里《其他等等》（*Among Other Things*）一个标题之下，每天讨论些关于本地的事情，例如市政府的马车，市参事会，公共娱乐，偶有的闯祸事件、争闹，以及其他诸如此类的琐屑问题。他在萨麻拉的时期内，还写了不少的小说。他所著的小说里面，《歌尔狄叶夫》（*Foma Gordeyev*）和《三人》（*Three of Them*）两篇，就是根据他对于萨麻拉商人和该处的贫民窟的观察。人生，无论在什么地方和什么情况之下，我们这位具有无穷好奇心的观察者，总是继续不断的加以注意。他在三十年后还记下此时遇着的一件事情，可见他在当时所处的特殊的境地：

有一天夜里，我正在伏尔加河边走着，听见河里有哭喊的声音：“救命呀！好人，救命呀！”当时正在夜里漆黑中，阴云密布，仅望见水上有大驳船漆黑一团的侧面，在许多驳船的一艘附近有些东西在水里挣扎中。我急跃入水，泅到那个沉溺水里的人，抓住他的头发，把他拖到岸上来。不料他到了岸上的时候，反而抓住我的颈项，开口骂我："哼，你！你胆敢抓着人的头发拖着走？”我诧异得很，对他问道："你不是刚才沉溺在水里吗？你不是刚才喊着求救吗？”他居然这样的反驳我："你这个鬼的脑袋！我站在水里刚到我的肩部，而且手还拉住一根稳妥的绳，我会沉溺吗？”我问道："但是你确喊着求救，不是吗？”他答道："就是我喊了，你又怎样？假使我喊着说你是个蠢货，你也相信我吗？来，给我一个卢布，要不然，我要拖你到警察所里去，来！”我和他争辩了好一会，然后觉得这个人依他的立场并不错，我便把我身边所有的钱给他，总共约有三十五个戈比克，我回家之后，聪明也增加了这么多。

高尔基存着好心入河救人，却这样的上了一次大当！

据和高尔基同时者的回忆录中所述，自一般萨麻拉人的目中看来，高尔基，在当时该地尤其知道的是他的笔名克拉密达，所给与他们的印象并不佳。他那一副样子，该地一般顽固派看了也就觉得奇异。高高的个儿，两肩广阔，脚夫式的曲背，常常有人看见他在街道上东穿西撞的踱着，对于客栈、店铺、驳船、轮船，以及任何有生活和有活动的处所，他总喜欢东张西望的窥视一下。他身上穿着一件土耳其式的长袖子的外衣，走起路来那两个好像翼膀的袖子就在左右大摇大摆着，下面穿着一条蓝棉布制的哥萨克式的裤子，脚上穿了一双柔软的鞑靼式的长统靴，靴上还有一些绿色、红色，和黄色皮的妆饰，这条裤子就罩在这双长统靴上动荡着，此外还披上一件俄国式的宽大的罩衫，上面缚着一条狭窄的高加索式的皮带。他手上常拿着一根粗大的多节的木棍，蓬散着的头发在黑而软的帽子下面散罩着，帽子的边缘被多次的雨淋而下垂了：这样的一个奇形怪状令人望而却步的人物，却负起责任，每月来揭发萨麻拉的缺点和过失！

顽固的萨麻拉对于这位克拉密达，当然是不欢迎的。和《萨麻拉日报》做对敌的《萨麻拉邮报》（*Samara Vestnik*）尤以他为攻击的目标，使他先尝尝他在文学事业上所不能免的笔战的辣味儿。这个和他做对头的《邮报》虽冒充拥护马克思主义，但同时为推广销数计，却不惜用俄皇的相片做奖品。这个报上“小评栏”的主笔先生专和克拉密达捣乱，极力揭布他的已往的历史，说“这个戴着土耳其土匪的帽子的大汉，看起来好像由南美洲来的垦业老板，他手上拿的那根奇大无比的司的克，上面也许还染有血迹哩”。他告诉读者，说克拉密达的外祖母是个乞丐，他的外祖父是个疯子。又说他久和下流阶级及漂泊者鬼混在一起，“和他们同在污水沟里滚惯了”，他的“缺乏主义”，“在报上成为令人腐化的危险分子”，原因就在这里。此外对于他所著的小说，也妄肆攻击。克拉密达也在自己报上用讥讽的笔法，对攻击者加以相当的回敬。

克拉密达和这个《邮报》打笔墨官司，对于《萨麻拉日报》的营业上却没有什么不好的影响；该报销数竟超过《邮报》五六倍。但是因为克拉密达对于当地政府和资本家在经济上的剥削和舞弊行为，尽量揭发，使该报的老板立于困难的地位。他们纷纷写信给该报当局反对克拉密达，说他是“报界里健全机构上一个有毒的杆状霉菌”。高尔基后来回想到当时的情形，很幽默的追述一件事情，是由于他批评了一个萨麻拉的富翁叫做莱柏得夫（Lebedev）所得的结果：

> 莱柏得夫，一个炼铁厂的老板，雇了两个工人打我。他们扯破我的外衣的衣襟。我当时因为膝节患有风湿骨痛症，手上拿着一根木棍，和这两位打手对抗，竟将这根棍子打断了。过了几时，我和他们两人里面的一个有了友谊，据他告诉我，他们当时是得着三个卢布，被雇用来做这件卑鄙的勾当。在这时的四五年前，曾有一个妩媚可爱的妇人和我商量，愿给我五十个戈比克，雇用我把她的丈夫弄死。这就是在十九世纪时工资所以迅速增高的缘故吧！

《萨麻拉日报》的老板不愿失却当地有势力者的欢心，所以把高尔基解职，说他“过于凶狠”，叫一个较有外交手段和较有经验的新闻记者，叫做杜洛比雪夫斯基（A. A. Drobysh-Drobyshevsky）的接替他的职务。柯洛伦科原是高尔基的介绍人，他觉得对于这件事负有责任，对于高尔基的“过于凶狠”的口气显然觉得烦恼，这只要看他在一八九六年的夏季写给杜洛比雪夫斯基的一封信就可知道。在那封信里，他说：“此次的对付，是你胜利了，不是他（指高尔基）胜利，我为你和这个日报欣幸。当然，倘若他能在一个总主笔的严厉监督之下动笔，用不着有这样的对付，那是更好了。可是事实上却不是这样，这又有什么办法呢？总而言之，他确是一个有天才的人，只不过他必须有一个总主笔指导才行。”

在萨麻拉，很少人喜欢高尔基。他住在一个朝着伏尔加河的破旧屋子的地室里面，只有几个青年鼓着勇气到那里去访问他。倘若访问者要知道这位主人是否在家，他要蹲下就近行人道的边上，窥视地室的小窗中的情况，看看在里面桌旁是否有个披着长发的头俯在书上，或是正在写着的纸上，或细听里面有没有沙音的低声唱着。到了里面之后，他们都觉得主人的热诚和殷勤的招待。他现在的收入虽比较的丰裕，但仍是常常不名一文，因为他常把所余下的钱送掉。据托勒柏列夫（A. Treplev）追述当时的情形，倘若访问者称赞了高尔基的任何一本书，或任何一件东西，这位主人即把这本书或这件东西强迫这位访问者收下，就是客人推拒不受，他也不管。遇着这种时候，他往往把阔大的手掌压在他的胸部，把那些被称赞的东西推在客人身上要他收下，嘴里还要嚷着说道："这我自己用不着了！相信我的话，我是老实说的！倘若我不诚实，情愿下地狱！这是事实啊！"一定不肯收受的客人，后来在他脱下放在外面的大衣的衣袋里，仍找得着这件东西已放在里面。高尔基很难保存得住一个表，也因为这个缘故；一有客人称赞，他就一定非奉送不可！俄小说家柴霍甫有一次责备他说道："一个著作家，连一个表都没有！真难以为情。"特送他一个老式的银表，并在盖子里面刻好这几个字："柴霍甫博士送的。"

这少数来访问高尔基的人所觉得奇异的，是他们和他接近之后，才知道这位从前做过糕饼匠和漂泊者的脚色竟博览群籍，所读过的书，比本地的任何智识分子来得多。他对于阅读方面固不知道有厌足的时候，但同时却仍在寻觅他的问题的答案而未有所得，他要寻觅人生的“公式”——即为着什么做人，他为着这个“公式”，从儿童时代起，经过艰难困苦的幼年时代，以至于他的严重的青年时代所经历的“大学校”时期，无时不在奋勉的寻求中。

他在萨麻拉和该处高等智识分子的接触，仅限于梯得尔法官（Judge Yakov Teitel）的家中的聚会，他在此地遇着有名的作家如基立科夫（Chirikov），格林密海洛夫斯基（Garin-Mikhaylovsky）；该城里面最有思想的人，也在这个地方交换意见，常有激烈的辩论。高尔基现在还很高兴的追想当时这位和爱的须发尽白的主人（即法官）和招待殷勤的女主人（即法官的夫人）。在大家意见纷歧、剑拔弩张的时候，这位女主人常能设法使他们减少过甚的感情，在纷歧激辩中造成一种同情的空气。有人说三个俄国的智识分子碰在一处的时候，他们至少要说出四种差异的意见，这句话也许是真确的；但是有的时候，俄国的智识分子对于他们的劲敌，也能表示令人惊异的宽容和敬意，这也却是真实的情形。

梯得尔在当时所处的地位可算是例外的。他是犹太人，而在亚历山大第三和亚历山大第二统治的时代，对于犹太人是很苛待的，犹太人做法官的原就寥寥可数，不出十人，梯得尔便是这极少数的法官里面的一位。在他所著的饶有趣味的回忆录里面，曾经说起当时高尔基参加他家中聚会的情形，他说："阿勒赛说话的时候，说得简单扼要，审慎周详，也常有绝端严厉的话。他很少参加辩论，更喜欢倾耳静听，在这倾耳静听的时候，常把他的两个臂撑子靠在桌上；等到大家的辩论达到十分紧张的时候，他往往插进一两个巧妙的字，或一两句巧妙的土话，常常使这面红耳赤的热烈辩论为之平静下来。"

高尔基在萨麻拉经了第一次，也可以说是生平唯一的有仪式的结婚。在梯得尔的家里，有一夜他认识了嘉德丽纳（Katerina Parlorna Valzhina）。她是一个美丽的女子，才由中学校里毕业的，毕业后就在《萨麻拉日报》担任校对的职务，因为有这样的关系，他们俩在认识之后就渐渐的亲密起来了。关于他们的婚姻，女的父母很不高兴，他们（女的父母）虽穷，但却是出身于绅士阶级，对于高尔基，当然看不起。这件婚事举行于一八九六年，这个结合的结果是高尔基有了一个独子，名叫麦仙（Maxim）。虽然这对夫妇在三十年前就分居了，他们仍保存着友谊的关系，高尔基每谈起他的这个妻子，仍然是含着热心和敬意。在一九二五年的时候，麦仙的夫人生了一个孩子，嘉德丽纳还从莫斯科旅行到索棱托（Sorrento）去欢迎她的孙子。

在一八九六年的五月，高尔基和他的新夫人一同移居尼斯尼诺伏格拉，他到该处担任该地一家日报的职务。（报名：*Nizhni Novgorod Leaf*，简省些似可译为“尼斯尼的一叶”。）

第十六章　最后的一助

自一八九六年至一九〇四年（自二十八岁至三十六岁）大部分的时间，高尔基都住在尼斯尼诺伏格拉或其附近的地方，有时不得不旅行到俄国的别的地方去，那是由于压迫而非出于自愿的，这种情形，我们在后面就要谈到。在这几年里面的大部分时间，除了增加并改善他在小说方面的作品外，高尔基可算是一个兴趣浓厚的新闻记者。他大半是替《尼斯尼的一叶》日报撰述。该报是伏尔加河区域最激烈最进步的日报，执笔者除高尔基及柯洛伦科外，还有好几位著名的作家。高尔基在该报上所发表的漫评，对于本地和全国的许多问题，都有讨论。无论他是在用着掩护的词句攻击本地政治当局的专横和腐败等等罪恶，或是攻击大言无当的智识阶级之畏首畏尾，或是替穷苦儿童及码头上的漂泊者主持公道，提倡对于社会的下层阶级应有教养的机关和计划，高尔基都在尽他的职责，做柯洛伦科所称为“道德上的卫生工作”。当时的俄国状况，关于这方面的工作可谓没有做得穷尽的时候，更加以高尔基是在下层生活中躬自阅历过的人，获得许多实际的材料，所以他对于这件事，兴趣特别浓厚，做得格外的有劲儿。

该报的主笔里面有一位名叫普路托普博夫（S. D. Protopopov），据他所追述，当时高尔基几于每天都到报馆里来，很起劲地参加同事们的会议和讨论，“这班同事们都是为着理想的动机而和衷共济的，十分热诚的，从事他们的工作，虽所得的报酬极为微薄，也都觉得满足”。该报采用激烈的动向，凡在当道检查所容许的范围内，无不尽量的发挥。据普路托普博夫说，当时的同事们有时提出这样的问题辩论，就是他们还是小心些保全这个日报，不要被当道所封禁呢？还是借着一个适当的问题轰轰烈烈的大骂一顿，为荣誉而牺牲？说也奇怪，当此事付表决时，高尔基却反对这种英雄主义的自杀政策，而且随着普路托普博夫和柯洛伦科等签字于一个合同上面，允许以特约撰述及股东地位，共同维持这个日报的继续出版。

由这件事看来，可见当时的高尔基尚表同意于柯洛伦科的意见，认为秘密的激烈的革命行动没有什么价值，提倡用法律范围内的行动来反对当前的社会制度。柯洛伦科这样说："专制政治好像是一个已有病而却未曾摇动的牙齿，这个牙齿的根仍是蔓延着，很深的埋藏着。我们的这一代不能把这个牙齿拔出来，我们必须先做把它摇松的工夫，而要做这样的工夫，十几年的法律范围以内的工作却是不可少的。"不久以后，高尔基便抛弃这个见解，要用更激烈的方法来摇松这个牙齿，但是在这个暂时的时期里面，他仍和柯洛伦科走一条路。不过即在这个时候，他和柯洛伦科的信仰已不能常常的一致；柯洛伦科相信人性是善的，这是他对于人生观的中心思想，高尔基对于这个信仰便不能常常和他一致。例如有一次该报的编辑部同人开会议的时候，提出讨论的问题里面有一个是该报对于基督教的态度，有人建议该报可依照《冷南的第五福音》(*Fifth Gospel of Renan*)服从基督教，并提倡"一个人应该要爱他的邻居"的这个有用的教义，高尔基听了这话之后，喊着说道：

“爱你的邻居？尤其常遇的是一个人应该痛打他的邻居呢！”

当时在俄国的反对虐政的报纸担任一个新闻记者，是一件很不易对付的困难的事情。在俄国的读者方面，希望报上的评论能有丰富的内容和指导的效用，凡是当前的一切重要问题，都要有这样的评论发表；而在当道的检查方面又异常的苛细，要发表这样的评论，便不得不用巧妙的掩护法，既须避去检查员的猜疑，又须使得精细的读者看了能自下推论。这个报上的下半页也辟有“小评栏”，高尔基在这一栏里也做了不少的文字。到一八九六年的秋季，高尔基因工作过于勤劳，生了病，据医生的诊断，说他所患的是肺痨病。他的多年的穷乏，居住无常，营养不足，时有愁虑和伤心的事情发生，再加以一八八九年的笨拙的自杀企图，这位卸任了的码头脚夫虽具有异常坚实的体格，最后也不免受着亏损了。在诊视他的那些医生里面，有一位名叫苏洛尼斯基（Dr. V.N. Zolotnitsky），据他最近发表的纪录，认为他的肺痨病的根源是由他的母亲所遗传的，也许还加上他的父亲的遗传（因为据他的亲戚所传述，他的父亲离开尼斯尼诺伏格拉到阿斯脱拉罕去时，有过很剧烈的咳嗽）。在他的身体里既有这样的根源，后来又遇着好几次的损伤他的身体的事件，例如当他在伏尔加河码头工作的时候，受过一个暴徒的很厉害的棍击；又有一次在一个乡村里反对一个被鞭挞的通奸的妻子，被人围着痛打一顿，所受的损伤更为厉害（这件事在前面曾经说过）。又据这位医生所发表的记录，这个病人在热度一百零三度的时候，还要工作（不得不工作），后来他的肺痨病更加复杂，又加上肋膜炎的病，夜里全身好像都浸在汗里。当时他的病势很剧烈，很可虑。但是一直到现在，靠着他的那个坚强的体格，和这个凶狠的肺病抗战了几乎四十年，竟仍能支持，好几个专门医生宣布了他的死刑，他到今日还是活着！

在此时高尔基的肺病特别剧烈的当儿，忽来了一个救星。这个人名叫波士（Vladimin Posse）。他是一个在圣彼得堡大学毕业的青年，此时也在当新闻记者，是一位对马克思的学说富有研究的新闻记者，交游甚广，和重要人物多有来往。他看到高尔基的两篇小说，即《折尔卡士》（*Chelkash*）和《心痛》（*Heartache*），便在《培植月报》(*Odrozovaniye*)上发表一篇批评高尔基的文字。在俄国报上公开批评高尔基，这可算是破题儿第一遭。他称赞这两篇小说，并猜度这两篇小说的著者是“由下等阶级出身的，这个人一定曾经饱受穷乏的围困，也许在目前仍在穷乏的苦境中挣扎着”。他接着说道：“倘若他的天才的发展，因缺乏闲暇而受着阻碍，这是一件很可惜的事情。这种闲暇，是真心在文学上努力的人所必须的。”不久以后，《培植月报》接到一封信，是尼斯尼诺伏格拉的一个医生写给波士，托该报转交的。这个医生证明波士对于高尔基所猜度的无误，并告诉他这个著者不但困于穷乏，而且还患着肺痨病，这种病需要到俄国的南方去疗养，但因为没有钱，无法实行。波士接阅这封信之后，就替高尔基设法，由于他的有力量的阿兄，向一个补助作家的团体借到八百卢布，寄给高尔基，此外并把高尔基所著的《柯诺佛罗夫》(*Konovalov*)一篇小说介绍给《新语月报》(*Novoye Slovo*)，替他预支了一百五十卢布的稿费。

经了波士的热诚协助，高尔基才能于一八九六年十二月到克里米亚去养病，这是在俄国疗养的人所常到的一个地方，但是该处的日光虽好，对于高尔基并不适宜，身体反而疲弱了许多，故于一八九七年的三月移到乌克兰去，住在奥洛夫斯基医生（Dr Orlovsky）的小村里（在波耳多瓦省“Poltava”）。他在此处疗养之后，健康渐渐的有进步，据他自己的意见，说是由于和该处的居民有着友谊的关系，又因他和这些居民在交际上所得的快乐。他和邻近的农民组织了一个剧团，这个剧团后来居然成立了好几年，他在这个剧团里，还培成几个优良的伶人。高尔基的《戈特法的集市》就在这个地方著成的，内容就是歌颂该地生活的愉快和丰富。他很喜欢这个地方，所以在一九〇〇年又到该处，在这个波耳多瓦乡间里沉静良好的环境中，著他的第一次的剧本《华丽的市民》。这个地方曾为普希金所歌咏，柯洛伦科所爱好，他们两位都在此地过他们的暮景残年。

后来高尔基到狄威尔省（Tver），住在一个在一家纸厂实验室里任事的朋友家里。过了一八九七年的冬季，他便回到尼斯尼诺伏格拉，仍替《尼斯尼的一叶》日报撰文。但是他回乡之后不久，因为一件不幸的事情发生，又被迫离开了。在一八九八年的三月，本地警察局因应提弗利司宪兵队长的咨请，派人到高尔基所住的屋里搜查，并把他拘捕，押到提弗利司去，监禁于麦特克炮台（Metekh）。据苏维埃政府所发表的关于当时警察局的档案，其中关于当时高尔基的材料，饶有趣味。据说这位“尼斯尼诺伏格拉的市民，染衣公会会员阿勒赛皮西科夫”（即高尔基，他的外祖父曾任染衣公会会长），自从他在喀山和达伦科夫的糕饼店发生了关系之后，由“中央蜘蛛”开展出来的那根“看不见的线”，就一直注意他的行动，不肯放松。他的每一行动，都有侦探暗中监察，并将所探得的情形记录下来，随时报告，在圣彼得堡的警察总监公署里，关于这种的报告便叠成了一大堆。

大概在一八九二年，有一封信自提弗利司寄到喀山给卜勒纳夫，被警察半途截取去了，他们设法探明这封信是什么人写的。这封信的内容大概如下：“我正在一个铁路上工作，每月得到四十三个卢布的工资。昨天他们来搜查我的房间——听任他们吧！他们把我的工资减到三十五个卢布。我曾指导此地的学院及高等学校的学生阅读书报。我并未宣传什么主义，只劝他们彼此要了解。我也和铁路上的工人一同看书谈话。此间有一工人名叫博格提洛维区（Bogatyrovich），是一个很可爱的脚色。我们的友谊很厚，常在一起。他说人生一无好处；但是我说人生的好处是有的，不过是隐藏着，否则个个恶棍都可把好处攫为己有了……”这个时候，正是高尔基仿照民粹派中人启迪一般人民的时候。警察经过探查之后，便向上级报告，说这封写给卜勒纳夫的信的作者，无疑的是阿勒赛·皮西科夫，并描述这个人，说他是“一个二十四岁的颀长身裁的青年，受过文化的薰染，能写一手的好字，戴着眼镜，生着长发”，并且在青年里和许多人认识，交游甚广。直到高尔基离开了提弗利司，当地警察局才不再调查。但到了一八九七年，高尔基的名字又被警察的“猎犬”所严重注意，因为他又牵涉到一个案件里去。这个案件是关于一个犯法的社团，据说这个社团的组织，旨在对于工人宣传社会民主主义，由此引起他们对于现制度和政府政策的不满，期于较远的将来推翻帝国的专制权力。这个集团的首领是一个名叫亚法纳西夫（F. E. Afanasyev）的，高尔基在五六年前曾和他同住于所谓“公社”里面。警察在这个首领的房间里搜查之后，在别的东西里面，发现一张相片，面上注有："麦仙密区（Maximych）赠给亚法纳西夫。"所谓麦仙密区，原不过类似高尔基原来姓名中的当中的一字，原看不出他的真姓名。这张相片被发现之后，亚法纳西夫并且声明赠送这相片的人的真姓名，他已忘记了；但是高尔基的一举一动既向受警察当局的注意，有了类似他的姓名中的一个字做线索，他们仍不难寻出他的真姓名为 Alexey Manimovich Peshkov。他们并由于传询了曾经参加过这个"公社"里听讲会的各种人，知道皮西科夫是个危险的分子，博览群籍，旅行过许多地方，而且把"犯罪的"观念灌输给亚法纳西夫及其他工人，也是出于他的行为。他们便以此为根据，拘捕高尔基，把他押到提弗利司去，在他的房间里所搜得的约有五百封的信，也一同送去。据这个案件的公文里所记载，当时高尔基曾向警察当局辩明他对于政治的问题是向来不参加的。他对他们解释，说他所以东奔西跑，过着漂泊的生活，是由于"异常烦闷的心境，这种烦闷心境之所由来，是因为和那些特异行为和思想的智识分子混不来，于是感觉到生活的孤独和不合时宜"。又在别一件公文里，据说他把当时的流浪生活和烦闷心境归咎于“一件失恋的事情”。无论如何，当时警察在他的信件里确寻不出什么犯罪的证据，就是说他曾和工人谈话，不无可疑，也没有什么确凿的凭证，除此之外，更加不上什么罪名。但在实际上虽是如此，提弗利司的宪兵部却有意把这些事造成一个重要的案件，认高尔基是这个案件的中心人物。

在这个患难中的高尔基，救他最力的又是那位急公好义的波士。高尔基的夫人写一封信给他，告诉他“恐怖的夜里”的情形，说宪兵在半夜冲进他们的屋里去，翻箱倒箧，搜索犯罪的证据，最后把她的丈夫拘去，并把他的信件一同带去。在拘捕的时候，他们全家里只有五十个左右戈比克的现款。波士得到这个消息之后，立刻就去找他的和权要素有来往的阿兄，幸而在一个宴会里把他找着。他的阿兄听完波士的恳求之后，便和在座的参议员塔更塞夫（Tagantsev）商量这件事。塔更塞夫是出身于奔萨（Fenza）的农民，逐渐擢升到现在的高位，答应即打电报给提弗利司的检察官，请他迅速审查，如属可能，速将犯人释放。波士的阿兄还叫他去见参议员郭尼（Koni），他是个有势力的自由主义者，也允许尽他的力量拯救这个被捕的作家。二十年后，俄国在布尔希维克党统治之下，替此时的特权阶级向当道讲情的，却轮着那时的高尔基。俄国的变迁太迅速了，此处不能详述，所能附带说起的，是后来塔更塞夫偕同诗人庚密列夫（Gumilev），还有其他的智识分子，据说因为做了反抗苏维埃的阴谋的领袖，都被布尔希维克的当道枪决了。这是后事，恕不多述。且说当时这两位参议员替高尔基说项，在旧俄的向来迟缓而横暴的司法，居然有了奇迹的功效，因为经他们这样一来，惩办高尔基的这个案件竟忽然的搁起来了。他被释放之后，被允许仍得回到尼斯尼诺伏格拉。当然，他仍须受当地警察的监视，行动不能十分自由。此事这样结束之后，提弗利司的宪兵队长康尼斯基上尉（Captain Konissky）却受中央政府警察总监的申斥，责他小题大做，并严令详加解释辩明，自承过失。高尔基此次的被捕，可代表俄国在未革命以前统治者目无法纪的情形；康尼斯基上尉在表面上虽因此事受了上级机关的斥责，但在事实上，他的行为是暗与当道的意旨吻合，这只要看他一面受了斥责，一面却升了官，被擢任圣彼得堡的宪兵司令，便是明证。讲到这位康尼斯基上尉，高尔基后来有这么一段有趣的描写：

> 在一八九七年（恐系一八九八年之误）的春初，我在尼斯尼诺伏格拉被捕，并被押送到提弗利司，他们待我不很客气。在麦特克炮台里的时候，由康尼斯基审问，当时他惨然的说道：
>
> “柯洛伦科给你的信是写得多么好！他现在是俄国的最好的作家了！”
>
> 这个上尉是一个奇形怪状的人：他的身材矮小，他的一举一动，都是轻手轻脚的，谨慎的，好像迟疑不决似的，他的奇大的鼻子好像愁苦地低垂着，而他的那对敏捷的眼睛，看起来好像不属于他的脸上，在那对眼眶里的瞳子时时怪有趣的往下转，好像躲藏在他的鼻梁的下面。他又这样的说道：
>
> “我是柯洛伦科的同乡，也是服兰尼亚

人（Volynian）。我是康尼斯基主教（Bishop Konissky）的后嗣，他曾对喀德邻第二（Catherine. Ⅱ）讲过一篇很有名的演说——你记得吗？在他的演词里说起‘让我们抛弃太阳’等等的话。我觉得可以自豪！”

我客气地问他，到底是谁使他觉得最可以自豪——他的祖先呢？还是他的同乡？他回答道：

“他们两位，都一样的使我觉得可以自豪。当然，他们两位都一样的使我觉得可以自豪！”

他又把他的那对瞳子赶到鼻梁下面去，但是不一会儿，他哼着鼻子显示傲慢的神气，那对瞳子又忽而跳回本来的位置。我觉得他的失礼，于是动了气，当即质问他，说我不懂，他所觉得可以自豪的两个人里面，却有一个人的一生竟受着宪兵的过于文明的烦扰（按这个人系指柯洛伦科）。康尼斯基听了之后，故作虔敬的样子反驳道：

“我们各人都是依照上帝的意志做的啊，

各人如此，每个人如此！闲话少说，让我们再进行本案吧。你力辩……而依我们所得的报告却是……”

高尔基和俄国的警察对抗，这并不是最后的一次。直到了一九一七年的革命爆发之后，他才免受这根“看不见的线”的束缚。

在这个时候，高尔基一方面受着肺病的攻击，一方面还受着过分热心的警察的监视，处境可谓困苦的了。但他在这困境中，除做着新闻记者的工作外，还继续的著作并发表更有进步的小说。他自从在柯洛伦科所主持的《文学月报》上面发表了他的著作之后，他投到别家的大杂志的稿件，要他们采用，便不很难了。虽然当道派的检查员把他的著作任意删改得不加顾惜，但是他的著作的新颖的特质，和比较新奇的人物，仍能吸动读者的注意。他所描写的内容，虽是愁惨和穷苦的事情，但是，他却对于人生表示积极的态度，提倡人生的改造。不过高尔基对于自己的著作却觉得不满意——至少他曾经这样的说过。有位温哲洛夫（S. A. Vengerov），他是尽心力于俄国文学编年史的著述，和各作家的自传的搜集，于一八九七年，依柯洛伦科和他的几位朋友的建议，写了一封信给高尔基，向他索取自传及著作。他们把高尔基介绍给温哲洛夫，说他是一位具有“很不一致的天才”的“自己教成的作家”。这位“自己教成的作家”得到温哲洛夫这封信之后，送给他一篇简短的自传，但是在这自传的末了写着这样的几句：“直到现在，我尚未写过一件我自己觉得满意的东西，因为这个缘故，我从不保存我的著作；因此不能把我的著作送给你。”

一八九八年一月，有一家宣传马克思主义的报［即《新语月报》(*Novoye Slovo*)］的一位卸任的主笔，写一封信给高尔基，劝他刊行文集，他在信里说：

> 你可将所作小说刊印专集的时候到了。我深信你所作的小说一定可以集成一卷，可和加贤（Garshin）或柴霍甫的小说集一样厚。你在这个时候刊行专集，是最适宜的时候了。各方面对你都无疑的感到兴趣：在读者方面，他们都在旧杂志里面搜寻你的小说看；在和你

同时的作家里面，他们谈起你的时候，都特别注意……读者需要你的专集；你呢，需要钱。所以现在正是你应该刊行专集的时候了。

他老实的说高尔基此时需要钱。这句话，高尔基也知道是实在的情形。他的肺病，在上一个冬季，已把他的身体弄坏了，为疗养计，他很需筹得一笔旅费到克里米亚去。但依他的经济状况，这是很难办到的，因为他每天为日报撰述的文字所得的稿费，甚至虽再加上有时在“大”杂志上所投的小说的稿费，拼凑起来，只仅仅够他用来维持家庭的费用。于是他便接受了刊行专集的建议，着手和一家出版公司接洽。波士收到他寄来一包由日报上剪下来的文章，里面都是他的小说，原来高尔基同时还托波士帮他寻觅一家出版公司，并设法替他预支稿费，使他可以到克里米亚去。波士是极佩服高尔基的一人，他曾经说过：他是“异常倾倒于这位不甚闻名的作家的天才”。他得了高尔基的委托之后，就和好几家出版公司接洽，和他们商量刊印高尔基的小说集。但是接洽的结果，却使他感到这是一件困难的工作。在这个时候，高尔基的名字还未能如何吸动人，没有商业的价值。就是在他的本乡尼斯尼诺伏格拉，他的天才虽有人赞美，但却不是完全觉得可以佩服，往往还有附带加上的批评。例如在本地有位批评家回答温哲洛夫的话，便是一个佐证，他说："他（指高尔基）有天才，虽则无疑地永远不能有什么大的成就可从这天才里出来。"波士曾经设法寻得两家出版公司已经答应可以刊行了，但这两家出版公司于仔细考虑之后，又变了主意，把所答应的话取消。例如有位普薄甫夫人（Mme O.N. Popov）已经同意刊行高尔基的两卷小说，并答应预支五百卢布稿费给这位作家，不料后来竟取消约言，托词说她已经出过好几种大著作，在这些大著作里包括有达尔文的名著。她并私自加上一些解释，说她的公司觉得"不便出版属于局部性质的小评栏文字"，况且已出版的班宁（Ivan Bunin）的小说，虽则这位作家"比高尔基更有天才，非高尔基所能比"，也得不到什么销路。

具着一副好心肠的波士替高尔基向各家出版公司接洽，一处一处的被人拒绝，后来许多人看见他替高尔基作不倦的奔走，异常热心，都笑他为高尔基所迷，成为嘲笑的目标。各出版公司拒绝他的理由，都说从商业上看来，这本书是无利可图的。感觉烦恼的高尔基写了一封信给波士，表示对此事已失望，而波士于屡次碰壁之后，也想将此事作罢，不料正在这个时候，他无意之中遇着两位“理想家”，决计冒险替高尔基刊行这部小说集。一个是杜路佛特维斯基（S. P. Dorovatvsky），一个是查洛许尼科夫（Charushnikov），他们两位都是十九世纪末叶的热烈的革命家，对于高尔基的革命文字有相当的认识。此书出版后所得的结果，表示这两位不讲实际的理想家的眼光之锐利，竟超过素有经验的出版业的老手。

一八九八年的三月，两卷《高尔基小说集》出版了，每卷印了三千五百册。最初要得书店来批发，很不容易，虽定有佣金的办法，亦无功效。大商店如苏福林（Suvorin）所开的，对于此书，竟要求对折。苏福林也就是曾经拒绝刊行高尔基著作的一人。他是当时在俄国最重要的一个日报［《新时日报》（*Novoye Vremya*）］的老板兼主笔，该报是一个最凶悍的反动报纸。他除办有这个最有势力的报纸之外，还开设了一个戏院，一个大书店，和一个印刷所。他在当时守旧派方面是占有很大的势力，在他的报上对于这位著作家和叛徒的高尔基，作不断的攻击。

但虽有了这种种的障碍，替高尔基刊行小说集的那两位激烈派出版家，却获得胜利的结果。在一年之中，这两卷小说集竟得再版，同时又出了第三卷，到一九〇〇年的夏季，这三卷小说集都售卖一空！据温哲洛夫说："在俄国的书业史上破天荒，高尔基的小说集几万册的售卖出去，不久竟达到了十万册的巨数。"在那个时候的俄国，智识分子的数量是很小的，而且每册至少经过五个人的阅读，我们倘想到这样的事实，便可想见当时风行一时的盛况了。

据杜路佛特维斯基说，头两卷的第一版，高尔基得到一千卢布；第二版又得到一千；第三卷的第一版，他得八百卢布。自从这个时候以后，高尔基进款的渐渐增加，我们用不着详细追溯其中的经过，但是这位时在挣扎中的作家的最初的"富有"，却很有令人发笑的情形。据在尼斯尼诺伏格拉的他的一个邻人所传述，他第一次收到版税的那一天，他的那副神气，似乎惊异多于愉快。

当时他到邻人的母亲那里，两腿距开很远的立在她的前面，叽哩咕噜的说着：“请看，他们给我完完全全的一千，魔鬼拿去！”他眼巴巴的望着他的手掌，好像钱就在他的手掌上面，继续的惊愕着说道：“他们给了我一千，做什么用好呢？”这个邻人接着告诉我们的事情，是大家所知道的，那就是自从那个时候以后，他很慷慨的用了许多钱，为着种种的事情用，但却都不是有关于他个人的享乐。

关于钱财的事情，高尔基之无知无识，好像一个婴孩；就是在今日，关于他的财政的事务，仍是要靠托别人替他料理。至于他所靠托的“别人”不常是可靠，这是不消说的。高尔基自己每遇有人求他资助，无论是为着任何事情，例如有时因为央求当道讲情的事情，他都不能拒绝这种人的请求；因为他有了这样的慈悲心肠，牺牲了不少他的时间和精力。他对于资助尤其慷慨的，是关于救济无家可归的儿童的事业，或是关于穷学生的救济，或是关于革命运动的费用。

一八九八年，高尔基三十岁了，他到了这个时候，才毅然决然的委身于文学的事业。他的两卷小说集，群众争购，以先睹为快，文学批评家对于他的著作也很重视。这样一来，他在俄国文坛上的地位是已确定的了；这个地位，在做工人和漂泊时代的“阿勒赛”，虽在他的最放纵的非非想里，连梦都不敢做。就在二三年前，他还不能确定他的职业，有的时候把他自己的著作完全看作糊口的工具，这种糊口的工具，虽比在码头上搬运一袋一袋面粉的工作，未必得到更丰的酬报，但总比较的文雅些。他在生平最苦闷的时候，使他感到奇异并给他以希望的就是书的创造者，他决想不到他自己竟能成为这班创造者里面的一个。到了这个时候，他确然是个作家了，一切的障碍和怀疑都成过去的往事了。史默利——赖宁——卡利乌资尼——柯洛伦科：这四个人，高尔基认为是他的指导者和教师，使他养成爱好读书的习惯。其实他还可以提起他的外祖母，她教他梦想，教他过恳挚和无怨的生活。此外，玛高德皇后对于他也有很大的影响，她的高贵的美丽，深深的印入这个“奇形怪状”的孩子的心坎里，使他虽在下层生活黑暗污秽的环境中，仍能不甘堕落，保持他的超卓的志趣。

第十七章　胜利与声誉

高尔基自从他的两卷小说集出版以后，他的声誉之日隆，传播之日广，实有空前之概。在他这两卷小说集第一次出版后，不到一年，“高尔基”这个名字已为全俄所知道了，甚至于被人借为招摇欺骗的资料！无论在什么地方都可以看得见关于他的肖像的图画——在明信片上，在香烟和糖果的盒子上，以及无穷尽的漫画上。高尔基是由漂泊者出身，这是大家知道的，因此便有一班流氓借他的名义来干求强索，往往有行为可疑的脚色，在街头巷尾拦住行人，向他请求，或甚至向他强索，说“看着高尔基的面上，给一瓶俄国麦酒喝喝”。这种漂泊者里面，有些还更进一步，竟向人要钱，说是“要用来买一枝手枪对付恶棍——国务大臣”，也加上“看着高尔基的面上”，因为他们都把高尔基视为漂泊者和叛徒的保护者。在各城里面，甚至发现冒充高尔基的人，自称是真的高尔基，要想利用他的名望，要干他们的自私的事情。高尔基的服装——一件俄国式的宽大的外套，一双长统的皮靴——成为盛行一时的装束；就是社会上讲交际的太太小姐们，也以夹着几句不清不楚的法国话来谈谈这班下流人物，视为漂亮的行为。

高尔基的最初的声誉洋溢，不仅是由于他所著的小说的特质，大半还因为他所采用的材料和他的生平的经过。他把下流人物引进俄国的文学里面去——不仅仅是视为用来唤起我们怜悯的不幸人物，却是视为好胜的人物，明目张胆的宣言他们老实看不起一般自命上流人物的臭架子。——这件事在当时即使不至使人认为大逆不道，至少也令人听了为之惊骇诧异。况且于此事之外，又加上一种消息，就是这位作家的自身也是才由第五阶级里面升上来的，更使大家的好奇心为之增强起来。诚然，在高尔基以前，已有过两三位作家描写下层社会的情形，但是他们描写的时候，总含有降低自己的身份去怜悯他们的意思，或是出以申斥他们的教训的口气。高尔基却不然，他乃是下流社会的代言人。在他所著的小说中有一个人物说过这样的几句话："我是由污秽黑暗的下层里面出来的……我是宣述他们的生活之真实的声音，是生活在这下层里的人们的哑声，是他们叫我出来证实他们的沧海桑田的变迁经历。"其实这些话可算是高尔基的夫子自道了。反对民粹派最激烈的批评家波士，曾屡次援救过高尔基，他很知道高尔基的个人状况，曾经说过这位青年作家的著作"是用他的心血写成的"。

高尔基的文名日盛之后，文学批评家对于他的批评纷纭，或誉或毁，发生种种不同的意见。但是对于高尔基的天才的批评，大概对于他没有什么益处。他最同情于柴霍甫，曾引证柴霍甫说过的这几句话："批评家好像马身上的苍蝇，只会阻碍马的耕田工作……在已往的二十五年内，我已看过不少关于我所著的小说的批评，但是我竟不记得曾经看到一句有价值的评语，或一句有指教价值的话。只有一次有一位名叫史喀比柴维斯基（Skabichevsky）的写过一些使我留着印象的东西……他说我要醉醺醺地死在沟里。"

高尔基在他的事业正在开始的时候，需要有人指教和批评，这是很显然的。在他的早期的作品里，读者可以感觉到他是由劳动的苦役忽而转到著述的专业——因为缺乏技术上的成熟和坚定。他有许多话要说，但是他却没有受过作文的训练。在这个重要关头，高尔基很幸运的得到两位厚于友谊的批评家——柯洛伦科和柴霍甫。柯洛伦科对于高尔基的殷勤指示，我们在前面已略有叙述。柴霍甫比起柯洛伦科来，是一位更优越的更难取悦的文艺家，但是对于他的同伴及同时的作家，却比较的缄默和淡漠，他对于高尔基所以肯加以指教，全是因为高尔基自己来请求他的。一八九八年的十一月，高尔基把他所著的书寄给柴霍甫看，并寄了一封信给他。柴霍甫于同年十二月三日复他一信，从此他们两位便开始通讯，友谊日增，可惜在这位青年作家方面看来，他们的为友时间太短，因为柴霍甫于一九〇四年便逝世了。柴霍甫给他的第一信，可以代表他（柴霍甫）的锐利的判断和循循善诱的温和态度，这是和柯洛伦科的直率态度不同了。兹撮述该信中数语如下，以见一斑：

你问我对于你所著的小说有何意见。我的意见吗？我以为你在这方面是具有无可怀疑的天才，一种真的，伟大的天才。例如在你的《在草原上》（*On the Steppe*）那篇小说里，写得那样的有声有色，我看了恨不得这篇东西是我自己写的，竟怀着不胜妒羡的意思。你是一个艺术家，一个具有聪明眼光的人；你对于事物能有锐利的感觉，你是个写生能手，再说得具体些，当你描写一物的时候，好像你看见，并用你的手去接触它似的。这是真正的艺术……

我现在可以谈谈你的缺点吗？这却是没有这样容易的一件事。要说出一个具有天才的人的缺点，好像要说出生长在花园里一棵大树的缺点一样；此处的真相不在这棵树上，却在望着这棵树的人心里所被唤起的情绪。你以为是吗？

我开头要说的是依我的意见，你在文章里缺乏自制的能力。你好像戏院里的一个看客，他看得手舞足蹈的喧嚷着，一点不稍隐藏地表现他的快乐，以致使他自己以及别人都听不见舞台上的声音。在你的作品里，这种自制力的

> 缺乏，尤其显然的是你对于自然的描写，你往往用这样的描写穿插打断了谈话。读者看到你这样的描写，每觉得冗长，以为还是紧凑些，短些来得好，例如只须两三行就够了……

早年的高尔基对于别人批评他的文字，往往神经过敏，感觉不快，关于这一层，在他从前和柯洛伦科的关系上面，我们已经看出的了。现在他对于柴霍甫的批评，似乎也不免发了烦恼的感觉，因为我们可以看见柴霍甫在他的第二信里，极力解释并未责高尔基的文字里患了“粗率”的毛病，不过觉得他用了无需要的生硬的字眼。他接着解释道：“当然，这也是由于各人所好的不同，这也许不过是我自己过于苛求的一个符号。”显然的，他觉到高尔基之感到不安是他（高尔基）自觉缺乏了教育，所以他在信里郑重的说，从他（高尔基）所著的小说看来，觉得“他是一个真正受过教育的人”。他这样的赞许他安慰他之后，乃进而给他下面的劝告，但仍是曲折的说，好像把醋和蜜糖混合在一起给他吃：

说到粗率，这却是很能说出你的特点；你的感觉是很聪明灵敏而易受感触的。你的最有精彩的文字是在《在草原上》和《在木排上》里面——我不曾写信给你说起的吗？这两篇小说是佳品，杰作！这两篇小说表示作者是一位曾进过一个极好的学校的艺术家。我深信我的这种见解是不会错误的。你的唯一的缺点是“限制”的缺乏，是“精炼”的缺乏。一个人对于某种准确的动作，能用最少数量的活动来表现，那便是“精炼”。看你的小说的人，感觉到你有词费的地方……

柴霍甫和高尔基的友谊一天一天的愈益浓厚起来。他屡次劝高尔基离开尼斯尼诺伏格拉，到莫斯科或圣彼得堡去住，因为该处的文学的环境对他也许更有裨益。但是他在一九〇四年以前，仍住在他的故乡，只每隔几时到别的地方去旅行。他在本城的时候，除替《尼斯尼的一叶》日报撰文外，对于本地的种种社会事业，只须在当道所允许的范围里面，他总是很起劲的参加，而且常居发起的地位。他很殷勤的和他人合作，设法帮助在各大学里肄业的本地青年。他回想到自己从前要想进大学的空愿，看到那些处境贫寒，且在社会上身份低下的青年，仍能努力挣扎入大学肄业，不胜同情。俄国的学生对于革命运动热心参加的很多，尤其是一八九八年以后，他们加入工人里面去组成革命运动的先锋队。此事当然更能唤起高尔基的同情，增高他对于帮助学生的热心。此外他对于穷苦儿童的辅助，也算是他所乐为的另一件事。他回想到他自己儿童时代的苦楚，对于增进在家和在校儿童幸福的事情，无不尽力的赞助。他对于本地的博物院及公共图书馆等公益机关，也有很大的贡献。

就一个初出茅庐的作家而论，高尔基头两卷小说集的胜利可谓空前的了。他这两卷小说集的销行，已给他不少的金钱，但是仍是不敷他的异常浩大的费用。他要应付医药的费用，几次往克里米亚、乌克兰，以及其他地方的旅行，买了许多书画作赠品，对于各种方式请求资助，总是有求必应。因此种种，他的支出大大的增加，版税总是急急忙忙的预支着用。他的家里又设备得很华贵，处处注重美术的价值。不像托尔斯泰和柯洛伦科一样，他们的书房都是设备得异常的简单，高尔基却不惜工本的把美的东西围绕着他自己，这是他多年所十分缺乏的。他对于宾客的殷勤招待，又可算是真正俄国式的宽宏大量，据和他同时的人所传述，“从早晨到夜里，有各种各色的人充满了他的寓所。每在饭桌上，除了高尔基和他的家属以外，常有一打或十五个外人在座，其中有些人，主人连他们的姓名都不知道。这一家是以慷慨招待宾客著闻于时，主人和妩媚的女主人待客的亲善态度，也是很著名的”。还有别的同时的人说起，当时倘非有高尔基的夫人费尽许多气力，常使访问者离开她的丈夫的书房，那高尔基简直没有机会写出一行的文字。

高尔基在尼斯尼诺伏格拉的家，此时竟成为许多敬仰他的人和好奇的人所常到的“圣地”。游闲好事者往往在他家的窗前踱来踱去，或在那里立着，希望能窥见这位已被人摄着不少相片的，长发的，大鼻子的，穿着黑色的宽大外套的高尔基，或得窥见他屋里一些有名的来宾。

高尔基不但是殷勤招待他的同时作家的主人，而且在他初登文坛后，即以常在无名的后进的作家里面发现天才为己任，这种责任，他直至今日未曾抛弃。在他当时所发现的天才里面，后来成为俄国名小说家的安得列夫（Leonid Andreyev）便是其中的一人。《尼斯尼的一叶》日报和其他激烈的报纸一样，常受当道的种种责罚，责罚的许多方法里面，有一种是每遇被当道认为措辞不当的时候，即令暂行停刊若干时。有一次遇着这样罚令暂行停刊的时候，该报当局另行设法出版一种《莫斯科日报》，送给订户。高尔基就在这个日报的基督复活节出版的一期里，看到安得列夫第一次所著的小说，觉得有特殊的精彩，就写信查询这篇小说的作者。于是他们两位就开始通讯，结果彼此发生了友谊，虽到中间不无夹有不和的意见，尤其是在后来的几年，当世界大战革命的时候，安得列夫在他的自传里，也承认他对于高尔基铭感不忘的意思，因为他（高尔基）鼓励他著作，并替他设法登载他所著的小说。他对于诱掖后进的热诚，于此可见一斑。

高尔基第一次到圣彼得堡是在一八九九年。他在该处住波士的家里，波士很殷勤的把他介绍给这个首都的智识分子。当时波士正在新出版的马克思主义的月刊名叫《生活》（*Zhizn*）担任主笔，就在该报的编辑室里设宴请高尔基，当时的最著名的作家，大多数都被请去作陪。这个宴会却很使波士感到难为情，因为这位上宾在座上竟缺乏礼貌，呆头呆脑的。当时名作家如密尔海洛维斯基、柯洛伦科，以及其他艺术界领袖们，对于他都表示热烈的欢迎，盛赞他的天才，他对于这种热烈的欢迎，竟报以卤莽的答词！他当时为各人注意的中心，无疑地因此觉得羞怯和不舒服，却把好争的口吻来掩藏他的羞怯。他用着寻常的话乃至土语，对众人解释他的胜利并不是由于他个人有什么天才，却是由于“在没有鱼的地方，就是一只蜊蛄（虾属，较虾为小），也是一只鱼了”。这在许多智识分子听了，认为是永不能忘的侮辱。但是他此行却有一事颇为重要，那就是他慨允担任波士所主持的《生活》报的文艺栏主笔。他和这个报发生关系之后，他的政治主张便有了归宿，他虽未加入做个严格的党员，但是他显然地赞成马克思主义，却是从那时候开始。马克思主义给了他所长期苦觅而未得到的

“公式”。他原来希望能长期在此报服务，忘却这样的刊物，在当时的政府一定要使它短命的。

高尔基在当时，除官吏及妄自尊大之徒外，一致的敬仰他。他是青年一代所崇拜的人物——尤其是一般青年学生——这是不消说的。下等阶级，工人和那些流浪的人们，也都认他是他们里面的一分子，当然对于他的声誉和胜利，都觉得与有荣焉。至于一班革命家，也都大大地利用他对于他们的主义的同情以及对于现状的痛恨。他对于这班革命家，却也很慷慨的尽力的赞助，用他的金钱，用他的笔，用他的忠告，对他们作种种的协助，虽常受警察的严重监视，他都不管。

洋溢的声誉，大众的推崇，对于孤寂冷酷身世的人，原有安慰的效用，但是有的时候，因过分的烦扰，也很使他难受。高尔基名闻遐迩之后，关于他的肖像的相片和漫画，散布各处的不可胜数，他的面貌大家都看得很熟，所以每遇他在街上，或是在公共的处所，总要被人认识，被人指出，被人很不客气的评长论短，好像他是一只白色的乌鸦，看个不了！在圣彼得堡和莫斯科的时候，群众对于他的好奇心，似乎比在他的本乡的人更不体谅。高尔基曾记述几件有趣的故事，说他自己在大城市里被路人相聚察看和批评的情形。一般平民对于他的询长问短，使他感觉烦恼，大概还不及那些受过教育的群众使他更觉难堪。新闻界的访员简直使他没得休息的时候，到处探查他，对于他的一举一动都有描述的文字，甚至关于他吃沙丁鱼的样子，也可以供给他们作一期报上的材料！有一次莫斯科艺术剧院正在演着柴霍甫所著的名剧《范尼亚叔叔》（*Uncle Vanya*），柴霍甫和高尔基同坐在一个包厢里听戏，观客竟成群的围着这个包厢，等到休息时候，他们甚至成群的拥着他，弄得他不胜其烦，不得不用颇为严厉的话来责备他们。事后各报便把这消息视为可以轰动一时的新闻材料，有意张大其词，添油加酱，写出各种各式的狂妄歪曲的事实，表示这位从前做过漂泊者的不懂礼貌，不能宽恕，徒有骄慢的表现。高尔基最后看得耐不住了，不得不写一封更正的信给 *Severny Courier* 报的主笔，里面有这几段话：

……最近有一天有人在《新时报》（*Novoye Vremya*）报上发表了一节文字，说起我在莫斯科艺术剧院里对回廊上的人所说的几句话。据这一节文字的作者说当时他亲自在场，但是这大概是不确的，或他虽亲自在场而并未听得清楚，因为他所称为是我所说的话，完全依照《莫斯科日报》“当日新闻”（*Novosti Dnya*）上所完全捏造的说法。

当时我对群众说的时候，我并未曾用过这样的话，例如“你们张大着嘴表示惊奇”，“你们对着我的嘴里望”；我也未曾说过他们阻挡我和柴霍甫共同喝茶，当我对群众说话时，柴霍甫正在舞台后面。

我当时对群众所说的话是这样：

“你们的注意使我愧不敢当——谢谢你们！但是我却觉得莫名其妙。我不是麦第奇的维纳斯（Venus of Medici 希腊爱神），也不是一场大火烧，也不是一个舞女，也不是一个溺死的人。一个著小说的人，他的外表有什么趣味可言！……”

我说完之后，对他们道歉，虽则我本来无

须这样做，我的这封信，是对于有意把我的话乱改的行为提出抗议，也不是道歉的意思。至于新闻记者小题大做，把这个微小的事件竟闹得天翻地覆，我要诚恳的问他们："诸君耗费时间于这种无意识的举动，不觉得羞愧吗？"

高尔基的这封信仍不能使这个闹得满城风雨的事件安静下来。群众还是愤怒着，而"报界的君子们"仍是吹毛求疵，推波助澜，迎合他们的心理。这件事使高尔基对于"捧场"或"宣传"尝到一种不能忘的滋味。这件事表现给他看，群众的彩声究有多少价值。他后来著了一篇小说，叫做《关于一个受欺骗的作家》，在这里面，他对于读者说了这样的几句话："依我看来，似乎你们所以喜欢我，不过因为我不穿着大礼服，并在我所著的小说里用了粗俗的语句。有的时候，我甚至于想，假使我能学习用我的左脚来写抒情诗，也许你们对我更觉得爱好，更觉得有趣吧。"

高尔基的生平和他的工作似乎注定不能避免引起人们的惊异，激烈的反应，乃至毁谤。他"到这世界来，是来反对的”。无论是在未用“高尔基”笔名的以前或以后的时期中，他对于尼斯尼诺伏格拉的小市民，或是对于在莫斯科或圣彼得堡的大惊小怪的自命智识分子的人们，对于在纽约的自命的清教徒，对于俄国专制时代的警察，或是对于列宁的一班心腹，都是倔强得很，他的这样倔强的态度当然使他到处碰壁，到处引起纠纷，这在当时也就是新闻纸上的好材料。

第五编　革命的漩涡中

第十八章　革命的前夕

我们看着高尔基由一个漂泊者一步一步的演进而成为一个作家，在这过程中还有别的眼睛也在注视他，作严密的监察。所谓由“中央蜘蛛”所开展出来的一根“看不见的线”，对于他们的无数被牺牲者的里面的一个，最初名叫阿勒赛·皮西科夫，在护照上写明尼斯尼诺伏格拉洗染业公会会员，后来加上了作家的职业——这两种资格就使他成为双料可疑的人物——始终不曾放松过的。俄国的警察对于他的注意，可谓无微不至，关于他的一举一动，自从他在喀山参加糕饼店的时期起，直至一九一七年革命爆发止，在他们都有记录，这是后来替高尔基作传记的人所不得不感谢的。由俄帝国的各处地方，后来并由外国的各处地方，都有许多秘密和公开的监视者，纷纷把报告好像雪片飞来似的呈送到圣彼得堡的警察总监公署，一一归卷起来，这里面都是报告高尔基的行动。这里面有一部分材料，现在已由苏维埃政府的案卷贮藏处刊印了出来，成为高尔基传记的有价值的参考资料，不过其中有的地方不免出于过分讨好的监视者的神经过敏的想像。我们在本编里要追溯高尔基和俄国革命运动的关联，这是在他的传记中最可注意的一段。

我们在上面已经知道，高尔基并非生在一个普罗列塔利亚或有革命意识的家庭。他在儿童时代所常亲近的外祖父及两个母舅，都是属于畏惧上帝及沙皇的中下等阶级中的手工业者；俄国的反动集团所谓“黑色百人团”，它的团员就是由这种阶级中招募得来的。他在儿童及青年时代所就过的形形色色的职业，其中的雇主以及同事们，也等于“华丽的市民”的一类。就是他在流浪时期所接近的漂泊者以及“曾经做过人的动物”，既不能算为普罗列塔利亚，也不能算是有革命性的。高尔基能加入普罗列塔利亚做一分子的资格，唯一的根据，只因为他在十几岁时候在喀山的糕饼店里做过学徒。其实他的这种资格，最近才由糕饼业工会加以正式的核准，送给他一张“名誉的糕饼匠”的卡片。

但是我们在上面也已经知道，高尔基从幼年起就是一个“叛徒”；他的一生的格言是“我到这世界上来，是来反对的”。环境不但不能使他屈服，反而激起他的愤恨和仇视。在俄国的惯例所认为对的种种习惯，如鞭挞妻子，狂饮纵欲，发誓，造谣毁谤，欺骗，无可享乐的恶习等等，在他都一概不承认是对的。他对于这些惯例都认为不正当，而且在沙皇的时候就实行反抗，往往因此激起前辈的狂怒，受着他们的鞭挞。他既反对这些惯例，所以对于凡是和“现状”不同或反抗“现状”的任何事物，都引起他的恳挚的同情；有了这种态度，当然要受着抱残守缺的顽固派的斥责和困窘。他在十二岁的时候，就很热切的偷听到别人耳语关于刺杀亚历山大第二的事情，自从这个时候以来，他就时时注意到秘密的革命运动。五年之后，他在喀山，对于这个重大的冒险事业的热心，已被“中央蜘蛛”所注目，从此以后，这个“中央蜘蛛”所放出的一根“看不见的线”，就无时无地不紧紧的跟在他的后面了。

到了一八九九年，高尔基三十一岁，他在文坛的胜利和声誉，已达到高度，警察署把他暂住在圣彼得堡的行踪也记录了下来，并记述他在当时是智识阶级的注意所集中的人物。警察总监公署因高尔基在政治的意义上一天一天的成为更重要的人物，很觉恐慌，尤其是在他的本乡尼斯尼诺伏格拉，在该处他被人视为革命的工人、学生，以及驱逐出境的政治犯的中心人物。据警察署所截取的由他的本乡寄出的信件，里面提到高尔基，都尊他为"青年俄国的政论家"，认为是"梦睡数百年后开始醒悟的自由的俄民之民治主义的代表人"，又认他为"时代——复兴的时代——的特征"。警察总监公署训令尼斯尼诺伏格拉的警察署，叫他们对于高尔基加以严厉的监视，尤其要注意监察他对于青年大学生们所发生的关系。在当时的俄国大学校，的确也值得当道的恐惧，因为大学校里常潜伏有革命的种子。当道对于大学生的管束，不可谓不严，强迫他们须穿制服，对于他们无论任何提案或组织，总是一概的禁止，因此反而激起他们的不满和怨恨，到了十九世纪的末了，形势一天一天的愈益紧张了。一八九七年，有一个大学女生名叫玛利亚（Maria Vetrova），被拘囚于彼得保罗炮台，在该处她在神秘的情况中自杀。当道对于她的死，严守了十六天的秘密，然后才通知她的家属，说她将火油倒在自己身上，把她自己烧死。大家都疑心这个女生的死是由于强奸和强暴而送命的，这件事变更为学生界愤怒的导火线。全俄国各处的高等学府都发生扰乱，到一八九九年，参加者有三十个大学，大学生人数已达二万五千人。大学校的当局又往往和政府当道狼狈为奸，因为这个缘故，每使原来仅属本地及学校本身的问题，竟扩大到很大的范围。各校的校长动辄招到警察和军队来校强迫上课，强行解散学生的开会。有的时候，高加索人充当的骑兵，竟来冲击正在聚会的成群学生，用镶有铁尖的皮鞭，对着手无寸铁的学生横施惨酷的乱打。大学校的当局和帝俄政府对付学生都用笨拙的严厉手段。政府甚至颁布命令，强迫闹事的学生当兵，这件事引起各方面的反对，就是军人方面也不赞成，因为他们也恨以军队作为责罚的制度。风潮愈趋尖锐化，学部大臣博古列朴夫（Bogolepov）被一个被开除的学生卡朴维区（Karpovich）所枪毙，不久之后便发生了著名的“喀山示威行动”的惨案，好几千的男女聚在圣彼得堡的喀山教堂门前，抗议当道“对于人权的蹂躏”。政府竟以强暴手段对付这班民众，由高加索人充当的骑兵直向人群中冲撞，不先用警告就对他们攻击。有许多名人都受了伤。于是“作家协会”乃送一负责签字的抗议书给内务部大臣，要求此案应由法院彻底根究。结果政府反出令解散这个协会，并将许多会员和学生由首都驱逐出去。

高尔基对于这种种暴行极端愤慨。他在一九〇一年写给莫斯科一班作者所组织的“星期三学会”里面的一位朋友特列雪夫（Teleshov），鼓动他们起来为被迫当兵的学生主持公道，并说好几个城市里都有了行动，叫他们赶紧起来尽力的干一下。这封信被警察截取了去。约在同一时候，他又写了一封信给布赖索夫（Valery Bryusov），他是莫斯科象征主义诗人的领袖，同时并担任著名杂志《北华》（*Severnyie Tsvety*）的主笔。高尔基在那封信里，说他此时的心境，好像是一只被鞭挞的上着铁链的狗，他觉得强迫学生当兵是一件蹂躏人权的大逆不道的行为，他简直愤慨得发狂了，对于什么东西什么人都恨极了，甚至对于班宁（Bunin，俄国的诗人和小说家）也恨，诚然他原是爱他的，但他不懂班宁为什么不利用他的天才，成为一把锐利的匕首，向着需要的方向戳去！

警察总监公署于一九〇一年二月得到报告，说高尔基到圣彼得堡来，专为参加“作者协会”所举行的农民解放四十周年纪念会。这报告里面说，他在这个纪念会的会场上以及闭会之后的举动，都是一种“革命的方式”。此外该公署并得到报告，说“喀山的示威行动”高尔基也曾经参加，“作者协会”的抗议书，他也曾经签过名。有一个人名叫葛立维区（Gurevich），虽为新闻记者，实为警察署的暗探，据他报告警察总监公署，高尔基曾经捐过两千卢布给“学生鼓动委员会”（Students'Agitation Committee），又捐过两千卢布给“劳动阶级解放斗争协会”（Fighting Union for the Liberation of the Working Class），这些捐款都是他由所著的小说里得到的酬报。又据这同一暗探所报告，高尔基参加了许多革命的组织，并用种种方法赞助这些组织的工作。

在一九〇一年的三月间（当时高尔基三十三岁），尼斯尼诺伏格拉的宪兵队长接到警察总监的一个电报，据说高尔基和他所保护的史吉特列资（Petrov-Skitalets）

在圣彼得堡弄到一架油印机，“意在用来印刷宣言发给索莫复（Sormovo）的工人”（按索莫复是尼斯尼诺伏格拉的一个工业区）。这个电报里并说明装置这件犯法的东西的箱子的尺寸，以及这个箱子寄到时所要交给的药房的地址。这个宪兵队长受命严密注意这个油印机的运到，并拘捕高尔基、史吉特列资，以及印刷宣言的工人。不知道是有人和警察总监开玩笑呢，还是这个消息早已泄漏了出来，无论如何，尼斯尼诺伏格拉的宪兵虽于接到这个电报之后，大忙特忙，对于所有进口的货物，都作极苛细的检查，最后仍不得不呈报，说查不着上面所说的那个箱子。可是那个箱子虽没有踪迹，高尔基于当年四月回到尼斯尼诺伏格拉，却为着这个无从查着的油印机问题，连同一群“从犯”，被当道所拘捕。他此次被捕，被当道控他的政治的罪名颇多。在这许多罪名里面，提起他是《对于喀山示威惨案官方报告的驳斥》一文的著者；说他在本乡曾经利用李温（Lieven）死后的周年纪念日，企图组织反政府的示威行动（按所谓李温，是莫斯科大学里一个尼斯尼诺伏格拉的学生，在监狱里自焚而死）；又说他在伏尔加河里布置舟上会议，讨论有煽动性质的问题；又说他曾经筹划于秘密中编行一种杂志，登载有煽动性质的文字。这种种罪名，大概都是确实的。关于《对于喀山示威惨案官方报告的驳斥》一文，确是出于他的手笔，里面有这样坚决的话："我们都是亲眼目睹喀山教堂门前警察的残酷举动的人，特在此郑重宣言，官方对于三月四日民众及大学生行为的报告，是有意的撒谎，是用巧言花语把真的事实歪曲着，失却实际的真相。"关于油印机的事件，也不是无中生有。据最近考据所得，高尔基确买了这样的一个油印机，由一位可靠的人偷运进尼斯尼诺伏格拉，印刷革命运动的宣言，和他自己的未经当局检查的文字。除这个油印机外，不久之后，高尔基还替尼斯尼诺伏格拉的社会民主党人买到一部真的印刷机，就放在一个官办的酒店里面。这个酒店的店主是政府所派的，名叫勒柏得夫（Lebedev），他原来也是一个社会民主党的党员。刚在警察跑来检查之前，店里忽然发生一件劫案，劫案发生之后，勒柏得夫和印刷机都不见了。

高尔基对于革命的积极同情的态度，不但有许多秘密的行动为佐证，就是在他所著的合法的公开的作品里面，也有不少煽动革命性质的材料，成为当时统治者所畏惧的敌人。在他的著作里面，有许多短句和片段的文字，都普遍的被人引来作为斗争的口号，普遍的传播起来。例如他所著的《鹰之歌》里面的警句“我们唱着歌，赞美傻子的勇敢”，或“在傻子的勇敢里是人生的智慧”等语，都是传诵一时的兴奋语。在他被捕的时候，他所著的暗示着革命斗争的《暴风雨中海燕之歌》正在《生活》报上登载着，不久这篇歌词又为全俄所传诵，在人人的口头上唱着，《生活》报因此被当道禁止发行，其伟大的力量可以想见。他用寓言宣传革命，简直好像即在检查员的面前传递“危险思想”！这在当道看起来，无异小学生们当着他们的教师做鬼脸！可是高尔基之倾向于革命，虽极明显，当道要抑制这样的一个劲敌的欲望，也极殷切，却总抓不着具体的实据，作为把他定罪的借口。固然，当时俄国的统治者对于冒犯他们的人，整千的充军的充军，拘囚的拘囚，横行无忌，无须经过什么法庭的审判手续，假使高尔基不是一个过于负重望的人物，使他们难于措手，那他们也要无须踌躇的用同样的辣手段来对付他了。此时全国人都感觉得高尔基的生命和自由是极可珍贵的，都极力想法卫护他，他此次之被捕，就是在有势力的一般人看来，也为之震动。据警察总监公署的报告所述，当时为李温自杀周年的纪念会并未开成，因为在开会的前夕，尼斯尼诺伏格拉的公民特与省长商洽，临时开会议决将此举取消。他们的主要动机是鉴于高尔基对于此事的关联太密切，如果一定要举行的话，恐怕和他的生命有危险。警察方面也知道他们虽然日夜监视高尔基的住宅左右，虽有侦探暗随着他的一切宾客，他们在他的住宅门前仍不能寻着一个重要的政治犯：因为各种革命的党都很谨慎的不使高尔基受着他们的牵累。此外还有私人替他营救的，托尔斯泰在他未被捕前曾见过他，此时也替他写信给奥登柏斯基亲王（Prince Oldenburgsky）及内政部的麦斯基亲王（Prince Suyatopolk-Mirsky）说项。托尔斯泰写给奥登柏斯基亲王信的内容如下：

亲王殿下：作家高尔基（他的真姓名是阿勒赛·皮西科夫），我和你在去年曾经谈起过，他的作品你尤其喜欢看，现在却陷于可怖的境地了：他被当道强使和家属分离，强使他和即将分娩的夫人分离，不经过法庭的审判，就被禁在尼斯尼诺伏格拉的牢狱里，牢狱里不合卫生的情况是很可恐怖的，尤其是像他这样患有肺痨病的人。

他的夫人和朋友们知道我爱他的为人和他的作家的天才，叫我尽力帮助他们。我现在特来请求你，希望你肯尽力拯救他和他的家属，使他们得脱离这样可怖的境遇。我深信你不致避却这个行善的机会。敬对你致无限的敬意和忠诚。

托尔斯泰

当道对于拘在狱里的高尔基，不得不与以优待，但最先他仍尝着官僚式的俄国的小小的专横滋味。例如关于外面寄给他的信件，不是送得迟延，便是索性不为送到。有一个名叫罗德（T. Rode）的由柏林寄给他一信，愿把他在俄国被检查员禁止刊印的作品，拿到国外来印行，这封信他就未曾收到。又纽约公共图书馆的俄文部主任露生索（Herman Rosenthal）也有一信给他，告诉他他所著的《歌尔狄叶夫》（Foma Gordeyev）很得到美国群众的欢迎，这封信他也未曾收到。高尔基不得不写张条子向狱吏提出抗议。除了这个抗议之外，他在狱里的行为倒也和和平平的。几年以后，有尼斯尼诺伏格拉的革命青年也被关入这个监狱里面去，咆哮喧闹，不服劝告，白发的老狱吏往往用着一种有效的说法训戒着说道："你真不怕难为情！高尔基先生也曾经住过这个堡垒——却不像你一样，却像一个作家！讲到政治犯，他当然比你重要得多了！这是我所敢断言的。哼！你！"这些青年犯人听了也就平静下来。

狱医接受高尔基夫人的请求，替高尔基诊了病，宣布他的病状还算好。其实依这个狱医的报告，简直暗示监狱的管理对于高尔基的健康只有良好的影响。高尔基夫人不肯罢休，向检察官请求重验。此时警察总监公署大概因为托尔斯泰的说情已到的缘故，便准许了她的请求，于是派了七个医生组成的委员会，到监狱里重验高尔基的身体，结果报告说他的肺部极弱。因此把他释放了出来，惟仍受"特殊的监视"。关于此事，高尔基写给托尔斯泰的谢信里，也曾有说及，兹撮译其内容如下：

多谢你替我说情。我已从监狱里释放了出来，受着“家内拘禁”，这从我的妻子即须分娩上看来，未尝不是一件好事情。我在狱里仅有一个月，我想对于我的健康尚未有什么损害。这件事对于我妻的健康也没有多大的影响，所以可以说大家都好。关于此事的审查，还未完毕，但是就我个人而论，大概没有什么大不了的结果；他们大概要把我从尼斯尼诺伏格拉驱逐出去，并使我受警察的监视。

我要重申我对于你的谢意！我累你牵入这个漩涡，很觉得不安……受“家内拘禁”，真是一件异常滑稽的事情！在我家的厨房里有一个警察，在甬道里又有一个警察，在门前街道上又有一个警察。就是这几位警察，他们看到自己所监视的人，不但不想逃走，而且也不愿离开，也不禁觉得好笑……

果然，他出狱之后，当道不愿意他仍住在尼斯尼诺伏格拉，于是把他由该处放逐到附近的一个小镇名叫阿萨玛斯（Arzamas）的里面去，因为这个小镇地方小，易于监视高尔基和来访问他的人。同时本地省长呈报内务部，说“禁止皮西科夫在尼斯尼诺伏格拉居住，是绝对需要的，因为他在该处对于工人所有的势力，很容易作某种方式的表现，很有妨碍于公共的安宁和秩序”。

高尔基很泰然的接受当局的放逐。阿萨玛斯是个安静而偏僻的地方，高尔基反可利用这个机会多写些作品。他除埋头于著述外，有时还享受几个朋友如安得列夫等以及几个凤毛麟角似的本地人物的访问，他们不管那些怒目注视的警察，仍冒险来看他。此时高尔基写给丹诚谷（Nevirovich-Danchenko）一封信里，曾经说起：“他们派定了几个侦探来监视我。他们里面有几个还不算坏；他们来和我谈天。别的几个，就在几个窗前踱来踱去。我对于他们里面的一个遥喊着问道：‘你是个侦探吗？’他回答道：‘不是。’我再喊道：‘你撒谎。你是个侦探。’他再否认道：‘不是，敢质上帝，我不是。’我问道：‘你对这个职务做了好久吗？’他回答道：‘不怎么久。’”

当时高尔基的健康状态，却一天一天很明显的恶劣起来，他呈请内务部准许他到克里米亚去暂住，以资疗养。一九〇一年十一月，他得到允许，可往克里米亚住到第二年的四月为止，惟不准在雅尔他（Yalta）勾留，大概因为该处地点居中心地位，而且接近皇族的夏季别墅。

高尔基和尼斯尼诺伏格拉的告别，被他的本地的崇拜者利用为宣传政治的机会。在和他作饯行的席上，有许多人大作激昂慷慨的革命演说，最后殿以革命歌。在他乘火车离开尼斯尼诺伏格拉的那一天，有数百人聚集在火车站上，高呼欢送，高唱犯禁的歌，并于秘密中分散小册子，在里面把高尔基称为“傻子的勇敢”的保护者。警察总监公署的报告，对于此事有详细的叙述，详载当时群众的行为，所唱的歌，所呼的口号，在离开车站之后，在大街中继续唱歌高呼，和所经的道路等等。据这个报告所述，高尔基曾经几次立在火车的踏板上，恳求群众不要继续的唱，他说他不预料有这样的送别，并说这样的示威行为对于示威者恐有不利的结果，倘因他的缘故而使他们遭殃，这在他是很大的苦痛，最后并说所唱的歌徒然使他悲哀。群众对于他这番话的回答是大喊“高尔基万岁”。当时俄国的青年一代，觉得说起高尔基就能激动人们对于反抗现状的热诚，所以就把他的名字用作革命的象征。他们对于此事的热烈和有意扩大的倾向，只要看他们在莫斯科火车上示威的前一天所散布的宣言，就可见一斑，兹将该宣言译述如下：

明天早晨，即十一月八日，在八点钟到的火车上，高尔基将于赴克里米亚的途中经过莫斯科。他是由尼斯尼被当道驱逐出来的，那就是说，他是被当道用擅专和违法的手段驱逐出来的。尼斯尼的全体人民对于用这样横暴手段来虐待我们所挚爱的诗人，为自由而奋斗的“傻子的勇敢”之歌唱者，无不悲愤填膺……明天，我们准备同到车站，为送他而作示威运动，各界都参加，表示对当道一致的抗议。我们不能预料这个示威运动的最后结果怎样；也许他们要摧残我们，但是我们要牢守该处至最后一人。我们现在请求莫斯科的大学青年和莫斯科的全体社会参加我们的抗议，并扩大这个运动，凡高尔基经过的城市，都举行相类的示威运动。他现在是要途经卡科夫（Kharkov）而到克里米亚去。我们希望这位人类自由的奋斗者在沿路上所经的是克服者的胜利的进程；我们希望社会能起来对政府的横暴作勇敢的公开的抗议。我们希望有思想的俄国能表示它的智识及能力的程度已进步到能为它自己争权利，不怕暴力，奋起斗争。同志们，向前进吧！一个强烈的黑暗的势力和我们反抗，但是自由和新生命的曙光已在升起了！

高尔基由尼斯尼诺伏格拉暂时移居克里米亚，是由于他自己的请求，这是我们在上面所知道的事实。但是事实怎样，在当时一般革命青年倒认为是不重要的，只要他们一方面可以利用这件移居的事来作为政府专横的符号，在别一方面，可以利用来唤起公共的意识，就这样的干去。但是当时的政府却不让高尔基此次在沿路所经的是“胜利的进程”。尤其是莫斯科，对于这种公共的示威运动是决定要压制的。当时这个旧都是在塞尔基大公爵（Grand Duke Sergey）的掌握中；他是沙皇的一位叔叔，也许可算是该族中最专制最横暴的一个脚色。他始终坚决反对宽大的改良政策，力劝他的侄子专制到底。他并得警察长杜勒博夫（Trepov）的协助，实行他的强压政策。

据警察总监公署的记录所载，莫斯科艺术剧院曾呈请总督，要求准允高尔基得于赴克里米亚的途中，在莫斯科勾留三四天，以便改换他所著的喜剧的第四幕。此处所指的喜剧，显然是指他刚写完寄给丹诚谷的《华丽的市民》一本戏剧。这个呈请当然是不准的。而且警察长杜勒博夫很巧妙的阻止为尊崇高尔基所要举行的示威运动，并在他呈报给警察总监公署一文内，关于他所用的方法，有很详细的洋洋得意的叙述。他的这个报告劈头就这样说：

> 尼斯尼诺伏格拉的洗染业公会会员阿勒赛·皮西科夫（即高尔基）屡次犯罪控诉有案，

原没有勾留本城的权利，况且据所得报告，已有煽动者在十一月七日傍晚又约得三百人左右，答应于十一月八日高尔基一到莫斯科车站时，即行参加示威运动……

至于杜勒博夫用来压制示威运动的办法，现在简单的叙述如下：他先下令，叫铁道当局于高尔基和他的家属所乘的那辆火车离开莫斯科还有两哩的时候，就把那辆车子由全列车上分开；然后使他们移乘附在一列货车后的客车，开到离莫斯科颇远的一个车站（普多尔斯克 Podolsk 车站）再由该处换车，向南开到卡科夫。高尔基的夫人被准许在莫斯科勾留数小时，替她的丈夫料理些事情。据杜勒博夫的报告，约有五百人，大多数是学生，曾聚集在莫斯科车站上，在到站的旅客堆里寻觅高尔基，一无所得，空寻了一顿。主持情报处事务的雪科维斯柯公主（Princess Shalchovskoy）通告这班群众，说高尔基早在莫斯科第二车站上分车了；他们听了之后，即往该处聚集，但是到后才知道高尔基已离开该处向普多尔斯克去了。他们除了纷纷散去之后，没有别的事情可以做了，杜勒博夫在报告里说到此处，大有“嘲笑的同情”的口气。他在报告里并说起有几个作家由莫斯科赶到普多尔斯克去和高尔基握别。高尔基在该站的小小的女客招待室，看见有一大队朋友进来看他，喜出望外。当时他一到该站，就被关在这个女客招待室里，踱来踱去，“好像铁笼里的一只猛兽”。

杜勒博夫还打电报，把高尔基的行踪通知沿路各省的省长，使他们也能在事前布置，压制为尊崇高尔基的示威运动之实行。据卡科夫的宪兵队长呈送给警察总监公署的报告，有三百个学生聚集起来，要想在该站欢迎高尔基；但因为他们不被准许进到车站里面去，所以只得退到附近的铁道桥上等候火车开到。等到火车到的时候，他们大唱其歌，大呼其口号，但因为火车引擎上的吹笛吹得震天价响，把他们的歌声口号声都湮没在里面了。卡科夫的省长在他的报告里，对于压制得胜的结果，尤觉喜气洋溢，得意已极，他并说起在铁道桥上的群众为火车上的引擎放出大量的蒸汽所轰击，都被迫纷纷逃散。当时两方面竟像彼此互寻开心，但彼此却板着面孔干，看得很严重似的。关于此次的情形，高尔基写给波士的一封信里也曾经提起，里面有这样的一段：

> 到了卡科夫的时候，他们命令我须留在车内，但我却走出去看看，看见这个车站是很荒僻的，只有一群警察。在车站的外面，却聚集一大堆学生和其他的人，被警察拦住，不许前进。我听见他们的高呼声和喧闹声，并看见其中有人被捕。既而火车开行了。当时正在夜里的一点钟；一个漆黑的夜里。裴尼资基（Pyatnitsky）和我都立在车站的月台上，偶然听见在漆黑中我们的头上有强烈的示威的呼喊。似乎铁道的桥上已聚满了人……

经过相类的几次示威之后，高尔基最后到了充满阳光的克里米亚，他在该处住了几个月，和托尔斯泰、柴霍甫，以及其他住得起该处的几个作家往来。在这几个月来，他总算得到一种安静的休养，除开两件事，一件是“看不见的线”对于他的永不放松的监视，还有一件是俄国皇家学院取消他的名誉会员资格的笑话。

一九〇二年的二月底，他接到了一封信，上面是写给“皇家学院名誉会员阿勒赛·皮西科夫”。这封信原来是皇家学院俄国文学部主任弗塞洛夫斯基（A.Veselovsky）正式通告高尔基被选任名誉会员的事情，里面这样说：“我对于你的工作的至诚同情，鼓励我推荐你备选俄国最老的文学学会的会员，在这会员里面，我们曾经有过古阁尔和普希金，在现在，我们很可自豪的有托尔斯泰在内……”高尔基以一个漂泊者和码头脚夫，一跃而登俄国文坛的极峰，这已是一件令人惊异的事情，现在于他的第一卷小说集出版未到四年，以一个平民出身，而且在文字上及行动上都是一个叛徒的高尔基，居然被选进皇家学院做一个名誉会员，而当时这个皇家的机关又是由康斯坦丁大公爵（Grand Duke Constantine）担任院长，这更是一件令人诧异的事情，有的人听了简直以为是神话，还有人听了直嗤为梦呓。麦撒斯基亲王（Prince Meshchersky）在他所办的周刊上把此事视为“可怖的”新闻，说这个“可怖的”新闻“使得他的眼睛模糊”。这便表示一般贵族阶级对于此事的反响。

这个“神话”——或“梦呓”——果然不能持久。在高尔基被选两星期之后，俄国的政府机关报上面就登有下面的消息：“前次皇家学院会员开会议决选任高尔基为名誉会员时，对于某种特殊情形不甚明了，现在既知高尔基依刑法一〇三五条尚在被控中，选他为名誉会员的议案已被宣告无效了。”在克里米亚养病的高尔基，随即接到克里米亚代理省长的一封“秘密的”信，请求他体谅皇家学院的意思，把被选通告书缴还。高尔基用很严正的口吻回答这位代理省长，说他所得的通告既是直接受自皇家学院，必须由皇家学院直接来信请求，并须说明这种请求的明确的合法的动机，他才能把这个通告缴还。这个通告终为高尔基所保存，二十五年后才把它公布出来。这出活剧便就此告一段落，不过在当时报纸上却继续批评当道的笨拙，有些机关报并嘲笑高尔基的失意——说什么“学院的流产”哪，又是什么“两星期的皇家学院名誉会员”哪，冷嘲热讽，无所不至。

柴霍甫为着此事大抱不平，他原来也是皇家学院的名誉会员，竟愤然向该院辞却不干。他当时写了一封这样的信给该院院长康斯坦丁大公爵：

大公爵殿下：去年十二月我接到本院通告，知道皮西科夫被选为名誉会员。当时高尔基在克里米亚，我得到这个消息之后，就去访他，把这个消息告诉他并对他道贺的，我是第一人。不久以后，我竟在报上看到因为皮西科夫依刑法第一〇三五条尚待审问，他的被选举竟被取消了。这个被选的通告是由皇家学院发出，这是很明确的说明了的；我既是本院的一个名誉会员，这个通告也可以说是有一部分是自我发出的。这样说来，对他道贺的是我，宣布他的被选无效的也是我——这样的矛盾是出于我的了解之外的，我自问良心，无以自解。我又翻阅刑法第一〇三五条（编者按，这条是关于政治犯的罪名），也莫名其妙。经过好久时间的考虑，我只能得到一个解决的办法，这办法在我是觉得极端的烦恼和悲痛的，那就是呈请殿下把我的名誉会员资格取消。

柯洛伦科也为着此事，特向皇家学院辞去名誉会员，他写了一封长信给弗塞洛夫斯基（该院的文学部主任），说明他的理由，现撮述一部分如下：

去年我承本院延请参加文学部的选举；遵命到会，并偕同别位会员，投票赞成皮西科夫（高尔基）被选。据我所知道，他确已获选，并接到向例所有的通告。后来竟看到皇家学院的布告……说当我们投票的时候，不知道依刑法第一〇三五条他还须受审，现在既经知道了，所以宣布这个被选无效。

我既参加过此次的选举，后来就是要取消，似乎我也该有权利被请来讨论这个问题，假使这件取消的事情是用本院的名义来执行的话。这样我便可以有机会执行我的不得被侵犯的权利，对于这个问题表示我的特殊意见；因为当我投票选举皮西科夫的时候，我不知道他为着政治的事情尚待审问（这是许多人所知道的），而且我以为就是有这种情形也不能阻碍他的被选。

我的意见也许是错误的，但是我现在仍要

> 这样的主张：本学院所当考虑的只是候选人关于文学方面的成绩，至于不相干的机关所秘密调查的情形，尽可不理。否则本学院选举的本质已被破坏，而选举也失却一切的价值了……

这出活剧的内幕，最近因为苏维埃把从前秘密警察的文件刊布，才知道其所以然。高尔基当时获选后的第四日，警察总监公署的案卷里就有关于这个消息的剪报贴上，并加有附注说道："此人正在被控中，所控罪名是在工人里面做革命的宣传工作，此人正由警察加以严厉的监视。有人抑制他，也有人捧他。"警察总监即根据这个态度呈报内务部大臣，又由内务部大臣将皇家学院的举动和关于高尔基的记录奏报沙皇。尼哥拉第二对于当时的俄国文学毫无所知，只觉得区区一个尼斯尼诺伏格拉的染洗业公会会员，而又犯有革命的倾向和活动的控案，竟被选入堂堂皇皇的皇家学院，真是荒谬绝伦的事情！他就在内务部大臣的奏本上批着"荒谬之至！"这个"议决案"立刻发生效力，学部大臣范诺夫斯基将军（General Vannavsky）立即写封信给皇家学院院长康斯坦丁大公爵，传达圣旨，把高尔基的名誉会员资格取消。直到了一九一七年，在三月革命不久以后，这个学院才通过了一个议案，说该院在实际上并未将高尔基除名，所以他仍然是该院的一个会员，凡遇有开会的通告，也应该给他一份。其实当时俄国当道对付高尔基的笨拙手段，不但于高尔基无所损，反而增加他的声望和民众对于他的敬爱。当时俄国当道对于高尔基的声望日隆，感到异常的难于对付，下面的一件事便足为佐证。高尔基曾应柴霍甫和莫斯科艺术剧院的殷勤请求，写了他的处女作剧本《华丽的市民》，将付表演，当道便大为惊慌。一九〇二年三月十二日，即高尔基的被选宣告无效的后一日，内务部副大臣特为此事召集学部副大臣及警察副总监等开会讨论。结果因内务部大臣恐怕表演这个剧本时，观众要乘这机会对于康斯坦丁大公爵的专擅行为表示抗议，所以出令禁演。该剧院经理丹诚谷尽力和内务部交涉，他的理由是关于表演各剧的座位已被预定，倘将此剧抽去，等于违背合同。除此法律的观点外，他还与内务部副大臣麦斯基亲王（Prince Svyatopolk-Mirsky）作恳切的谈话。幸亏麦斯基在当时的俄国官僚中算是特别开明和宽大的人物，谈话完毕之后，他答应代向内务部大臣说项。结果准许先作试演，由各大臣，他们的夫人，和他们的亲友等先看看如何再说。试演的结果，很使他们感觉兴趣，尤其是讲究交际的太太们。于是这个剧本便被正式准许开演了，但是丹诚谷于千辛万苦弄得开演之后，困难的事情仍未终了，他又和警察发生了冲突。原来圣彼得堡的提督克雷基尔将军（General Kleigel）出了命令，叫武装的警察在该剧院的门口收票，除有预定座位的人，一概不准进去（据丹诚谷承认，每次表演，确有五百人左右未预定座位而临时加入的）。观众看见这些雄纠纠的“法老”，都感觉得恐慌，丹诚谷看形势不对，就叫这班警察出院。此事非同小可，简直是和炙手可热的克雷基尔将军对抗了。丹诚谷被这位怒气冲天的将军召去说明理由，结果仍由警察收票，不过改穿常服，以免引起误会。据丹诚谷说，当时观众也体谅该院经理的困难，没有引起纠纷和使他难堪的示威举动。

一九〇二年四月，高尔基被准许居住克里米亚的时期已满，被迫迁回阿萨玛斯的小镇中去。丹诚谷不得不到那个偏僻的地方，去和高尔基商量关于他在监禁中所写成的剧本《下层》怎样在莫斯科艺术剧院里表演。当年十二月，此剧表演的结果，获得观众热烈的欢迎，结果很好。第二年二月间，当局禁止此剧在任何皇家剧院及各省表演。其实这个剧本的内容，就是当局也寻不出有什么在政治上或道德上犯禁的东西，他们所唯一畏惧的是高尔基的革命的人格，和这种人格对于民众的力量，至于他的作品的内容究竟怎样，反而不是他们所注意的。当时俄国的读者和观众，对于高尔基的作品，往往能于字里行间看出著者自己所梦想不到和检查员的锐眼所看不出的东西。这个剧本正在表演的时候，刚巧高尔基为着这个剧本受到俄国一种最荣誉的文学奖金（格立鲍叶笃夫文学奖金 Griboyedov Prize），在几个月前，他也曾经为着《华丽的市民》剧本，受过这同样的奖金。

无疑的，此时的高尔基已成为革命的俄国和顽旧的俄国斗争的标志。革命的运动显然的费了高尔基的许多精力和时间，他所得的报酬便是有了出路“公式”的安慰，有了努力的目标的安慰。他对于这个“公式”，渐渐的愈有了彻底的研究，在他的言论上或作品里也愈有了明确的表现。

第十九章　红星期日

在叙述和高尔基很有关系的一九〇五年一月二十二日发生的惨案之前——即所谓“红星期日”的一件惨案——请先略述一九〇四年到一九〇五年间的俄帝国的大势。俄帝国因欲在各帝国舞台中争一席地，不得不鼓励资本和工业，但因过分勉强的扩充，和国内落后的情况不能作相当比例的推进，反使占全国人口五分之四的农民大受其苦。受政府鼓励而发达的新兴工业，不久即因缺乏市场而日陷困境。占全国大部分人口的农民因苛捐而赤贫，又因所分土地的不敷和耕种方法的窳陋，对于高价的商品当然缺乏购买力，工业便没有出路。依逻辑的步骤，其势只有改进一般人民的经济的和文化的地位，但是受过教育的人民却是推翻专制政治的催命符。于是俄帝国政府乃选择一条似乎比较容易的路走，那就是对中亚和远东开拓领土，掠夺新市场，以作推销商品的尾闾。在一个很长的时期内，这个政策居然一帆风顺的向前做去：俄国的边疆很令人惊异的接近了英国的印度，俄国的太平洋沿岸也更往南开展。到一九〇三年的末了，俄国的势力已蔓延于南北满洲，由尼哥拉第二亲身的指挥，竟向朝鲜侵略。日本视满洲为它的势力范围，看见俄国这样愈逼愈紧的侵略，当然引起愤恨，但俄国却不把日本放在眼里，不以为意。后来日本因不能再忍受俄国的拖延和傲慢，开始战争，此时俄国朝廷无不冷笑小岛国之太不自量。陆军部大臣库洛勃钦（Kuropatkin）就说此次的战事不过是“军事的游行”罢了，其轻敌的气概可见一斑。在俄国的国土开拓者看来，简直把此次的战事视为进一步侵略的机会，想到所想像的未来的结果，简直垂涎三尺！只有财政部大臣威特（Witte）为此事担心，但是和他的悲观相抗的势力，却有内务部大臣普列夫（Plehve）对于沙皇黩武主义的热烈拥护，他以为这是一个好机会，利用国民对于对外作战的爱国心的狂潮，消灭反抗政府的行动，专制政治可由此获得新的胜利——他把此次战事的胜利必归俄国，视为一件不成问题的事情。

此次战事却是俄帝国的试金石。战事的结果，暴露了俄帝国的民政和军政当局的无用、腐败和落伍；很明显的表示给世界看，专制政治的俄国原来是一只纸老虎。日本在陆上和海上都得了胜利，俄国最后在事实上的损失是全部的舰队，数万的生命，南满铁路，旅顺和大连，萨克赫林（Sakhalin，亚洲鄂霍次克海中的一岛）的南半部，以及在亚洲欧洲的威望。在国内，因此次惨败而愈益增剧的艰难困苦，使全国团结起来反抗愚蠢无用的统治。在一九〇四和一九〇五的两年间，俄国无时不在扰乱中，各处工人的罢工，海陆军的哗变，农民的暴动，专业者的纷纷会议，形形色色的党派团体，都蓬蓬勃勃的起来，一致的要求专制政治非去不可，必须代以立宪的政府。

各种革命的政党都一日千里的向前发展，尤其是社会革命党，该党的斗争的组织，执行了许多恐怖的举动，在他们所杀戮的人物里面，一时炙手可热的普列夫（内务部大臣）和塞尔基（莫斯科总督）也在内。这个运动到一九〇五年的十月，达到了最高峰，空前大规模的全体罢工发生，强迫尼哥拉第二不得不下诏允许立宪的民权自由。

所谓“红星期日”的惨案，就发生于这段虽短而却多事的时期里面的一九〇五年一月二十二日，发生的地点在圣彼得堡，和高尔基发生了很厉害的牵连。在那一天，有一大队工人打算步行到冬宫，把请求宣布立宪的呈文递给沙皇。这些工人并不属于任何革命的政党；说也奇怪，恰恰相反，他们原来是由警察总监公署特派劣迹昭著的萨伯托夫（Zubatov）出来组织，目的是要利用来反抗革命的趋势的。萨伯托夫曾在俄国各处做过试验，他所试验的计划是鼓励工人有经济的组织，然后利用这种工人的经济组织来反抗政治的集团。差不多没有一次他不失败，因为要强把经济的要求和政治的要求分开，这个界线是很模糊的，一遇着现实的状况，这个界线就要消灭的。这次在圣彼得堡的试验，便是做法自毙的一个显例。这个组织的领袖是一个忠心的牧师，名叫葛朋（Georgg Gapon），他是很热诚的忠心的依照萨伯托夫的计划干去的。到了一九〇五年的一月，葛朋和他的一班工人都有了觉悟，觉得俄国在经济上及军事上的惨败是由于同一的恶因所造成——都是由于专制政治和它的无用的腐化的种种机关。于是在一月十六日，有一个兵工厂罢工，罢工风潮传播得很快，罢工者共递一个呈文给沙皇，措辞直率而委婉，申述他们生计的困苦，请他准许由全国各阶级选出议会。他们在这个呈文里，并请求沙皇设法救济一般人民的贫穷、无知，以及在法律上所缺乏的能力，并请禁止资方对于劳方的压迫。该呈文的结句有这样的很激昂的几句话：“我们只有两条路可走：要么走向自由和愉快，要么走向我们的坟墓。”

当时当局曾经得到通告，说明一大队工人要集队往冬宫去，目的是要把请愿的呈文递给沙皇。在当局方面也没有出令不准这队工人出行。在一月廿二日的这个星期日，便有整千的工人，带着他的妻子小孩等，持着十字架、圣像、沙皇和皇后的画像，由京城的各处，同向着冬宫列队进发。这些一群一群的人民，都是手无寸铁的崇拜沙皇的百姓，不料当大队向前进行时，当道竟以枪林弹雨来对付，终于达到宫前广场上的人已很少了，即此少数人到了的时候，当道竟仍用同样的残酷手段对付。圣彼得堡道路上的白雪，已被沙皇的忠诚的人民的血溅得殷红了，这殷红的血使一般人民醒悟，使他们深切的感到信任沙皇是他们的愚蠢；从此以后，俄国的普罗列塔利亚不再存此幻想了。此时的当道，对于十二年后大获胜利的无产阶级的革命化，实有促成的大功绩！

高尔基到圣彼得堡，是在这个惨酷的星期日的前三天。他到该处的使命，在他所起草的那篇宣言里，已说得很明显。他在惨案发生后的第二天被捕入狱，他起草了这个宣言，也是一个原因。这篇宣言是于急促中草草写成的，劈头就说：

我们，在本宣言上签名的同人，认为依我们道德上的责任，不得不把下面的事实，宣告俄国国民及西方各国的舆论界：

我们知道圣彼得堡的工人已决定于一月廿二日集队往冬宫去，目的是在谒见沙皇，呈递改造政治的计划书。

我们又知道这些工人不过是作和平的请愿表示，并不含有革命的色彩；他们仍信仰沙皇的权力，希望他能对于他们有信任心，赐予接见，并静听他们的恳求。

因此我们特于一月廿一日的晚间往访内务部大臣，为避免流血惨案起见，请他下令禁止军队于第二日在街上布防，并容许工人对于他们的沙皇自由谈话。

我们为着这个目的去谒见内务部大臣，不料到内务部的时候，该部中人说内务大臣不在里面，叫我们去见副大臣黎得索夫斯基（M. Rydzovsky）。黎氏起先也拒绝进谒，后来才允准我们见他。听完我们的请求之后，他说这件事和他无涉，表示很淡漠的耸耸肩走了。

随后我们往见国务总理大臣威特（S. J. Witte），把同样的意思向他请求；那就是下面的几层意思：必须把工人的和平的心意，告诉沙皇及内务部大臣，使他们明白真相；应该容许工人把他们对于改造国事的计划书呈递沙皇；军队和警察不可干涉工人面谒皇帝，否则我们深信流血惨剧是无法避免的，而且深信这样的结果必将酿成报复的自然心理——那就是要激起工人方面的恐怖行动，使该项行动有广播的倾向。

威特回答我们，说麦斯基（内务大臣）和柯可夫哲夫（Kokovtsev 财政大臣）对于国事的报告，比我们所知道的更为准确，而且依他的意见，皇帝一定也已得到关于工人意旨的报告，最后他说他没有力量对我们有所协助。

我们请他代向麦斯基接洽，可否允许我们和他晤谈一次，这个请求威特答应了，他就当着我们面前用电话和麦斯基商量，说有一群作家和科学家的代表要去见他，意在讨论一月廿二日也许会有的流血事件，并讨论如何阻止这种不幸事件发生的计划，能否准许接见。麦斯基的回音是不肯接见我们。

这个宣言接下去就叙述当惨案发生的那一天，他们（即在宣言书上签名的同人）所目击的惨酷情形，最后有下面这样很严重的结束：

我们觉得不得不向全俄国及西方各国舆论界作如下的宣言：

（一）我们曾经警告内务大臣麦斯基，对他说明工人的和平的用意和镇静的心理，工人对于他们所欲进谒的沙皇具有完全的信任心；

（二）我们曾经请求内务大臣勿任军队到街道上去；

（三）我们曾经说明须使沙皇明白此事的真相，并使他知道必须容许工人到宫里去，并倾听他们的请求；

（四）工人的行为实在很和平，并未向军队有挑衅的举动；

（五）军队的指挥官并未预先发出警告叫群众分散，即下令对人民开枪射击。

这样对付工人的队伍，我们依良心上说，除认为是有计划的预先布置的残杀行为，没有别的名称；因此我们，在本宣言书上签名的同人，要在全俄国的国民和西方各国舆论界之前，宣布内务大臣麦斯基的有意的，无故的，无人心的残杀俄国群众的罪状。

又因为尼哥拉第二也曾于事前得到通知，明知无辜被军队残杀的人民的和平用意，乃于明知真相之后，仍纵任军队之残杀，我们也要宣布他残杀和平无辜的人民的罪状。

同时我们还要宣言，这种暴行不得再被容忍的了，我们愿唤起俄国的全体人民，用迅速的手段，坚毅的精神，团结起来奋斗，一致反对专制政治。

当道探悉这个宣言是出于高尔基的手笔，于是于一月廿四日在里加城（Riga）把他拘捕，第二日关在彼得保罗炮台。当时高尔基被加以几项严重的政治罪名。警察公署有意罗织，对政府当局报告，说高尔基所参加的那个代表团是个“临时政府”，在“红星期日”的前夕就开始施行职权，后来并多方煽动全俄武装暴动，甚至纷派代表到国外进行勾结。高尔基的罪名，除了参加这个“临时政府”之外，还被控在“红星期日”及在此日之后，曾在圣彼得堡的各种会议中作煽动的演说；又被控偕同四百五十六人签字于一个宣言书上，这宣言书就在“红星期日”的晚间在自由经济学社的会议席上散发。这宣言书的末了是鼓动军官们“脱去他们的制服放下他们的军器”。

关在炮台里的高尔基曾经被检察官提审过三次，每次的供词都有详细的记录，至今还保存在俄国警察公署的档案中。他当然不能把全部分的真实，都告诉他的拘捕者，但是有许多答语却是很明了而直率的。他承认，对俄国全体国民及西方各国舆论界的宣言，确是他一人所作的；并承认他的原意是要送一份给麦斯基，并把这宣言送登圣彼得堡的报纸上。他也承认，要推代表团去谒见内务大臣的意思，也是他所发起的。检察官问到他为什么在惨案发生的第二日就离开圣彼得堡到里加去，他用来解释的理由，说是因为他当时刚知道“他的亲密的女亲戚玛利亚生了严重的危险的病症”。他所说的这位玛利亚，是莫斯科艺术剧院的一个女伶，成为他的一位挚友和助手。这个女伶因为做了他的非正式的夫人，后来高尔基在美国大受其窘，这是后来的事，我们在后面还要详细的谈到。检察官又问到他所起草的宣言，措词何以那样激烈，高尔基所说的理由，是因为他在圣彼得堡的街道上目睹军队残杀无辜民众的可痛印象，在动笔时仍历历如在目前，甚至在旁看热闹的女孩男孩，也被排枪或枪刺当场弄死，惨不忍睹；他回到自己房里的时候，感到异常的悲愤，就在这样的心境中，拿起笔来写就这篇宣言。他承认当天夜里他确到自由经济学社里面去过，意思是要在该处寻得几个人加入代表团，并要讨论讨论他所起草的这篇宣言。他只寻得一个人，就把这宣言交给他。后来警察所得的这篇宣言稿子，是在克得林律师（Kedrin）身上搜着的，但高尔基说当时他所交给的那个人并不是克得林。高尔基并声明，他在自由经济学社里仅耽搁了几分钟，否认曾经在该社里演说过。

高尔基的供词中对于他在自由经济学社中的行为说得这样简单，其实不然。史弗科夫（D. Svercbkov）所著的回忆录（《革命的黎明》）对于“红星期日”晚间的这个聚会，曾有颇详的叙述，据说：“突如其来的，在会厅的后面，立起众所见惯的高尔基的躯体，他对众宣言，葛朋有一位亲信的朋友要用他的（高尔基的）名义发一个宣言。在高尔基的旁边，他所说的那位朋友就立了起来，其实这个朋友就是葛朋自己，不过此时他的头发已剪短了，他的牧师的长袍也换了常服。他开始说话。他的面色苍白，现出激烈苦痛的样子。他的眼睛好像燃烧着。他的声音发抖。他说葛朋已设法从惨难中逃了出来，现在要用种种方法继续奋斗下去；并说葛朋已写好一封信给工人，这封信的内容，他可以报告给大家知道。随着他便朗读这封信，劈头就是'亲爱的生死相共的弟兄们！'这封信的内容历诉沙皇的残暴罪状，鼓动工人加入公开的革命斗争。我后来探悉，这封信是由高尔基刚在该处起草的。这封信传遍了圣彼得堡，后来又加上工人呈递沙皇的请愿书和一月廿二日惨案的纪事，传遍了俄国。"以上是史弗科夫的记载。此外柏利（Addrey Bely）在他所著的《卜洛克回忆录》（*Reminiscencs of Alexander Blok*）对于此次会议也有描述，据说他当时也在场，亲耳听见葛朋起来说话，并目睹高尔基在他旁边，据他们告诉他（指柏利），这个化装的牧师就是由高尔基带来的。

史比利笃维区将军（General　A. Spiridovich）在他

所著的材料丰富翔实的《俄国布尔希维主义史》里面，对于高尔基和葛朋关系，也有下面的叙述："当一群工人被葛朋领导着向纳发门（Narva Gates）进行的时候，忽有军队用机枪向他们攻击，葛朋即逃到教堂的院子里去，剪去他的头发，改换他的服装，随后躲在高尔基的寓所里。"

在最后一次的审问中，检察官说，他的罪名是曾经用了书和金钱，帮助许多团体和个人。他承认，他平日很慷慨的帮助那些似乎有价值的请愿的人们，但是他所付出的款子是托人支配的，关于款项和款项支配的事情，他自己不清楚。最后他这样结束着说道："我要重复的说，据我自己看来，我是一个自由主义者，甚至是一个激烈分子——关于这一点，我从来不掩饰的，现在也不否认；我前几次的供词和我在文学上的工作，都有很充分的表示。但是我要郑重声明，我从来未直接参加过任何反抗政府的活动；依我的性格，我也自认没有参加此类事的能力。至于我起草这个宣言，那是因为我在一月廿二日目睹圣彼得堡街道上的惨状，在悲愤的压迫中写的。"

高尔基显然不愿在检察官面前表显他的英勇的真实行为，他有意装作坦白的样子，很机巧的把他自己参加政治行动的事实说得渺小不足道。但是检察官在这个长时间的审问完了之后，所下的判断仍然是很严重。他这样的判断着：“根据以上的情形，这个尼斯尼诺伏格拉染洗业工会会员皮西科夫，年三十五岁，所犯的罪名是于一九〇五年一月廿二日起草一个宣言，目的要把这个宣言广传出去；这个宣言的用意，是要鼓动推翻现有的社会秩序。这个宣言的传播所以未成为事实，不过因为皮西科夫所希望的情况未能得到罢了。”接下去这个小题大做的公文便援引着法律上第几条第几项，说该皮西科夫应提到圣彼得堡的法庭里受审，审时须关着门，不许任何公共的代表参加旁听。凡是熟悉专制政治下的司法那样随意确定罪名的情形的人，听见这样不公开的审问，都已知道是凶兆的了。

当时有位律师名叫古鲁申柏（O. O. Grusenbeg），向以在政治的审问中为政治犯辩护著名的人，他慨任高尔基的辩护，要求公开审问。他的理由是：“高尔基的所有的活动，都是出以诚实和坦白的态度，就是目睹人民的殷血溅在首都的街上，感觉到哀痛恐怖和愤怒的顷刻间，他所写的宣言，也显然的有意由他自己和代表团中其他各人共同签字。一个这样公开行动的作家，应有权利要求公开的审问，不应关着门秘密审问。”

高尔基的被捕，俄国民众的一切愤怒的表示，帝俄政府都置之不理，古鲁申柏的请求，本来也未必能发生什么效力的；幸而俄国民众的微弱的抗议得到西方文明各国的同情，加上有力的声援。在各国城市里，为援救高尔基而开的会议和表示，纷至沓来。法国文豪佛郎士（Anatole France）在公开演说中有一句话最能代表当时普遍的心理，他说高尔基“不仅是属于俄国的，而且是属于全世界的”。法国名人由巴黎联名电慰高尔基，署名者有居礼、普恩嘉莱、佛郎士、白里安等等。并由克雷蒙梭和其他法国名人组织一个团体来营救他，发出数千人签字的抗议书，反对俄国拘囚高尔基。荷兰主张自由主义的报纸《祖国与人民》（*Pays et Peuple*）也发起这个运动。在德国，有一个戏剧，以高尔基的历史为背景，开始扮演，并由歌德学会等发出呈文，请求俄政府释放高尔基。递给俄国内务大臣的一份，签名的就有一百六十九个著名的作家、科学家、新闻记者、戏剧家、政治家。意大利的国会也有许多议员请求本国政府设法向俄国政府援救高尔基。俄国对于此时的国外舆论，所以不得不稍有所顾忌，是因为当时俄国战败于日本之后，威望已一落千丈，益以内部的纷扰，经济的困窘，正在渴望各国肯予以精神上及财政上的协助，故对于外国的干涉虽极为痛恨，亦不得不容忍，尤其是对于政治及财政同盟的法国。残酷无伦的杜勒博夫将军（在“红星期日惨案”发生后，被任为圣彼得堡总督）曾满面笑容的告诉《小巴黎报》的访员说：“高尔基不至于被枪决或绞死，因为俄国的法律不许有这样的刑罚。”这个满面笑容的将军忘却说起的，是帝俄政府对于政治的案件早已将“俄国的法律”束诸高阁了。但是在这个时候，帝俄政府很显然的受着外国舆论的压迫，不得不对于它的仇人采用比较宽容的态度。

在狱里的高尔基的健康需要严重的注意。他对于入狱这件事，不算作一回事，泰然处之，不以为意，反利用这个平日不习惯的闲暇来写一个剧本（《太阳的孩子》），纵声大笑，大说其笑话，炮台里的官吏和他的同伴的囚犯，都为之惊异。但是他的身体却很孱弱了。他近来的经验对于他的磨难，加以玛利亚的剧烈的病症，他在里加被捕时，被迫和她分离，这些事实，对于他的健康，都有不好的影响。他在狱里简直不知道玛利亚在什么地方。至今在警察公署的文件里面还有一张纸，上面是高尔基在狱里写给康纳吉塞医生（Dr. Kanegisser）的电报，内容如下："关于玛利亚的健康的消息，我一点都不知道。她现在何处？在里加呢，还是在你的疗养院里？"这个电报曾经发出去了没有，无从查考！永远潮湿的炮台里的当局对于高尔基的肺病有何疗治的办法，亦不得而知。每隔几时，高尔基的夫人嘉特丽娜被准许带着她的七岁的儿子来看他。他的朋友并且是他的"文学经理人"（即替他照料出版营业等事的人）裴尼资基，也每隔几时被准许来看他。炮台里的医生曾对高尔基诊察过，断他左肺上部有肺炎病。

依警察公署的命令，高尔基由炮台移押到看守所里去，炮台司令曾把高尔基的两本稿簿送到警察公署里面去，在这两本稿簿里面，高尔基写着他的"悲喜剧"——这是这位司令对高尔基的著作《太阳的孩子》加上的分类，并附着一个字条说：“因为皮西科夫的字写得精致而不很看得清楚，我不能很仔细的读他的文章内容，但是经我迅速浏览一遍，以为这是应该经过检查的。”高尔基被捕在一九〇五年的一月廿四日，直关至三月五日，才准许交一万卢布保出。这笔款子是一位富有资财而对于高尔基特别崇拜的奇人穆洛索夫出的。最初当局叫高尔基签字担保不离开圣彼得堡；后来总督又把他逐放到里加去。

生着病而不能安静下来的高尔基，不等到官方的准许证，不久就自动的离开里加，到克里米亚去。三月廿二日莫斯科的县长有电报给警察公署报告：“今日下午三点钟皮西科夫由里加到莫斯科。他想在此处勾留五天。我以为他在此处的勾留是绝对不适宜的。请即电示何人准许他到莫斯科……并希请示内务部大臣。”内务副大臣立赛夫斯基立即复他一电如下：“如你觉得高尔基在莫斯科的勾留对于公共的安宁有危险，你可执行《防卫律》第十六条第四项。此间不知道何人准许他到莫斯科。”整整在一个月的时间里，各官署函电纷驰，调查何人对于高尔基离开里加这件事应负责任；他们并没有想到高尔基会不顾一切规律，不辞而行。最后还是裴尼资基替高尔基向警察公署递了关于此事的呈文，才把这件事的真相弄明白，在这个呈文里，裴尼资基这样说：

> 皮西科夫生了肺痨病。此事曾由高尔新格医生（Dr. Golzinger）证明，现将他的证明书附呈。他被拘禁在彼得保罗炮台里，以致肺病复发。自从他由这个炮台里被释放之后，他的肺病继续的增剧，并且开始吐血了。诊察过他的医生坚执的嘱咐他要到克里米亚去，认为到该处疗养，可使他的肺病减轻。关于这一层，许洛夫斯基教授（Professor Shchurovsky）亦有同样的意见，高尔基在莫斯科时曾经和他商量过；许洛夫斯基教授也出有证明书，现亦附呈备察，根据上述的情形，并鉴于病人的吐血继续不止，我们不得不尽量迅速的把他送往克里米亚去。我现受皮西科夫的委托，特呈请贵署，恳求准许他在克里米亚居住，俾在该处疗治，因为该处是在俄国可以医治他的危及生命的病

症的唯一地方。（编者按，这段原文中有时用皮西科夫，有时用高尔基，译文均仍其旧。）

三月十七日，警察公署通知克里米亚的宪兵队长，说“内务部大臣已准许作家皮西科夫暂时居住克里米亚，俾他可在该处疗治他的左肺上的痨病，不过须注意一个条件，即关于他的私人的生活与活动，须受本地警察的严厉的监视”。

虽有这样“严厉的监视”，警察却忽略了卜鲁维区（Vladimir Bonch-Bruyevich）对于高尔基的访问。在一九〇五年的春季，卜鲁维区受着列宁的委托来访高尔基，和他接洽把他的著作，连同其他几位名作家的著作，拿到国外去出版，由此得到的收入，就用为资助布尔希维克党的活动费用。当道对于高尔基的待遇，在当时总算是特别客气的了。但同时那位检察官却做了长篇累牍的控诉他的文件，呈送到圣彼得堡的法院里去。不过因为被告住在克里米亚治病，这个案件的审问一直延至三月十六日，而且在三月十九日，法院下令将此案无限期的展延下去，据说是“还须作更详细的审查”。在实际上此案就这样的马马虎虎的勾销了。这是舆论对于专制政治不可多得的一次胜利。

一九〇五年的夏季充满了革命的预兆。“红星期日”虽然过去了，但响应纷起，竟传遍了全帝国，响应的方式是罢工和暴动，焚烧产业，散见各处的对于地主和官吏的杀戮，社会革命党党人的有组织的恐怖行动，例如普登钦（Potemkin）巡洋舰在黑海中的叛变，便是许多骚扰中的一个例子。俄败于日后所订的丧权辱国的《朴次茅斯条约》，使爱国者痛心疾首，使自由派和激烈派对于满洲的牺牲，都如火上添油，悲愤填膺。主持交涉这个条约的威特反受沙皇的奖励，赏他以伯爵的尊号。民众提起他，就叫他做“朴次茅斯伯爵”，或“一半萨克赫林”（因为依这条约，俄国失去萨克赫林岛的南半部）。在满洲一败涂地的俄国兵士经过大平原向本国移动回来，那种狼狈的情状，苦楚的诉说，而一方面当局者之奸诈、怯懦、舞弊、腐化，在在都适足以增加民众的悲恨。十月到了的时候，俄国人所惯用的消极抵抗的方法用起来了，那就是空前的全体罢工，使得全帝国为之瓦解，简直陷入即将破产的危境，结果所得的胜利为多年革命活动所得不到的成绩。专制的君主亦不得不鉴于形势的严重，舍弃专制政治的特权，宣布实行立宪政体和允给人民以基本的自由权利，为着这种权利的争得，好几代的俄国男女奋斗着，甚至送掉了他们的生命。于是罢工停止了，万姓腾欢，作普遍而彰明的欢忭的表示。不过有一点可以预见的，那就是只要专制的君主仍握着充分的大权，虽准许人民得到他的赏赐，他的权力所受的限制也就很有限的了。其实在一九〇七年六月所颁布的谕旨，毁坏宪法，割裂选举法，都不足为怪，因为沙皇有权力给人民赏赐，他当然也能够任意夺去。在《十月自由权利宣言》发表之后，在全俄国就开始由官方组织的对于犹太人、学生以及凡是被疑有自由和激烈倾向的人的屠杀。这种客串戏剧开演之后的几个月，竟明目张胆的派军队到全国各处，设立军事法庭，换句话说，就是用格杀勿论的残酷手段，把所认为是嫌疑犯的，都迅速的结果掉他们的性命。

在这个夏季，高尔基住在芬兰的库俄卡拉（Kuokkala）。当时芬兰虽合并于俄国，地位降为俄国的一省，但芬兰暂时所享的政治的自由权利，仍比俄帝国任何其他地方大些。在该处，高尔基常遇着的朋友有画家勒宾（Repin），批评家斯搭索夫（Stasov），作家安得列夫（Andreyev），顾普林（Kuprin），史基搭列资（Skitalets）等；他并和许多芬兰人做了好朋友，其中尤其特著的是画家加伦（Axel Gallen）。警察公署得到报告，据说高尔基在芬兰所开的种种文学的和音乐的聚会，同时参加者还有其他俄国的激烈艺术家，玛利亚也在里面（即女伶）。高尔基在库俄卡拉于八月写完他的剧本《野蛮人》，这个剧本被当道禁止开演。高尔基所作的剧本，在开演时都使警察感到非常的麻烦。就是不触犯的剧本（就政治的意味说）如《太阳的孩子》，在那年秋季开演于圣彼得堡和莫斯科，也很使观众发生了很激烈的反应作用，发生愤怒叫嚣的现象。《太阳的孩子》在各处开演，例如在尼斯尼诺伏格拉，也激起过骚扰的。

在一九〇五年的最后三个月，警察对于高尔基的行动忙于侦探报告，实忙得不可开交，苦得走头无路！在十月宣布立宪的谕旨公布不久以后，高尔基便在圣彼得堡组织一个日报，名叫《新生活》（Novaya Zhizn），得到若干著名作家的合作，且有社会民主党的党人参加，例如列宁、卢纳卡斯基（Lunaeharsky）、爱维洛夫（Avilov）、巴萨罗夫（Bazarov）、洛淴柯夫（Rozhkov），还有该党的外国同志如考茨基、李卜克内西（Liebknecht）、卢森堡（Rosa Luxembourg）等等也都来参加。这个报的名义上的主笔是诗人闵斯基（N. M. Minsky），发行人是玛利亚（即高尔基所恋爱的女伶）；该报自第六期起，实际的主笔就是列宁。自第三期起，高尔基就开始登载他所撰的《关于矫饰的杂评》。关于皇帝谕旨里所宣布的言论自由，在这个《新生活》报上就有了很彰明的表现。第一期就被没收，随后也没有一期能逃避留难。闵斯基被捕受审，当局说他“散发传播的文字，意在推翻现政府和现社会的秩序”，结果把他拘入监狱关了一年。当年十二月十五日该报便停版了。在这个多事之秋的时候，高尔基在各城逃来逃去，忽而要在圣彼得堡编辑《新生活》，忽而又在莫斯科察看十月的示威运动和十二月的武装暴动，好像有分身术似的，随处可以见到他。

高尔基既参加十二月的莫斯科武装斗争的组织和赞助，这个事实势难久守秘密，所以在一九〇六年一月二日，他在圣彼得堡的房间被警察搜查。二月初，高尔基已在芬兰的首都赫星福斯（Helsingfors）。据秘密侦探部的泽拉薛莫夫大佐（Gerasimov）呈递给内务大臣的报告，说有芬兰的学生及红卫队用音乐和歌唱欢迎高尔基，他对于他们的欢迎，报以高声的呼喊：“芬兰的自由人民万岁！”他又被报告，说他曾在赫星福斯对俄国的学生演说。后来因他听到政府就要拘捕他的消息，便在二月间离开芬兰，到西欧去。

有一个莫斯科的制造家名叫许密特（Nicholas Schmidt），因为参加了上面所说的那个武装暴动的组织和赞助，被捉将官里去，当审问的时候，他把高尔基对于此事的牵连，竟和盘托出，使他的罪名愈益严重。据秘密侦探部的部长说，许密特证实高尔基曾为此事所用的武装筹费，在许多地方诵读他的著作，由此所收到的入场费，有一部分即充作明目张胆的革命上的费用。许密特并承认曾借一万五千卢布助他办《新生活日报》。此外他又证实曾交给高尔基两万卢布，供作购买这次莫斯科暴动所用的军器的经费。在后来的审问里，许密特虽欲为高尔基洗刷，但已无效了。他在口供里，无意中承认曾在一个私人住宅里，参加过高尔基的对听众读他的著作的聚会（此次所读的是《太阳的孩子》剧本），听众每人付二十五个卢布，说明用作购买军器的费用。这样看来，高尔基赶紧离开赫星福斯而到西欧去，幸而走得早，不然，大祸又要临头了。

第二十章　亡命国外

高尔基自一九〇六年（三十八岁）离开芬兰，至一九一四年回到俄国的八年间，都是他亡命国外，同时为俄国革命鼓吹声援的时期。当他离开芬兰边境的消息传到俄国当道的耳朵里的时候，他们欣然视为好消息，好像放下了一个重担子似的。高尔基在俄国，实在是给与他们许多骚扰和烦恼的原因。统治者满心要抓住这个好管闲事的脚色，钳制他的言论和行动，但是终不能无所顾忌于国际的形势，终不得不顾到国外对于高尔基的无数的仰慕者，因此对他勉强加以原来受不着的优容。现在他既出了国，虽在言论和行动上比在国内时自由，但比在国内被民众拥为“义士”以与当道捣乱的危险，可减少许多。也许俄国当道早已预料到西方各国不久可以发现：在政治上的高尔基远不如在文学上的高尔基。

可是高尔基虽离开了俄国的边境，那根所谓“看不见的线”对于他仍不肯放松。俄国政府所派在国外的代表，仍须监视高尔基尽力破坏俄国专制政治的行为。俄国当时正在设法向国外借款，而所遇的时期却很困难：正和日本订了丧权辱国的条约，国内最近又有了扰乱，高尔基对于俄国现状的痛恨又作公开的宣布，对于革命运动作异常热烈的拥护，吁请各国予以同情与协助，对于国外借款给俄国以撑持专制政治的生命，尤作激烈的反对。凡此种种，在俄国当道，当然不能忽视的。尤其使得俄国当道感觉困难的，是高尔基的声音不是在旷野中的号哭，却有俄国以及西方各国的自由主义和激烈派的无数名人桴鼓相应，对他作积极的声援，这力量是异常伟大的，怪不得俄政府对他那样的担心愁虑，不肯放松。

高尔基在柏林，替俄国的革命运动增加了不少的力量。德国人设宴欢迎他，推崇他，不仅把他看作一个有名的作家，简直把他看作正在挣扎奋斗中的俄国的代表。后来他由欧洲到美国去，欲求得美国对于俄国革命运动增加好感，并在经济方面求得他们的赞助。这件事本来也有很好的希望。当时美国的舆论，对于俄国对日的战争及压迫本国人民的行为，都表示极端的反对。自从“红星期日”的惨案发生以后，高尔基的名字就时常很显著的发现于美国的报纸上，引起许多人的同情。当他被拘禁在彼得保罗炮台里的时候，美国前进的各报主笔，例如《世纪》（*Century*）杂志的主笔吉尔得（Richard Watson Gilder），《史克立纳杂志》（*Scribners*）的主笔史克立纳（Charles Scribner），《赫迫杂志》（*Harper's*）的主笔爱伦（W. C. Allen）等，都宣言他们愿加入《柏林民族报》（*Nation*）的主笔柏斯博士（Dr. Theodoro Barth）所发起的援救高尔基的运动。美国人对于高尔基的同情，于此可以概见。所以当他初到美国之后，宴会和公开的会议，简直一大串的预先排好日期准备举行，有许多名人都预备参加。美国的文学家马克·吐温（Mark Twain）和豪尔斯（William Dean Howells）代表美国文艺界参加欢迎他的盛宴，同时盛传罗斯福总统也打算请他到白宫里去赴宴。

这样一来，“看不见的线”又大忙而特忙。驻美的俄大使馆赶紧想种种方法来破坏高尔基的个人信用，借以抵抗他的势力。他们先对移民局官吏糟蹋高尔基，说他是无政府主义者，劝他们不要许他上岸，但这个计划失败了。他进口时，当局依向例问他是否一个无政府主义者和法律及秩序的仇敌，高尔基回答他们说他是一个社会主义者，他是拥护法律及秩序的，因为这个缘故，所以他反抗实际等于有组织的无政府状态的沙皇政府。俄大使馆在此计失败之后，又设法讽示美国报界，说准许募捐以购买军器反抗友邦的政府，是不应有的事情。对于俄国革命热烈拥护的马克·吐温力辟此意，他提醒美国人不要忘了当他们自己革命的时候所得于法国的帮助。这样俄大使馆的诡谋又失败了。随后由圣彼得堡发出一个专电，警告仰慕高尔基的人们，说他不但是一个自由主义者或改造家，并且是一个危险的拼命的“社会革命家”。这个恐吓仍旧不能发生效力，因为在一九〇六年，所谓“革命”这个名词，在美国已是家喻户晓，不足为奇的了。于是俄大使馆乃施用毒计，看透了美国人对于性的道德多所顾忌，便就这个最易进攻的一点做工夫。他们实行这个毒计的办法很简单，只须传出消息，说随着高尔基来美的那位高尔基夫人实际是安得列伐夫人（Madame Andreyeva，按即高尔基所恋爱的女剧家玛利亚），她和这位作家的关系并未经过教堂的核准，依法并非正式夫妇。这样一来，他们的目的居然达到了。因为这一桩小小的消息，高尔基在美的名誉竟立刻一落千丈，跌到零度。我们只须看当时美国几天内的报纸，便可以看出高尔基在此短时期内怎样的由被群众极端的推崇而一跌至于大受群众的唾弃。他于四月十日到美的时候，受美国人一致的热烈欢迎。各报都在第一页用大字登载这个新闻，当日到码头欢迎的人，有的报说千余人，有的报说数千人。报界对于这位俄国的嘉宾和他的这“年青而妩媚的夫人”，都记载得异常的起劲，自访员的详记，以及漫画、时评等等，都充满了各报的显著地位。《世界日报》（*The World*）对于高尔基到后的第二日晚间在A俱乐部宴会的情形，所记尤详，那个晚间的宴会主席罕特（Robeit Hunte）劝大家筹款赞助俄国的革命，临时公推组织筹款委员会，参加者都是美国的各界领袖。《世界日报》的记载里还说起“高尔基夫人，这位著名俄人的妩媚的妻子”，当时她替他的丈夫担任翻译。该报连日在漫画及时评里，对于高尔基都极尽其推崇的能事，在四月十三日的时评里还表示好感，不料第二天竟有一颗炸弹爆发出来！该报在这天的报上竟刊出两张照片，一张是高尔基和他的“家属”；还有一张是高尔基和“所谓高尔基夫人，其实是一个女伶，高尔基和他的妻子在数年前分居之后，就和她同居的”。该报并在记事里说明高尔基和他的妻子的分居，彼此并没有什么仇恨，但却未曾经过正式离婚，因为要从希腊正宗的教堂里办到离婚是极困难的事情。

《世界日报》登出上面所说的两张照片和记事是在星期六（四月十四日），星期日各报当然重登《世界日报》的这种材料，不过加上种种的润饰。这种暴露的立刻的结果，是高尔基的一班人竟从旅馆里被驱逐出来。《世界日报》很自豪的登出这个消息：“柏克莱（Belleclaire旅馆名）的客人在今晨一看见他们的《世界日报》，高尔基的被驱逐，是一件不成问题的事情了。”有位威懈尔君（Mr. Wilshire）和旅馆老板说情，这位老板直截了当的对他说道：“此地不是欧洲。我所开的是一个家庭的旅馆，我不能再容许这些人在我的这个屋里。”于是这些不道德的外国人迁移到辣斐德旅馆（Lafayette-

Brevoort）去。据《世界日报》所载，当他们搬去的时候，曾在事前把实际情形和该旅馆说明。但是到了当天的夜里，辣斐德旅馆的老板也要驱逐他的这班可疑的客人，后来因为时候不早，总算他的客气，替他们在另一家旅馆，叫做莱茵人旅馆（Hotel Rhinelander）里，设法弄到几个房间，叫他们搬到该处去住。但是莱茵人旅馆的经理知道内容之后，对新闻记者表示他“不能容许在道德上有一些疑问的人住在他的旅馆里”，并说辣斐德旅馆把这些外国人转过来时，未曾说明他们是什么人。结果，在这个同一夜里，高尔基的一班人竟从旅馆里被驱逐到街上来，这一班怪可怜的人，在深夜里呆立在一个外国城市的人行道上。据《邮报》（*Herald*）所载，当时高尔基笑着说：“倘有必要的话，他可以睡在街道上，这是他从前曾经干过的。”后来幸亏有马丁夫妇（Mr. and Mrs. John Martin）情愿把他们接到他们的家里去住下。

俄大使馆所下的这个毒计，获得他们所预料的结果，那是不消说的。高尔基的声望因此一落千丈，美国社会对于他以及他所负的使命，都不再加理会了。甚至于素称勇敢的人物如卜勒克威尔女士（Alice Stone

Blackwell)，原定在波斯顿的芳尼堂（Faneuil Hall）宴请高尔基，到了这个时候，也不得不取消了。据《纽约时报》所载卜勒克威尔女士的谈话，她说："我不愿判断高尔基，但是他对于道德的见解，显然和我们的有些不同，因此……"

玛利亚除俄文外，通德、法、意大利等国文字，自一九〇五年莫斯科暴动事件发生以后，她和高尔基都因政治关系，亡命海外，做高尔基的左右手，帮助他一切，同居了三年，除法律手续一点外，实无异于夫妇。高尔基原有的夫人嘉德丽娜自愿做他的一个好友，并也获得了一个伴侣，但因俄国的教会对于革命中人的离婚手续，多方留难，所以造成这样的情形。当时也在美参加欢迎高尔基的英国文学家威尔士（H. G. Wells）称赞玛利亚是个勇敢而高尚的妇女，像高尔基这样的一种天才，对于实际事务有许多地方需要有人襄助，所以此次到美，势难离开他所最亲信的一个助手。据玛利亚后来写给友人的信里所说，当时她陪高尔基到美，他们俩在旅馆里各住一个房间，各付各的房金，并没有标榜是夫妇，只是要帮助高尔基，原无意陪他出现于公共的场所。

不料有参加欢迎高尔基的一位威懈尔君，忽有一天约着许多人到旅馆里来见高尔基，即在玛利亚所住的一套房间里聚会，她不懂英文，也不懂美国风俗，弄得惊慌失措，问问高尔基的书记，也不接头，但许多宾客却一行一行的进来了，和高尔基等握手致敬，后来才知道来见的宾客里面有不少美国的名人在内。仅在这一次，玛利亚在美国曾经正式现身于一个聚会，而且不是出于她的自愿的行为。其实糟蹋高尔基的毒计，既出于帝俄政府的经营，玛利亚在美的举动无论如何谨慎，也是徒然的。

一九〇六年的夏季，高尔基在美国的时候，除利用此比较安静的环境开始写《母亲》一书，并发表了许多文章，劝告文明的各国拒绝帝俄政府所极力商洽的借款。后来帝俄政府的国外借款居然成功，法国的银行家是该项借款的主要的出款人，高尔基知道了为之大怒，提出很严厉的抗议，并刊行了一篇狠毒的小说名《漂亮的法兰西》，里面叙述法国大革命的过去情形，在文化上的领袖地位，及现在的恶行，对于金钱的贪婪，和它拥护俄国专制政府之无耻，最后的结论，对于法国予俄国政府以经济上的协助，使俄国人民又重来一次流血，加以严厉深刻的斥责。

法国报纸对于高尔基的愤怒斥责也起了严重的反感，加以反攻。法国的大多数作家都提醒高尔基，叫他不要忘了在法国所得的名望，和他从前被拘入狱时，法国为着援救他而发起的广大的运动。高尔基因此发表了一封公开的信，《写给法国的新闻记者》，在这里面他很戆直的告诉他们，说他们不要以为有过人类同情的行为便可自傲，不要希冀他对于他们的感激。关于他们自称对于他的仁爱，他说："诸君，我要老实的告诉你们：布尔乔亚的仁爱，对于一个诚实的作家和社会主义者，徒然引起深刻的愤懑罢了。"此时帝俄政府看着高尔基对付得这样的笨拙，他们的欣然拍手称快的态度，是可以想像得到的。

法国的历史家奥拉得（Aulard）对于高尔基因法国借款而愤怒，表示他的同情。他说："假使在一七八九年的六月，英国或澳大利亚借款给路易第十六，我们法国人应有怎样的表示呢？"但是他对高尔基认为全法国都犯了贪财图利的罪过，却表示愤慨；他以为这项借款，是法国政府违背人民公意而准许的。高尔基的回答是：

他并无意于把这件事归咎于法国的人民，当然是指法国的政府。高尔基除说明自己的态度外，并进而忠告那班帮助此项借款的金融家，说他们是把“血的金钱”资助“一群强盗和杀人犯，换句话说，就是俄国的政府。”他在这个忠告里说过这样的一段话：

> 俄国革命的发展将要慢慢的，而且要经过长时间的，但是最后的胜利必属于人民……到了政权落在人民手里的时候，他们要追记法国的银行家曾经帮助罗曼诺夫皇族摧残正义和真理的自由，撑持他们的统治；这统治阶级的野蛮和反文化的作用，凡是欧洲的诚实的眼睛没有不看见的，凡是欧洲的诚实的心没有不感觉到的。我敢断言，俄国人民已把他们的血来偿还过的此项借款，他们将来是决不再偿还法国的。他们决不！

后来到了一九一八年二月，革命成功之后，苏维埃人民委员会果然宣言，凡属沙皇的债务一笔勾销，完全无效，高尔基当时的话可以说是得着证实了。

一九〇六年八月，波多利亚（Podolia）的宪兵队长有报告给警察总监公署，根据报载，说高尔基曾对法国的工人演说，有下面吁求他们赞助俄国革命的话：

> 俄国总罢工的时候快到了。倘若你们不愿你们的俄国同志赤手空拳赴战，请你们资助他们购买军火；你们能资助他们争夺自由，这是最好的方法了。

高尔基在政治方面的活动，似乎在一九〇六年的十月间告一段落，当时他住在意大利的喀普里岛，意欲在和平恬静的和有益健康的环境中，专心一志于他的文学的工作。但在一九〇七年一月廿二日，俄国的驻意大使麦勒夫叶夫（Muravyev）写了一个秘密的报告给国务总理大臣史托留平（Stolypin），说高尔基是革命亡命客的领袖，有无数敬慕他的人到喀普里来访问他，他也自愿地担负这无数敬慕者的“导师”的职务。这个大使并报告说，高尔基曾在意大利的报纸上发表了一封信，“出之以严重宣言的方式，内容是无限的欺骗和卤莽（有的地方简直是可笑的）；他在这封信里表示感谢意大利人的热诚和优渥的待遇，赞美俄国的革命家，有几行还犯了大逆不道的罪恶。我敢大胆建议，关于最后的一点，在高尔基回俄的时候，值得我国当局的注意”。

约在一个月之后，芬兰的宪兵队长有公文呈递给警察总监公署，里面附有这样的一个短简："附呈一张关于高尔基写给芬兰画家加冷（Axl Gallen）一封信的摄影，并附呈高尔基要在报上发表的一篇文章的钞本。这封信的原底子，我们在很短的时期内购买到手，因为我们要把这封信的原件摄影呈阅。”这篇文章，是高尔基要在意大利、法国和英国的报上发表的，内容是评论帝俄政府欲将芬兰划为俄国的一省。他在这篇文章里叙述芬兰在文化上的成绩，例如平等选举，普及教育，对于艺术的可贵的贡献；对于侵略芬兰的帝俄，则称为“一半文盲的和完全文盲的武人的政府，由极端残忍的人和不大灵巧的贼所组成的政府”。他请求欧洲的最优秀的分子都起来反抗帝俄要把芬兰降为俄国一省的企图。

在同年（一九〇七）的五月，高尔基参加俄国社会民主党的伦敦会议，在这个会议里面，蒲列哈诺夫所领导的孟希维克派和列宁所领导的布尔希维克派开始分裂。这个会议原定在布鲁塞尔（Brussels）举行的，但是因为俄国政府的交涉，该会议竟为比利时的警察所禁止，于是便移到伦敦去举行。当时因为出乎意料之外的费用之增加，到会各代表的腰包都为之搜括一空，他们简直有将饿死他国，无限期的展缓回俄的形势！于是该会议的组织者，设法向一个英国的布尔乔亚借款，但是在场的代表里面只有两个人的签字有效力：一个是蒲列哈诺夫，还有一个便是高尔基。蒲列哈诺夫拒绝他的名字被借用，所以这个借款是由高尔基签字的。这个慈善为怀的布尔乔亚，为着这个人情，还要求一个奇特的代价，那就是要求各个代表都留下一个签字在另一张纸上——也许是要留作纪念品。但后来该党的中央委员会把这笔债款归还的时候，仍把这个签名的一张单子收回。这确是一件异乎寻常的文书，上面有着许多名人的亲笔签字，例如列宁，马尔托夫（Martov），托洛茨基，蒲列哈诺夫，所用的字母也有形形色色的不同，从亚美尼亚文（Amenian）和乔治亚文，到勒特文（Lettish）

和新犹太文（Yiddish）都有。

高尔基对于这个会议的各次开会，都依时到会，未曾缺席。这个会议是在一个教堂里举行的，当时高尔基常被看见出现于这个教堂里面暗淡的一个角落里，很恳切地倾耳静听会议中的辩论，有时鼓着掌，有时说些反对的话，表现他的情感。在会议暂停的休息时间里面，他总在教堂的院子里，和一群一群的布尔希维克工人谈话，询问关于他们自己及他们工厂的种种情形，并告诉他们有趣的故事，他认识托洛茨基也在这个地方。关于他们的相遇，托洛茨基曾有这样的记述：

> 这个会议正在举行的前几天里面，我在教堂的甬道间被一个人挡住，他生得高高的身材，举止呆笨，一个圆圆的脸，两个高耸的颊骨，戴着一顶圆帽。他对我很和爱的笑着说道：“我是你的一个敬慕者。”
>
> “敬慕者？”我诧异地这样回应着。随后知道他对我这样的称誉，是指我在监狱里所写的关于政治的小册子。我回答他道：“我希望

无须我说明我是你的敬慕者。”在那个时期里，高尔基和布尔希维克很接近。和他一起的有著名女剧（作——编者加）家安得列伐（即玛利亚。）我们同在伦敦来来往往。

高尔基现出奇异的样子，对安得列伐看了一下，对我说道：“你相信吗？她能说各国的语言。”高尔基自己只会说俄语，但说得很好。我们同坐入马车的时候，有几个乞丐替我们关上马车的门，高尔基往往替他们说项：“我们应该给他一个辨士啊。”安得列伐听了即回答他道：“我已经给他们了，吾爱，我已经给他们了。”

在俄国的警察总监公署看来，高尔基这次参加社会民主党的伦敦会议，也算是一件异常重大的事情，又使他们手忙脚乱了一番，所派的暗探又作了各种奇奇怪怪的报告！

一九〇九年的夏季，高尔基在喀普利出资创办俄国工人学校。俄国的警察公署副总监于一九〇九年六月，有报告给内务部大臣，报告高尔基和社会民主党中央委员会接洽，由他资助，送十个工人到他的这个学校里受训练，“造成布尔希维克的宣传员，重要的讲演由列宁和卢纳卡斯基担任”云云。

第二十一章　回到俄国

一九一四年，因帝俄为了罗曼诺夫皇族当朝三百周年纪念，实行大赦，高尔基在这一年的一月间回到俄国，此时他已四十六岁了。他的回俄，很受俄国激烈分子的热烈的欢迎。有一封用“莫斯科学生”的名义写给他的信，里面有这样的几句话：“你现在回到我们这里来了，你此次回来，正是在我们从长时期的苦难的睡眠中将要觉醒的前夕……我们的希望，因春季之将到而愈益坚定起来，这是我们要和你共同遇着的春季啊。”他收到工人们送给他的无数的欢迎词。其中有一封是用“一群工人”的名义写给他的，这样说道：“我们相信，你在我们的祖国，你的精神的工作，都要增加我们的力量，都能使我们，普罗列塔利亚们，抛去黑暗统治的可恨的束缚。”高尔基避免公共的欢迎会，到了几天之后，就退居于芬兰，在该处他住在一个夏季别墅，和麦资塔密亚基乡村（Mustamyaki）相近。

如同高尔基在一九〇六年秘密离开俄国一样，八年后的这个时候，他静悄悄地跑进俄国的边境，也未曾带有护照呈验，做那官样文章的手续，边境的警察又在瞌睡中被他偷着过去了。直到他已到了三天之后，已在芬兰了，警察总监公署才知道有这么一回事，才申斥边境的宪兵，叫他们解释为什么容许他溜过去，同时训令芬兰的宪兵部，叫他们要严厉的监视高尔基。但是这个“严厉的监视”显然的太不高明，因为在高尔基到了该地不久之后，警察总监公署又须斥责该地的警察，责问他们为什么不注意高尔基已离开过麦资塔密亚基乡村，到过圣彼得堡和莫斯科，最后又静悄悄地跑回来，都未被他们察觉。但高尔基虽在这样神出鬼没的独往独来的自由行动着，在国外却传播着一种过甚其词的谣言，说他被俄政府所迫害，故在一九一四年的三月，《工团主义斗争报》（*La Bataille Syndicaliste*）上有过这样的评论：

最可恶的事，莫过于俄国专制的当道对于

高尔基存着私见的痛恨。高尔基实为俄国的文学争得光荣，实足为文化的代表；而俄国的统治却代表了欧洲的最为声名狼藉的野蛮主义。高尔基现在是个有病的人，他在世的日子也许是可数的了，最近回到俄国去，原希望可以得到和平的生存，不再受迫害。他在事前并得到担保，因有了大赦，他以前的罪状原可以一笔勾销的。不料这些都是欺骗的话，都是俄国官僚设的圈套。一开始就有警察对他加以侮辱和监视，于是高尔基不得不再被压迫离开这个野蛮的土地……他的小说《母亲》仍被查禁……

在事实上，高尔基的几个被控的案件虽从未经过官署正式的取销，但当道这番对于他确未加以留难。不过高尔基的名字却被反革命的人们作为吓人的工具。例如一九一四年二月，向来和帝俄警察狼狈为奸的柏林警察就因为卢纳卡斯基作了一次关于高尔基的讲演，被他们知道之后，竟被驱逐出境。在国内，警察当局对于高尔基的监视和探查，仍不肯放松，对于所收到的关于告发他的信件，无不归卷备考，并根据报告，加以严查。

可是到了这年的四月，据警察总监公署的当地报告，说自一月起对于皮西科夫虽作继续不断的监视，却得不到可以表示该皮西科夫犯有任何罪名的结果。对于高尔基的监视，似乎有放松的倾向。同年六月廿日，芬兰的宪兵队长也有报告给警察总监公署，据说高尔基已在克列佛洛（Kerevalo）村租定兰氏别墅，租期全年，并这样的询问道：“照这样的情形看来，同时并鉴于用警察监视高尔基的经费之浩大，我们是否还应该仍旧监视下去？”他所得到的训令，是叫他仍须每隔几时证实高尔基是否确在那个别墅里，并通令最近的车站站长，按时报告该队长关于高尔基的行踪。该队长得到这个训令之后，每两月即将高尔基的行踪呈报一次。在这一年里面，高尔基只有一次离开该村，于十一月十四日到基甫（Kiev）作短旅行，因为玛利亚在该处的索洛夫特索夫剧院（Solovtsov）演剧。基甫的宪兵队长就有这样的报告：“据我们的探员报告，高尔基的寓所曾有本地的农业公会代表来过，这些代表都被证实是社会民主党党员，他们问他对于此次战事（按指当时正在进行中的世界大战）有何意见，他回答说他不能有所表示，因为他自己对于这个问题还没有弄清楚。”

其实在原则上高尔基对于此次的战事当然是反对的。但是警察当局虽用尽心机侦探，终未能指出高尔基有何“不忠”的行为。当时有些德国的报纸（尤其显著的是一九一六年二月六日出版的《汉堡外国新闻》*Hamburger Fremdenblatt*）载高尔基因为公开演说，主张立刻对德讲和，被俄当局拘捕。这个消息固然不确。但他确在战时检查新闻可以放行的范围内，尽量的主张国际主义，他所办的《纪事月刊》（*Letopis*）就用了这样的态度主持的。（该月刊第一期系于一九一五年十二月出版。）当时一般参战狂的人们，对于专制的俄政府检查新闻之残酷，还觉得无可恕谅地温和，把这个《纪事月刊》做他们的过分爱国心的攻击目标。警察总监公署对于这类攻击的文件，当然不愿意抛弃，都把它们归卷的归卷，剪贴的剪贴。像下面那样一封匿名攻击的信，也是其中之一，现略述其内容大意如下：

你知道以“失败主义派”（指反对世界大

战者）的刊物《纪事月刊》为中心的一班人，和犹太生活研究会的犯法的活动吗？这些人，在高尔基领导之下，并以这个研究会的表面的合法行动为掩护，捐募了大宗款项，用款的途径和慈善性质的目的差得远哩。其实他们对于有关犹太人以及其他的各问题，对俄国民众发出了许多宣言和各种的煽动。他们的目的是要毁坏我们政府的威信。在智识分子和工人里面，尽量分发小册子，尽力引起不信任及怨恨我们政府的心理。以“自修的投稿人”（Self-taught contributors）会议为掩护，高尔基在《纪事月刊》办公室里，或在他所办的扬帆印刷所里，开了许多会议……参加的人并不是什么“自修的投稿人”，却是各种革命的劳动组织的代表，尤其是布尔希维克党员。这些参加会议的人，常出现于工人的俱乐部及其他各界，当然是用着种种不同的绰号，旨在鼓动工人罢工，加入“失败主义派”，高尔基在芬兰住了租期一年的别墅，由该处和在瑞士及挪威的俄国的亡命客通声气。

以上情形，喧传于圣彼得堡已很久了，你以为设法证实不是一件有价值的事情吗？

这是该信的大意。写这书信的人，一定是在圣彼得堡的一个有经验的新闻记者，对于《纪事月刊》的一班人很熟悉的；其中有许多耸人听闻的消息，诚然足以引起当道的注意。警察总监公署即着手调查这封匿名信所告发的情形，后来据圣彼得堡密探部侦查的结果，关于《纪事月刊》的主笔及撰述员，都有详细的报告，并寻不出有什么“犯法的活动”。该部主任古洛柏柴夫将军（General Globachev）为着这件匿名信的事，又另作了一个报告给警察总监公署，把高尔基一班人的重要看得很小。他说《纪事月刊》是布尔希维克的性质，因此就有了“失败主义派”的倾向，但是该刊的主笔和撰述员都和党的组织分开，并不接近，这些主笔和撰述员比“那些做社会民主党下层基础的工人们，在知识上高得多，在物质上也好得多”。这个月刊自己没有印刷工厂，所以不能印刷任何反政府的宣言和其他的煽动性质的文件。他又说，就是高尔基和国外的政治亡命客通消息，“也不甚重要，因为高尔基自己已成为‘布尔乔亚’了（这是当时政党中人所常用的名词），他立于社会民主党党员地位的光辉，已渐渐的暗淡了，一切活动的工作也都全行停止了”。

列宁的妹妹叶列萨洛伐（A. Yelizarova）最近发表了布尔希维克中央委员会的俄国事务所和国外事务所的一部分的秘密通信。在她写给她的阿兄的许多信里面，有一封是用“詹姆士”（James）签字的，她在这封信里报告，曾用中央委员会的名义往访高尔基。据她说对高尔基所得的印象很好，虽觉得他当时还有动摇的态度和调和的政策，但深信他对于布尔希维克的国际主义是很表同情的。他所创办的《纪事月刊》和扬帆印刷所，就抱定两个宗旨：“（一）国际主义，（二）从我们的生活里消除一切亚洲的制度和习惯。”她又在这封信里说，高尔基答应替他们设法发表文字，或是登在刊物上的文章，或是单行本的书籍，都可以。她在信里对列宁这样说道：“我们现在等着看他要从我们这班人里请谁去做他的特约撰述。我想此事已不成问题，唯一的阻碍是当道的检查难关。你以为如何？我们要不要把你所著的《机会主义论》交给他去发表？依我的意思，这篇文章是应该送去的。”当道检查的难关确是到底不懈的，因为在她的一九一六年四月写给列宁的信，“詹姆士”还告诉列宁，说齐诺维也夫（Zinoviev）作的一篇文章，曾由她送给《纪事月刊》去发表，但因为检查员的阻止，登不出。后来她答应该刊的主笔可将此文随意删改，他“答应再加考虑”。当时高尔基立于主笔地位的谨慎态度，和那些可疑的激烈分子的合作，大概使叶列萨洛伐对于他的热忱冷了一些。她说高尔基“易于被人说动，使他倾向于这方面，或使他倾向于那方面；他有一种宽恕的心灵”。叶列萨洛伐在她的信里，还偶然的报告过一件事，那就是关于高尔基每隔几时和工人的会议。高尔基曾在一次这样的会议里面，提出过一个议案，主张用革命的手段夺取政权。这样看来，上面所提及的那封告发高尔基的匿名信，不是完全没有根据的了。

当时帝俄已日趋崩溃，但是统治者仍作最后的挣扎，对不可免的末路仍作拼命的抗斗。当时有一家所谓爱国的报纸登出了一封信，里面对于高尔基极力诋毁的话，可为旧势力日暮途穷的反映，这封信里有过这样的话：

> 高尔基已利用了他的出版物侵略了伏尔加流域的全部分。他不但利用了他的文章，并且利用了他的出版物。因为“大高尔基”不但是游手好闲者的王，而且还是一个出版家。有一个军官正在伏尔加河各埠旅行，据他报告，伏尔加河流域各地都因为高尔基的煽动“怨恨”的出版物如潮涌进，都在埋怨他，个个人都叫喊着：“替我们驱逐高尔基！替我们消除失败主义派的文字！”

旧势力对于高尔基的文字宣传虽痛心疾首，但如风起云涌，沛然莫之能御，尤可注意的是这种所谓“失败主义派的文字”，尤其热烈的传入为国防而工作的工厂里面去。这样传入的出版物，对于兵工厂里的工人，极力灌输下面的“原理”：

> 此次的战争，需要它的只有法国、英国，和俄国的布尔乔亚的政府，和他们的仇敌，即德国和澳大利亚。
>
> 各国的普罗列塔利亚都是不需要任何战争的。

除高尔基的文字外，他们还很热烈地把失败主义派的《纪事月刊》，尽量在伏尔加流域各城各村（乡村阅报室）广为传播，而这个刊物也是旧势力所恐怖的“大高尔基”所出版的！

帝俄当道对于此事当然是不肯放松的，所以即由警察总监公署咨文沿伏尔加河各省当局，查询《纪事月刊》和高尔基的势力。但时代转变，已有急转直下之势。在俄廷操纵政府横行无忌的拉斯普丁（Rasputin）被刺杀了（此人原是一个僧人，得皇后欢心而夤缘把持政治，权势盛极一时），罗曼诺夫皇族的结构开始作加速率的崩溃了。警察当局所要应付的难题，比对付高尔基和他的刊物的事情更繁更重要了，于是高尔基也不再受他们的烦扰了。经了三十年之久，高尔基无时不在那根“看不见的线”的严密监视之下，布满了密网要捕捉他；到了一九一七年，那个趾高气扬不可一世的“蜘蛛”倒了，这个密网也就破裂了。

第二十二章　革命运动的参加

高尔基自己曾经很坦白地说过，他从未正式加入任何政党。在革命运动里面，他不过是一个“同情者”——当然是一个很积极的“同情者”——用了他的时间，他的笔，他的金钱，和他的个人的自由（继续不断的警察监视，屡次入狱）来赞助俄国的革命运动，据说他的收入，自己用去的不到百分之三十，其余的都用于赞助各种的革命团体；不过他当初对于革命运动中的各党派，却是很宽大的同时兼容，所以竟同时赞助着布尔希维克、孟希维克、社会革命党，甚至于自由主义者。但是在他和民粹派中人分手之后，他的同情心已偏于列宁所领导的革命运动。他在距今三十年前（约在一九〇二年）就和《火花报》（*Iskra*）中一班人发生关系。这个报是当时尚在秘密行动中的社会民主党的机关报，也就是列宁的喉舌。他尽力帮助这个报，答应每年至少捐助五千卢布，能力充裕时还不止此数。他不但自己尽力赞助，还介绍有钱的热心朋友加入帮助他们。他和当时列宁的“财政总长”克拉辛（Leonid Krasin）很相熟，就把他的（高尔基的）一位有钱的朋友穆洛索夫（Savva Morozov）介绍给克拉辛。穆洛索夫是莫斯科的一个百万富翁；莫斯科艺术剧院、革命党人，以及其他从事不为寻常富有的制造家所愿赞助的公共事业者，都把他视为“安琪儿”。在一九〇五年的十一月，高尔基创办了一个日报，名《新生活》，由玛利亚做经理，由闵斯基担任名义上的主笔，在实际上，自从第六期起，这个短命的日报就由列宁主编。

高尔基和列宁的亲密的友谊开始于一九〇七年，当时同在参加俄国社会民主党的伦敦会议。他在这个会议里，倾耳静听党中各派对于“党的统一”的最后企图作热烈的辩论。这个热烈的争辩是集中于这两个方面：一方面是蒲列哈诺夫、孟希维克的代言人；一方面是列宁、布尔希维克的领袖；托洛茨基则夹在中间的地位。无论那一派胜利，这名义上的胜利还无关重要，尤其重要的事实是党的分裂从此时起更为明确，更无可挽回了。高尔基觉得对于列宁所主张的普罗列塔利亚革命（无产阶级革命），不和布尔乔亚的自由主义者作投机的妥协，十分的表同情。他觉得这两派的差异不仅仅在理论方面，依他对于现实的感觉，也愿附从列宁的简单的动力，不愿附从以渊博自负的蒲列哈诺夫的不切实际的空论。

从此以后，他们两位——列宁和高尔基——继续不断的作热诚的通信，一直到高尔基于一九一三年十二月三十日回到俄国为止（中间有过一段时期中断了通信，详情见后）。列宁很敬慕高尔基的天才，并很乐意为着革命事业利用他的天才，假使革命事业不至害了他的天才。卢纳卡斯基，当时和高尔基同在喀普里，曾对列宁建议，请高尔基主持布尔希维克的机关报《普罗》（*Proletary*）的文艺栏，列宁复他的信里说：

> 你的计划……很好，使我愉快极了。在《普罗》报上特辟文艺一栏，并交给阿勒赛（译者按，原文不写全名，系用简号 A. M–ch，即 Alexey Maximavich，高尔基的原名前两字）。

> 这正是我所梦想的事情。但是我怕，我很怕直接地建议这件事，因为我不知道高尔基自己在目前所做的工作的性质，也不知道他的工作的力量如何。倘若他所正在做的是伟大而严重的工作，那末我们另把别事来干涉和烦扰他，便是愚蠢，是罪恶，如果上面所说的那样新闻业的小事会妨碍他的工作的话。我对于这一点有很强烈的感觉。倘若你想，我们把党的工作请高尔基做，不至因此害了他（在党的方面诚然是要大得其益的），那么请你进行接洽吧。

高尔基也有信给列宁，答应替《普罗》报写些小品文字，列宁也用回复卢纳卡斯基信的同一口气答复高尔基，劝他不可因此妨碍了他自己的“伟大的工作”。列宁始终关心高尔基的健康和文学的事业，他很乐意地接受了高尔基和玛利亚的延请，打算到喀普里去看他们。他答应一等到《普罗》报的事情可以布置妥贴，使他和克鲁卜斯卡亚（Krupskaya，即列宁的夫人）可以抽身的时候，就要离开日内瓦。他对于喀普里的这两位朋友信任心之深切，只须看一件事就很可以知道：他曾经写信给他们委托玛利亚替他组织，担任把《普罗》报偷运入俄的困难而危险的工作。高尔基的这位第二夫人（在自命敬教的纽约旅馆老板和新闻记者的眼里，是个姘头），是个机警多才而又精通数国语言文字的妇人，对于布尔希维克的组织方面，有很积极的和极有效用的贡献。

列宁对于高尔基的小说作家的天才，诚然是很敬慕，但是对于他的政治信仰是否坚定这一点，却很有怀疑。关于政治信仰这个方面，这位布尔希维克领袖是丝毫不肯马虎的。他写给他（高尔基）许多信，对于他在理论及实际各方面的空想，都加以严厉的责备。高尔基因为并未正式加入任何党派，所以对于革命的见解，大有宽洪大量之概，每主张各类的人和集体都应该合作。列宁对于这个兼收并蓄的态度却大不以为然，他在这些信里，有的时候出于温和的开玩笑的口气，有的时候很直率的反对这种建议。列宁对于以前的同志之趋入歧途，有"理想主义"的嫌疑的，都严格的不愿迁就。高尔基有一次在信里，对于这些同志所著的文章汇集而成的一本书表示同情，他就得到列宁的一封很坚决的回信："我宁愿使我自己分尸四段，不愿答应参加宣传这类东西的机关。”但是高尔基却仍然不懈地要设法使得社会民主党的两派重新结合，一直到了一九一一年——即已经分裂了八年之后——他还在力劝开个全党大会。列宁不得不表示决绝的口吻了，他写信给高尔基说：“要我们和马尔托夫（Martov）一派的孟希维克团结吗？这是绝对无望的；这一层，我在此地（指巴黎）时已经当面和你说过。倘若我们竟为着这个无望的设计而布置开个会议，这徒然是一件侮辱的事情（就我个人说，即仅仅和马尔托夫开个人会议，我也是要拒绝的）。”列宁从前虽和马尔托夫有过友谊，而且终他的一生，对于马尔托夫的智力是始终敬佩的——约在一九二〇年的时候，他有一次对高尔基说过：“马尔托夫不能和我们在一起，这是多么可惜的事情？他是多么一个可佩的同志，多么一个洁净的人啊！”——但是一认为他在信仰上有了动摇，便斩钉截铁地不愿迁就，不愿和他妥协。有一次马尔托夫讥讽列宁，说在俄国只有两个布尔希维克党人——列宁和柯伦泰（Kollontay），列宁听了大笑，随着付之一叹。列宁一得到政权之后，他情愿运用各种的退让政策，但是当他正在组织革命的时候，他异常坚决地避开异端邪说，一点迁就都不容许。他写给高尔基的信里这样说："相信我的话啊，我们在目前所需要的是分化，不是团结！"

其实高尔基的文章从未在《普罗》报上发表过。他曾经投过一篇稿子，但因为内容有趋向理想主义的色彩，被列宁退回，叫他做过一篇，把异说删去，或投登别的刊物。因这件事，他们两位发生了争辩，这个争辩不但使他们两人的关系为之中断了一时，而且因此引起了纠纷，使布尔希维克一党的内部也发生了很严重的分裂。在高尔基的这篇文章里，列宁看出他有表同情于经验一元论派（Empiriomonist group）的意见，这一派后来由布尔希维克党退出另成一支派，因为他们的机关报名《前进》（*Vperyod*），所以又称"前进派"（Vperyodovtsy）。列宁把这篇文章退回高尔基的时候，他附了一封信去，在信里有很长的说明，表示他对于此事的态度；他郑重申明他对于各种哲学上的意见都可加以宽容，惟不能容许把《普罗》报的篇幅来发表哲学性质的讨论，尤其是关于可争辩的要点。他劝高尔基帮助他勿使哲学上的纷歧的见解把本党分裂。如有意见可在别的刊物上发表，不要登在《普罗》报上，《普罗》报是要保持着统一的前线。后来这个争论越弄越严重起来了，《普罗》报对于这班维持异说的人不得不下攻击令了。第一炮是对着卡孟特夫（Ieo Kamentev）的一篇文章！我们走着不同的道路。

这“前进派”的主要领袖是博格达诺夫（Alexander Bogdanov），他原是《普罗》报的特约撰述，是一位意旨异常易于变动的学者。这两方面的争论继续的闹下去。关于理论的信仰方面，列宁是不肯有丝毫的宽恕或退让的。高尔基为着保持布尔希维克党的团结起见，恳求各方注重和平与妥协。列宁回答他说，他（列宁）了解并且敬重高尔基的情意，但是他觉得这是大大的错误，他这样对高尔基说：“你一定了解，你自然就要了解，一个党人一旦相信某一主义是全然错误的，是有害的，他不得不退出党外来反对这主义。如果我不是绝对地看清……他们的文章全是荒谬的，有毒的，自私的，牧师宣教式的，我决不愿掀起这个巨浪。蒲列哈诺夫著文反驳他们，其内容是完全不错的，只不过他还不知道，也许是不愿意，也许是太懒，具体地，有力地，简明地，把此中真理说出来，无须用许多哲学上的花言巧语来吓倒读者。我不顾任何代价，要照我自己的见解说出来，我最亲爱的 A.M.（高尔基的名字前两字的缩写）。请问有什么‘调解’的可能？就是仅仅提出这个名词，已经是笑话，你不知道吗？这个战争是绝对地无法避免的。”

这个时候博格达诺夫已到了喀普里，高尔基接着请列宁也到该处，以便大家把这件事讨论一下。但是列宁却拒绝他说道：“我来是无用的，而且是有害的。我不能，而且也不打算和那班把科学的社会主义和宗教混合一起传布的人辩论……这是不能讨论的，无目的的白费心思是愚蠢的事情……”他在这封信里的附语中对玛利亚特别道候，并表示他希望她不致为宗教说法所迷惑。他知道玛利亚是该党里的一个实际的助手，希望她勿卷入文学的和理想的歧途里面去。但是不料后来又接到一个电报，是由高尔基和玛利亚两人共同署名的，最后请求他到喀普里一行，俾免党内的分裂。他复电拒绝，随后又复了一封信去，说他不能接受他们的延请，他重申他的要求，认为不可把哲学上的讨论和布尔希维克党的政治工作混乱起来。

这个争论终于超出了仅仅哲学上争辩的范围，布尔希维克党因此不免分裂，这个分裂是永远不得完全挽救的。

关于此次争论的内容，此处姑不详述，我们只注意有关于高尔基的部分。高尔基原是一位冷眼观察的艺术家；他一冒险钻进了在他的小说范围以外的境域，便失却他的力量和创作力了。但是因为他既立于一个公民和革命家的地位，他一再地被激动着起来发表关于哲学和政治问题的意见，发表的方式有的直接，有的间接，直接的是报上的社评和谈话，间接的是出于他所著的小说中的人物的嘴里，替他说出来。立于政论家的地位，他很少能使任何批评家满意。文学界中人反对他把教训式的劝世文字夹入纪事文里面去，革命的政论家看了又嫌它肤浅。

博格达诺夫和卢纳卡斯基一班人被逐于《普罗报》之后，也就是被摈于布尔希维克党的中央之后，开始刊行他们自己的机关报，名叫《前进》。这“前进派”一班人获得高尔基的赞助。在他赞助他们的其他事情之外，有一件是在喀普里协助他们组织一个为俄国工人而设的学校。这件事的来源是这样：有一个布尔希维克党籍的工人名叫维洛诺夫（Mikhail Vilonov），曾经坐过无数次的监牢，也从监牢里干过无数次的逃脱。有一次他于逃脱之后又被捉着，被警察打得异常的残酷，他竟因此患了肺痨病。该党助他逃到国外去，后来到了喀普里。他觉得该处的气候实在使人愉快，又觉得高尔基和他的许多朋友的社会实在能振作人的精神，于是决定其他工人也应该到喀普里尝尝这个“天堂”的滋味，他的病体虽尚未完全复原，即冒险潜回俄国去，征得本党的核准，送几班聪明的工厂工人到喀普里去，受严格的学校训练，毕业之后再派回本国担任宣传员的职务。第一班送去的约有二十人，经过了许多的困难，于一九〇九年的夏季达到喀普里。帝俄当道探悉了这个计划，曾下命令拘捕维洛诺夫和他的同党。他们不得不想尽方法规避边境的警察，鬼鬼祟祟地偷走过边界。他们一个一个溜到边境一个镇上的时候，都先到一个信仰社会主义的接生妇的家里，他们所用的暗号却也有趣，大家进门时都要说一句“我的妻已一胎生了三个儿子”。这个接生妇替许多人开门，进门之后个个都宣言他做了三个儿子的父亲！这班天真烂漫的弟兄们平安到了外国之后，在各处重要的都会耽搁了一些时候。在维也纳，托洛茨基——也是喀普里“大学校”拟请的讲师里面的一位——遇着他们这一班人，领导他们参观了本地的几个博物院。

在喀普里设立的这个学校，里面的课程包括各种演讲和实际的革命工作。在讲师里面有博格达诺夫，讲政治经济学；扑克洛夫斯基（Pokrovsky），讲历史；卢纳卡斯基，讲劳工运动和革命史；阿尔新斯基（Alxinsky），讲工团主义和财政；高尔基，讲俄国文学史，还有其他等等。此外被请担任该校演讲的有蒲列哈诺夫，他的架子摆得十足，对于聘请的信连答复都没有；托洛茨基虽答应来，后因事不能来；考茨基的回信说他太忙了，不能来，而且说他用他的笔工作，比用他的嘴工作来得好；列宁虽不能来，却和该校学生有长期的通讯。这确是一个朝气蓬勃的学校，学生们都不愿囫囵吞枣地把各讲师的知识接受下去，却加以热烈的辩驳和讨论。这种未来的宣传员，不但要熟悉革命组织的技术，而且要知道怎样对付别党或别派的敌手。因为这个目的，这个学校里常举行假的辩论会，由教授和学生假装各种政党的人物，参加辩论。高尔基被派为极端反动派的人物，假装“黑色百人团”的一分子。最为学生所欢迎的讲演里面，有一科要算是卢纳卡斯基所主讲的艺术史，后来他带这班学生到罗马去旅行过一次。学生也很欢迎高尔基的讲演，尤其是关于戈哥尔和普希金的讲演。还有一件事也有提起的价值，那就是这班普罗列塔利亚利用这个机会，和那些常到高尔基的别墅里的各种天才横溢的专家接近，由此所得到的惊喜的情绪。

高尔基对于他的宾客（指该校的师生）的热诚是没有再高的了。高尔基因被强迫住在俄国的外面，现有这样的机会和祖国的这班勇敢的青年接触，和这班将来的光明前途的中坚分子接触，在他实感觉到无限的愉快。但是不幸得很，毫无政治成见的高尔基，此时却卷入了党争的漩涡，这种党争竟毒害了这个学校的快乐的空气，甚至于毁灭了这个学校的快乐的空气。此事的转变，全由于列宁的手段：他在对付敌人的方法上面，常是特具天才，而且几于无次不获胜利的，现在他竟把喀普里的学校视为他的仇敌了。该校请他讲演，被他毅然拒绝，说他不能和那些引人趋入歧途的讲师同在一处旅行。该校的学生都是粗鲁直率的工人，看见布尔希维克的领袖间有这样出乎他们意料之外的不同的意见，弄得莫名其妙，对于列宁的拒绝都不免怀恨。他们里面有七个由莫斯科来的，用该党的莫斯科委员会的名义，给列宁一个正式的命令，叫他到喀普里来，并加恫吓，说他如再固执地拒绝，将在中央委员会告发他破坏党纪。列宁当时对于这班幼稚的孩子们玩着布尔希维克的战术老套，大概付之一笑，因为他只回复一封长信，老实指摘博格达诺夫一班人的错误，和他们对于党的危险。他告诉他们，说他们都是良好的青年，但是对于政治的斗争仍缺乏经验，并说倘若他们愿意到巴黎来，他很愿意教他们。两方往来写信讨论，为时颇久，后来列宁的"勾结"竟发生了效力：这班学生决定在喀普里的五个月课程完毕之后，即到巴黎来。

可是列宁对于这个胜利还不满足；他恐怕博格达诺夫的异说输入了那些天真的脑里之后，受毒已深，后来的疗治，已不免太迟了。他认为这种异说的传播，有利用激烈手段铲除的必要。于是他设法使布尔希维克的中央会议通过一个议案，说喀普里学校的创办人，尤其是博格达诺夫，组织该校来反对《普罗》报，这些创办人并不能代表布尔希维克党的全部，只不过代表博格达诺夫一派人，所以该党对该校不能负责。换句话说，该党由此正式否认该校是合法的机关。除了这个步骤之外，列宁又继续写信给该校的学生，结果该校学生里面也分裂了，有五个学生立即离开喀普里，到巴黎来。但是有一部分信仰博格达诺夫的学生仍在喀普里继续就学，等到五个月各科完毕后，才加入巴黎的学校。

高尔基看见党内的这样的纠纷，异常觉得痛心。他所注重的目的，只是要启迪那些工人，使他们受得相当的教育，并把所受的教育带回贫乏的本国环境里面去。至于党内各派意见的分歧，在他觉得和全部的计划没有什么重大的关系。虽以强硬激烈的列宁，对于高尔基的这种心理，也不能不表示敬佩，尤其是后来维洛诺夫亲到巴黎，把该校的详细情形当面告诉了列宁。列宁听到维洛诺夫的报告后，特写一封很诚恳的信，向高尔基和玛利亚表示歉意，他虽认为喀普里确被新起的一派人利用为中心机关，但对于高尔基在工人运动方面的努力，不能不表示敬意。

同时《普罗》报和《前进报》仍继续不断的大打其笔墨官司，党外的各报对于布尔希维克这种内部分裂，视为可以轰动一时的消息，大登而特登，他们尤其兴高采烈地宣传的，是关于高尔基已被布尔希维克党开除的谣言。列宁看到这个消息之后，曾在柏林一家报上否认高尔基被该党开除的这件事，但其他报上却拒绝登载他的这种声明。于是他即在《普罗》报上发表一篇短文，题为《布尔乔亚报上关于开除高尔基的神话》，他说这件造谣毁谤的运动，是全出于布尔乔亚有意煽动该党的内争，并乐于看见高尔基遗弃该党（其实高尔基从未正式入党，我们在上面已经提及，但关于这一点，列宁和他的政敌却都没有说起）。这篇短文的末了有这样的几句话："布尔乔亚报纸的这种努力是徒劳而无功的。高尔基同志，由于他的伟大的著作，已使他自己和俄国乃至全世界的劳工运动发生了极密切的关系，他对于这般报纸的胡闹，除了鄙视之外，不会有别的什么反应的。"

到一九一〇年的时候，博格达诺夫一班所谓"左派"的人都没有了力量，他们的文字上的努力都显露了失望的征象，他们最后关于信仰的宣言都充满了矛盾，无意中都承认了自己的错误，这在列宁，当然是踌躇满志的事情。列宁认为在这一班人里面只有高尔基是个人物。他说："高尔基无疑地是普罗列塔利亚的艺术的最伟大的代表，他对于这个艺术已有很多的贡献，而且在将来还要有更多的贡献。"但是他以为高尔基在普罗列塔利亚的艺术上诚然是"无疑地一个权威"，如把他的名字硬放在政治的党纲上面去，那却是用非所长，反而湮没了他在普罗列塔利亚的艺术上的贡献。

在同年（即一九一〇）的夏季，列宁亲到喀普里来访问高尔基，他们两位的友谊又恢复了。有许多要点，他们两位当面畅谈一番，倒消除了误解。高尔基表示对于列宁从前的缄默，不无遗憾——尤其是关于他所著的《忏悔录》，没有信给他，并拒绝到喀普里学校讲演。列宁答应他以后要更坦白地待他；从此后列宁写给高尔基的信里看来，无论何时，遇着讨论一个问题，需要老实话的时候，列宁确不客气地直说，不管高尔基的过敏的神经。又从他们的来往信件里看来，高尔基在实际上的确悔悟了博格达诺夫和卢纳卡斯基一派异说的错误，但是有的时候，仍不免有机会受到列宁的严厉的责备——虽则由于很友谊的态度——这是因为他往往易受别派中人的包围，对于他的革命的忠实不能有绝对坚定的态度，尤其是高尔基屡次努力要使社会民主党的各派开个全党大会，旨在重新团结起来，却始终受到列宁的严训，说当时实需要更严的甄别，不必再亟亟顾虑到什么团结不团结的问题。但列宁虽是一个谨慎的政治家，对于高尔基的诚实却很有信仰，关于很秘密的消息，无论是关于个人的，或是关于党务的，都时常告诉给他知道，他尤其关心的是高尔基的健康，常在信的末了问起他的病状，劝他要看好的医生。

一九一三年二月，罗曼诺夫皇族举行当朝三百周年纪念，实行大赦，凡仅文字上犯罪的政治犯也在被赦之列。高尔基打算这年的冬天回到俄国去。列宁很同情于他的思乡病，劝他尽可回国去走走，不过叫他在事前要注意打听帝俄当局会不会因为他办过喀普里学校，要办他的罪。除这一点要注意外，列宁还怕高尔基也许不愿意受沙皇的特赦，所以又写信这样劝他：“我希望你不要以为不该去领受大赦。这是一个错误的见解。在目前，一个革命家在俄国内地能做更多的工作……一个革命的作家漫游全俄（新的俄国），这是一个良好的机会，要使‘罗曼诺夫公司’受到百倍激烈的打击……”

高尔基决定在这年的冬天回到俄国去，但在这个时候，他的旧病——肺痨复发，病势很剧，诊视他的几个医生竟预料他“只有三星期”的时候可以活着！列宁听到这个消息，大为着急，劝他在回国之前，先到瑞士或德国，入最好的医院，请头等医生诊治。后来有一个青年俄国医生，名孟努钦（I. I. Manukhin），偶在这个时候来访问高尔基，建议试用他所新发明的激烈 X 光线疗治肺病法，高尔基认为试试并无损失，就答应了，不料结果很好，于是在这年的十二月，高尔基便在回俄途中了，在一九一四年的一月，便到了俄国。他在俄国的时期中，弄得当道时在恐慌中过生活，弄得他们走头无路，这在上章里已记其梗概了。

第二十三章　主持新生活日报

在世界大战的时期里面，高尔基编行了一种月刊，名叫《纪事月刊》。就大概说，该刊是主张国际的社会主义，并在战期中检查员通得过的范围内，在原则上反对世界大战。当时自命爱国的报纸和各种爱国的团体，诬指该刊为亲德，为失败主义派，为叛逆，屡次督促俄政府取缔该刊，视为全国的公敌。其初负检查责任的当局寻不出具体的根据来查封该刊，直到一九一六年的末了，当道才决定勒令该刊停版，但是到了这个时候，拉斯普丁的被刺以及其他重大激变的事件连着发生，政府的注意不得不分到别方面去，也不能用全力来对付这个月刊了。其实当时这个月刊在各方面都不能讨好，既为拥护世界大战者所不喜，又不为失败主义派所欢迎；既被布尔乔亚所痛恨，又为列宁所轻视。这个时候，高尔基脱离了列宁的“训导”，他的“全党应团结而不可分裂”的老主张又重新汹涌起来了，又被那些列宁所谓为宁愿分尸四段而不愿相处的人们所包围了。高尔基自己在这个月刊上所发表的文字却很少涉及政治的问题：他所愈益注意的问题是一般人民文化的落后，和须要一个“战争”来对付这个“内的仇敌”的迫切。显然的，此时的高尔基，对于“革命可治全国的一切罪恶”的信仰，已渐渐地冷了下去。一九一七年三月专制君主政体的推翻，和后来克伦斯基当政时文武官吏的腐化，在他唤起了一种混杂的反应。一方面，他看见一个废弃的腐败的制度之被推翻，感到自然的愉快；但在另一方面，在这种愉快之中却夹有一种顾虑，在世界大战及本国革命之错杂的神秘状况下面，人民的能力是否能维持秩序和仁爱，他不能无疑。他甚至于暂时忘却他的非战的态度，在各报上发表了一种公开的信，说在自卫的范围内，继续参战到胜利的结果，是革命应有的使命。列宁对于高尔基这种前后自相矛盾的话，有这样的批评：

这封信完全充满着一般普通国民的成见，

> 看到这封信的人便觉得可恨。此文的作者（列宁自称）前往喀普里的时候，曾经面责高尔基关于他的政治的错误，并警告他以后不可再蹈覆辙。高尔基闪避这种责备的方法，却是现出一种亲密可爱的笑容，和下面那样直率的话语：“我知道我是个蹩脚的马克思主义者。况且我们做艺术家的人都是些不负责任的人们。”……对于这样的宣言，却不易于和他争辩……

高尔基所办的《纪事月刊》不久停刊，一半因为印刷方面发生了障碍，一半因为月刊不能应付瞬息变化的俄国时局。于是他在一九一七年恢复那个已经死了十二年的日报，名叫《新生活日报》。他觉得专制君主政体的推翻，也许只不过去了体上的皮肤病，体内的病还须要疗治。于是他大声疾呼，说俄国的文化已很危险，非积极提倡不可，但是高尔基的这种意见，在轰动全国的暴风雨中，好像是极微细的呼声。就是在他自己所主持的《新生活》报上，这位主笔先生的话也被政治性质的讨论所湮没，没人注意。他的同事的主笔和特约撰述，也和办《纪事月刊》时一样，都觉得到了这个时候，不比在沙皇统治时代了，如仍自认对于政治的行动无明确的主张，是很难的事情；在从前沙皇统治的时代，在这方面的糊涂掩饰，不作显明的表示，反而是闪避检查的最稳妥的方法，此时的形势却和从前不同了。《新生活日报》很迅速地成为俄国销数最大读者最多的报纸，但是该报对于三月后公开活动的任何党派，都没有关系或附和。该报的言论可谓最近于一种布尔希维克主义，但却不是列宁的一种；该报虽反对布尔乔亚的观念，虽攻击克伦斯基的游移不定的政策，攻击他对于劳资两方及参战和革命间的骑墙态度，但对于列宁立刻由苏维埃夺取一切政权和建立普罗列塔利亚国家的主张，也作强烈的反对。所以《新生活日报》虽有很大的销数，但和《纪事月刊》一样，对各方面都不能讨好。

高尔基做这个日报的主笔，觉得很不舒服：在一方面，他心里根本不喜欢党派的斗争，从未停止他对于重新团结的努力；在别方面，政治使他感觉烦恼，立于一个大规模而又占有势力的日报的主笔地位，又不能不谈政治，这是他所受不了的。他时在该报上发表的提倡“文化”的文字，所以还受人容忍，还是因为他们敬重他在已往的革命历史。

《新生活日报》缺乏一个明白的政策主张，这种情形，可算是一九一七年三月的政治革命和同年十一月的社会革命的过渡时代的特征。在这两个革命的过渡期间的几个月内，智识阶级大作理论上的争论和一场无结果的雄辩，对于当前的现实却完全不能把握着。经过三月的政治革命，俄国摆脱了专制政体和封建制度的残余势力，他们认为，其次的阶段，依着别国的经验所指示，似乎很显然的是：封建制度必须代以资本主义制度，在一个尊严的议会制度之下，由中等阶级占着优越的势力，这是一个当然的趋势。总之还是个布尔乔亚的统治。

对于这种似乎一致的见解，独持异议的是列宁和他的少数的信徒。他对于这个形势，最初就有不同的观察。那些智识阶级都是熟读历史和政治思想的著作的，认为别国既有先例，封建制度推翻之后，继以中等阶级为中坚的议会政治，是当然的趋势。但不管一切的政治理论和先例，依列宁看来，俄国的革命并非转移政权于中等阶级的这回事。俄国的中等阶级在数量上是很有限的，他们的道德的势力更是等于零。一般愚蠢的大众已数千年被强压在下面，屈服于专制的统治；被压抑在愚民政策之下，毫无知识可言：对于这样的一般大众，要用逐渐的演进的方法，是不行的。在恐怖的世界大战正在进行的当儿，帝俄统治阶级的腐化和颟顸无用，已达了极点，以致于忽然地土崩瓦解，全部崩溃。三月的革命，是由军人叛乱所促成的政变，它和平常军事政变所不同的一点，乃在不是由上级军官所发动，却是由于下级兵士所发动的。当时许多的兵士，其中有百分之八十是农民，连同为数不多的城市工人和智识分子，老实不客气地不服从他们的军官的命令，自动解除他们对于沙皇的忠诚，拥护一般人民的革命运动。这政变发生之后，政治的领袖们现身于政治舞台上了，他们企图来着手实行善后的办法。结果他们认为“洛夫——密鲁科夫——葛区科夫的混合内阁”（Lvov-Milyukov Guchkov cabinet）是可容纳的——在这班智识分子看来是可容纳的。这个混合内阁里有守旧派，有自由主义者，甚至有资本家，为着敷衍革命的群众起见，特容许“社会主义者”的克伦斯基参加在里面（任司法总长）。但是和智识分子相对的未受过教育的兵士、农民和工厂的工人，并不派代表到这个自视为不可一世的临时政府里面去，却派他们的代表去参加工人、兵士和农民所组成的卑微的苏维埃。于是在一方面，有个混合内阁，做比较上无成立可能的中等阶级的代言人；在另一方面，有个苏维埃，代表占全国人民百分之九十五左右的喉舌。那个智识分子所建立的临时政府，固然要想统治全国，但是这个政府的后面没有什么后盾，只有一班所谓政治的领袖在里面鬼混，而在他们里面又没有一个领导者。至于苏维埃，差不多有了全国做后盾，但可惜主持者的态度过于谨慎。此时这个苏维埃的领袖如丹恩（Dan），李柏（Lieber），高资（Gotz），马尔托夫，许诺夫（Chernov），克得斯（Chkheidze），以及其他等等，都不惮烦地再三叮咛这个有力量的集团不可企图统治全国，认为这样一来，便和一切历史上的前例相反。这种矛盾的现象继续了几个月。临时政府有名无实，徒贻笑柄；苏维埃虽权力日增，但却又不愿意用！后来这个临时政府渐渐地转入克伦斯基的掌握中。克伦斯基是个诡诈的欺骗者，第二等的律师，却要效颦拿破仑，游移不定于参战和革命，资方和劳动，地主和农民，由前线归来的疲于战争的代表和协约国的密使（这些密使是被派来引诱俄国不管任何牺牲，都要出兵进攻的）。苏维埃很勉强地派了几个代表加入克伦斯基的混合内阁，腼颜和他们周旋着。

列宁在一九一七年三月偷过边境潜入俄国以前，就造定了他的这个标语："一切权力归于苏维埃！"后来他一到了彼得格勒（Petrograd），就尽力于一种激烈的运动，使这个标语普及化。反对他的，不但是一切尊严的领袖和他们的机关报（都骂他是狂人，是德国的奸细），就是"几乎是布尔希维克"的《新生活日报》的一班人，以及他自己的从前最亲近的同志里面也有几个，都来反对他，都觉得他的政策有引起暴民政治的危险。在一九一七年六月全俄苏维埃大会里面，列宁曾演说，他在演说里提及策列特利（Tseretelli，克伦斯基内阁里的一个孟希维克阁员，任邮电部长）说过的这几句话："在俄国没有一个政党肯答应出来肩起政府的全责。"列宁接着说："我的回答是：确有一个这样的政党！没有政党应拒绝它的这个负担，我们的党就不拒绝这个负担。无论什么时候，我们的党都准备着接受政府的全责。（听众鼓掌大笑！）你们尽管尽量的笑。”列宁为着说了这几句大胆的话，被报上的讽刺画和小评里的主笔先生们作为取笑的目标。在俄国的政治舞台上的人物，向来是以三推三让为美德的。当时列宁只有极少数的信徒，竟敢明目张胆地宣言：已准备在任何时候都可以接受政权，这在一般人看来，当然要觉得是极端的滑稽，是太不自量的笑话。

巴萨洛夫（Bazarov）曾在《新生活日报》的社评里，警告大家勿为列宁的“共产主义的歇斯特里亚”所迷惑；赖萨诺夫（Ryazanov）日后成为布尔希维主义的台柱子（按此人在一九三一年因产业党事件被控，免除马克思恩格斯研究院院长之职，并开除党籍），当时却为文说：“列宁主义与其谓为笃信革命的产物，毋宁说是缺乏革命信仰的结果。”又克尔岑泽夫（Kerzhentsev），后来成为苏维埃政府第一流的外交家，当时却骂列宁的政策等于回复到巴古宁（Bakurin）的“暴动主义”。一九一七年的六月，在布尔希维克党第一次起事失败的第二天，索克哈诺夫（Sukhanov）在高尔基的报上写了一篇评论，足以表现该报素来游移不定的态度。他在这篇评论里说过这样的话:“我们和布尔希维克党人有分别的地方,就在乎我们不把夺取政权加入我们的主张里面。我们认为这样干是错误的,但是在这个时候,拒绝政权的接受,也是同样的错误。”这样自相矛盾的话说了出来,怪不得列宁的机关报——《真理报》讥讽备至,对于这班《新生活日报》上的小布尔乔亚的迟疑徘徊的饶舌,嗤之以鼻。后来拉萨诺夫力劝列宁派和托洛茨基派互相让步妥协,高尔基的报又重新努力于鼓吹各派的团结,《真理报》对于这种感情的话,不屑置辩,只斥为“肥皂泡”而已。

高尔基既不是一个政客,他对于在政治舞台上的人物所难免受到的嬉笑怒骂和肆意毁谤,自然不能老着面皮,泰然处之。各方面对于他的攻击,当然使他感到烦恼。

一九一七年的夏季将了的时候,克伦斯基的政府愈益孤立起来,信用和威望都等于零了。他和大众隔开愈甚,反恃守旧派和资产阶级为护符。逃匿于芬兰的一个小村落里的列宁,以他的决心和自信力,指导革命的进行。此时“一切权力归于苏维埃”的口号，相信的人也渐渐的多起来了，后来在两京的苏维埃选举，布尔希维克党人竟获得多数。彼得格勒苏维埃举托洛茨基任主席；他从前是列宁的政敌，此时已经明确地和列宁一派合作了。从此以后，苏维埃有了新的声调，明明白白地要夺取政权。克伦斯基政府大发雷霆，申斥彼得格勒苏维埃，加布尔希维克党人以叛逆的罪名，说他们有推翻现政府及准备叛乱的阴谋。布尔希维克党对此种种并不否认，只不屈不挠地埋着头干，积极进行夺取军权和政权的组织。

在这种急迫的时期里面，《新生活日报》的态度怎样呢？他们不能再讥讽那班孤立的狂人是在胡思乱想了，因为这个时候列宁一派人的声誉和势力已一天一天地继长增高，使人不得不加以严重的考虑了。彼得格勒所新选的苏维埃已不再辩论接收政权这件事的是非问题，只着手准备如何接收，并已发出命令给军队及民众机关。这种命令发出之后就被遵守的，不像克伦斯基的有名无实的命令。《新生活日报》也不得不承认此时的政权即将转到“民主”的手里，但所谓“民主”，是指社会主义的各政党，仍不信任布尔希维克一党有独任艰巨的力量。巴萨洛夫就在该报上著文提出这个疑问。直到十月的中旬，在列宁的凯旋前约两星期，巴萨洛夫还不能自禁地揶揄列宁对于大众的信仰。（这种信仰，表现于他的这个标语：“一切权力归于苏维埃。”）他认为此种信仰只是“装着有情感的伪善”，他在这篇社论的末了，有这样的预言：“布尔希维克党在政治上胜利的时候，即是布尔希维主义完结的开始，同时也是革命完结的开始。”假使巴萨洛夫的意思是说一旦布尔希维克党得到政权之后，不得不稍稍改变他们的主张，由于积极建设的开始，使革命因此告一段落，他也许讲得有几分像，因为这是大多数革命的政党得到政权之后的常情；但是巴萨洛克的话却另含有破坏的意义，他叫人不要相信在布尔希维克党领导下的俄国革命会成功。到了十月下旬，《新生活日报》的社评政策所取的态度，是赞成“一切权力转给‘民主’的手里，同时警告‘民主’的左派勿作单独的行动”。该报的理论家巴萨洛夫仍用讥诮的口吻，评论布尔希维克党的议决案。该议决案主张“立即”由苏维埃夺取政权，并答应于取得政权之后，

“立即”着手对德媾和，“立即”解决土地问题，以及其他相类的自豪的幻想。该报社评里疯狂似的一致的主张是：“‘民主’必须巩固它的一切的力量。”而这种疯狂，却因布尔希维克党的暴动一天紧迫一天，有山雨欲来风满楼之概，也就一天一天的更觉得心虚胆寒起来了。

当时关于这种“暴动”公开谈论的人很多，听得惯了，似乎没有人把它看得怎样的严重，克伦斯基的政府准备用适当的手段来对付这个即将爆发的“示威运动”，一点儿也不觉得惊慌。密鲁科夫所办的机关报，预料倘若布尔希维克党人敢冒险到街上来，政府不难把他们压服下去，并表示临时政府的前途有希望，说政府“这一次必有足够的决心，至少要给与狂肆的无政府主义一种适当的道德上和物质上的挫折；暴风雨将要到来了，但也许这暴风雨将使空气一洗而清”。大多数布尔乔亚的报纸更为激烈，主张立刻用严厉的手段对付布尔希维克党人。苏佛林（Suvorin）的报上毫不掩饰地写着：“我们对于德国的奸细无战争可言，加以逮捕就是了。”他简直以为这班徒棍为数不过几个人，只须把他们逮捕，这件事便可终了。孟希维克的《工报》（Rabochaya

Gazeta）论到布尔希维克的领袖，这样说："彼得格勒的普罗列塔利亚和驻防军，与其他的社会分子完全脱离了关系而孤立无助，为从来未有的现象，这个事实，难道他们都不觉到吗？就是工人和兵士罢，也不是全体都跟随他们的，他们的标语只不过能把少数狂热的工人和兵士，诱骗到街上来，这少数人必很迅速地被猛烈地打死，这种形势，难道他们也不了解吗？"此外还有其他社会主义的报纸也有相类的口吻。《新生活日报》也发表警告，说这个建议中的"暴动，最可能的结果不过是引起内战，不能减轻也不能解决任何困难；此事只能有益于一个党派，那就是柯尼洛夫（Kornilov，按这个军官曾阴谋消灭苏维埃，建立武人的独裁）的一派"。高尔基自己也于十月三十一日在《新生活日报》上写了一篇社评，对于所传将于十一月二日爆发的"布尔希维克的起事"，表示反对，认为这样的流血暴动将使革命受重大的打击，并谓布尔希维克的中央委员会如果是一个能够指导大众的强有力的能自由行使职权的政治机关，对于这个传说负有驳斥的责任。

但是布尔希维克的领袖们对于这个问题却不愿多

费口舌。谁听见阴谋起事的人公开讨论他们的计划？不过当时的困难确也很大，关于这次暴动的企图，不但各派反对，使布尔希维克陷于孤立的地位，就是该党的中央委员会也有不同的意见，不能一致。列宁看到自己一派内还有这样的分裂，也觉恐惧，乃从他所藏匿的地方放出一个炮弹来——发出他的“写给我的同志们的信”。他老实不客气的这样说：“如拒绝此次的暴动，就是拒绝把权力转移给苏维埃，把一切的希望都放在‘仁慈的’布尔乔亚身上……你们要么加入自由主义者，公开反对这个标语：‘一切权力归于苏维埃’——要么只有暴动。此外没有中立的余地……”至于有人争辩，说布尔希维克已陷于孤立的地位了，又说发出反对此次暴动的宣言，有孟希维克，有国际主义者，有左派社会革命党，《新生活日报》的一派，以及苏维埃的中央执行委员会，列宁却这样说：“直到现在，我们已使那些迟疑不决的人受了打击，由此获得人民及苏维埃里大多数的同情；现在我们是要由夺取苏维埃，和放弃迟疑不决者的阵地，得到我们的收获。这是对于布尔希维主义多么美好的事业啊！”最后他耸耸肩说出下面的几句话，把一切的争辩都一笔勾销，他这样说：“一个笨伯能问出十个聪明人所能回答的十倍多的问句…… 我们从未否认接收政权的困难，但是我们不让革命的困难把我们吓退。”

所谓“暴动”，终于来到了，此事经过的迅速和顺利，简直好像是一幕喜剧！十一月四日，彼得格勒的一团驻军议决通过服从布尔希维克所成立的军事革命委员会的命令。十一月七日，克伦斯基宣言他要在法庭上控告那班“企图煽动群众以推翻现存秩序”的人们。同时临时政府特于首都外面调军队保卫；实际只有军事学校的若干学生和妇女们出现于冬宫，表示他们对于克伦斯基的忠诚。在这同一天里，军事革命委员会也发出命令给兵士们。这个命令的简洁扼要的体裁，无疑的是布尔希维克的体裁，和克伦斯基的夸张虚浮的拿破仑式的体裁，完全不同。在这命令里有这样的话：“勿踌躇或怀疑。坚定、稳固、坚毅、决心，革命万岁。”十一月七日（俄历为十月廿五日）是决定起事的日期。在当日上午两点钟，军事革命委员会便开始占据公共机关和各种设备。当日的上午四点钟，克伦斯基求助于哥萨克军队，请求他们“为着祖国的自由，荣誉，和光耀，辅助革命的民主和临时政府，拯救垂亡的俄国”。但他被哥萨克军队拒绝。当日的上午十点钟，军事革命委员会宣言“临时政府已被推翻”。克伦斯基离开首都到加奇那（Gatchina）去，想调集一部分哥萨克军队来援，作最后的挣扎，但仍然是徒劳无功。当日的下午两点三十五分，在彼得格勒苏维埃的会议里，列宁和其他曾经亡命的领袖都已在场，引起大众热烈的欢迎。列宁当场的演说很短，他只不过说：“同志们，工人和农民的革命，这是布尔希维克党人所一直主张的，现在已经成功了。在俄国的历史上一个新的局面正在开始；这个第三次的革命最后必引到社会主义的胜利。我们须在俄国立刻建设一个普罗列塔利亚的社会主义的国家。世界社会主义革命万岁！”

在那个时候，无论何人，如预料布尔希维克的统治至多会超过几个月，必被人笑。就是列宁和他的党徒，也不能自信他们的政变能比巴黎公社的纪录更长久。

讲到高尔基，对于胜利后的布尔希维克的攻击，其严刻为从来所未有。他所以大为愤怒者，因为他们一得到政权之后，对于他们的反对者采用他们自身所遭受的同样的压迫手段。这个时候，高尔基所处的地位，比前更为困难。已握到政权的布尔希维克党当然轻视高尔基和他的一班人——列宁所称为“四分之一的布尔希维克”。至于非布尔希维克的智识分子，他们向来骂高尔基比布尔希维克更坏，因为他隐藏在“文化的工具下面”，到了这个时候，他们便把所谓“国难”归咎在高尔基身上。甚至他的从前的朋友和卫护者也有不睬他的！

布尔希维克党执政之后，前政府的阁员被拘在彼得保罗炮台里面，后来其中社会主义的阁员由列宁命令释放后，都得安然的回家，还余下他们的同事柏纳资基（Bernatsky），康诺法洛夫（Konovalov），推列显科（Tereshchenko）和其他等仍被拘禁，高尔基为着此事，著文在《新生活日报》上对当道作激烈的攻击，他很严厉地提出这样的质问：

> 俄国的民主主义者曾否记得，他们对专制君主政体的专横奋斗，是为着追求什么理想的胜利而来的？

他们是否自以为现在还有能力继续这个奋斗?

他们曾否记得，当罗曼诺夫（俄皇族）的警察把他们的领袖，抛掷到监狱里和苦工场里去的时候，他们痛骂这样的对付方法是罪恶?

列宁对于言论自由的态度，和史托列宾，朴列黑夫（Pleheve），及其他“半人类”的相类的态度，有什么两样?

列宁的政府把他的政敌捕去，抛在监狱里，和罗曼诺夫政府所干的，是否用一样的方法?

为什么柏纳资基，康诺法洛夫，和混合政府的其他阁员，仍被拘禁在炮台里?他们有什么地方，比列宁所释放的他们的社会主义的同事，犯了更多的罪?

以上所举的问题的唯一老实的答语是：立刻要求释放被拘禁的阁员和其他无辜的犯人，并立刻要求恢复言论自由。

其次，民主主义者里面的感觉灵敏的重要

> 分子，应引申更深一层的结论——他们必须决定阴谋家和纳卡叶夫（Nekayev）的无政府主义者的路是否他们所要走的路。

当时仍得存在的出版物，除《新生活日报》外，没有一个有这样的冒险的勇气，对于布尔希维克的领袖敢作这样严厉的谴责。高尔基此时提起列宁一派的人，说他们想像自己是“社会主义的拿破仑”；并说因为这班人的破坏的工作，“俄国的人民要用充满海洋的血液来付代价”。他和列宁在从前及后来虽有深挚的友谊，但在此时对他却是很不客气的，他在此时对于列宁的描写，颇值得注意：

> 列宁自己当然是一个具有例外的力量的人。在已往的廿五年间，他都是立在为社会主义的胜利而奋斗的前线；在国际的社会民主主义方面，他是最伟大的最聪明的人物里面的一个。他是一个有才干的人，具有“领袖”的一切特性，在这些特性里面，并不缺少“无道德

的主义”，及对平民生命的纯粹贵族性的残忍的态度。

立于“领袖”和俄国贵族地位的列宁（贵族是已死的阶级了，但属于这个阶级的某种心理的特性，他是仍有的），自以为对俄国人民实行残暴的试验是正当的，其实这种试验的必败是可预见的。

人民为着战争而筋疲力尽，遭受灾殃，已为着那个试验付了整千的生命了，现在还要被强迫付出整万的生命……

他（指列宁）正在干的工作，好像一个化学家在实验室里干的一样，所不同者，化学家所用以试验的材料是死的，结果却有益于人生，而列宁所用以试验的乃是活的材料，结果徒使革命毁灭。正在追随列宁的有思想的工人们要明白，他是对俄国的劳动阶级做一个残忍的试验，这种试验要破坏工人们的最好的力量，并要使俄国革命之道德的发展因此停滞着许多时候。

列宁对于高尔基的攻击，似乎不以为意，但是他的手下的人对于高尔基的痛斥，却觉得很不高兴。因为高尔基很激烈的抗议新的统治者对于非布尔希维克及普罗列塔利亚的苛待，于是被骂为人民革命运动的叛徒，被骂为“虽为民主主义努力了二十年”，终于“揭开了他的面具”。关于这样的斥骂，高尔基的回答是：他“从未迷信过俄国人民的良好的特性，从来不曾对民主主义屈过膝，从来未曾把民主主义看得那样神圣不可侵犯，以为无论如何都不该有所批评和谴责”。他提醒他们，在一九一一年的时候，他就在所著的文里说过：“一个普罗列塔利亚觉得他的阶级之足以傲视一切，其错误和一个贵族夸大他的阶级是一样的。”

高尔基一向常干的职务，是专为被压迫的人向当权的人挑战。在沙皇当权的时代，他大声疾呼，替一般革命的和反政府的人主持公道；当克伦斯基当权的时代，他极力主张，当道对于极端右派的残余者，和政府所拟拘捕的极端左派的领袖，尤其是布尔希维克领袖，都应加以宽容；此时，在十一月革命以后他又以不入耳之言，劝告从前曾经受压迫的少数人不应苛待他们的政敌，其实这些被新统治者所苛待的人，对于高尔基是一向继续不断地辱骂他，虽在此时他极力拯救他们的当儿，他们还是这样的对待他！

布尔希维克的机关报——《真理报》对高尔基加以谴责，说他“说工人的仇敌所说的话”，说他过分张大新的秩序之消极的情形，该报认为这种消极方面的情形，是在千年老式政府崩溃之后所不能免的现象，并用讥讽的口吻提出这个疑问：“现在各国非出自愿地互为仇敌，将来各国成为四海兄弟的时候，举行光荣的庆祝佳节，到了那个时候，所举行的和平的宴会，要不要欢迎今日这样急急忙忙背弃真正革命的高尔基？”高尔基却用怀疑的态度答复这个问题，他说：“那是不消说的，无论是那篇文章的作者，或是我自己，都不能活着看得见这个‘光荣的庆祝佳节’——这是太辽远的事情，要有数十年的辛勤艰苦的文化工作，才能把这样一个‘佳节’创造出来。至于另一种的节目，半文盲的群众的专制主义庆祝他的傥来的胜利，而人类的团体却仍然受着和从前一样的压迫，而且还永续的受下去——这样的‘佳节’，我不愿参与，在我看来也不配称为什么佳节。”

十年之后，实际状况回答了《真理报》在上面所提出的这个问题。那时高尔基由海外回到苏维埃的土地，已是令人敬重的六七十岁的高年人了，受着苏联政府和胜利的普罗列塔利亚的热烈崇敬。欣喜欲狂的高尔基亲见那样普遍的情爱和敬意，时时感动得掉下泪来。在他对于答谢的演词里，除了极端赞叹苏联的功德外，没有别的话说。高尔基是被布尔希维克的俄国夺回了，但是“各国成为四海兄弟的时候，举行光荣的庆祝佳节”，却仍是一个辽远的梦。这是在十年后的事实，此处略为先说几句，现今按下不提，再回过来续述高尔基当时主持《新生活日报》的情形。

《新生活日报》存在一日，它的主笔先生就一日不静止地对列宁的政府作严厉的监督。高尔基宣言道：“不管政府在什么人的手里，我都是要用批评的态度对它，我认为这是人类的权利。”到了一九一八年，布尔希维克的政府仍然未被推翻，该党的领袖们仍继续干下去的行为，不但引起反对者的愤怒，就是他们的朋友和同情者，也常觉得惊异和烦恼。在这些行为里面，尤其显著的有两件事：一件是宪法会议的解散，一件是《布勒斯得·列托夫斯克条约》(Brest Litovsk Treaty)的签字。这两事也受着《新生活日报》的痛击。

宪法会议是俄国革命运动中一个神圣的标语，而布尔希维克的运动口号中有一事也是主张立即召集这个会议，由人民表示对于政体及一切重要国务问题的意志。诚然，在布尔希维克党人获得政权之后，不久即宣布举行选举，并定于一月间会议开幕。但是不料选举的结果，社会革命党的党员却占了多数。这个情形显明了之后，列宁即断定“安息日是为人而设的，人不是为安息日而设的”——他知道怎样引用圣经中语。此时俄国已开始组成苏维埃的国家，当然不许有任何会议来指挥为苏维埃而奋斗的最近胜利的人。但是关于大多数，关于人民的意志方面，怎么办呢？列宁毅然决定设立进步的工人阶级独裁制度，来统治无知无识的多数人。因此在会议开幕并选举许诺夫（社会革命党中央的领袖）做议长之后，他就毫不迟疑地把这个宪法会议解散。《新生活日报》原希望列宁不致反对这个会议，现在看见他竟这样的肆无忌惮，弁髦法律，该报社评遂表示异常的愤懑。后来有人企图在街上示威拥护宪法会议，被当道用武力强压下去，高尔基为着这件事，在报上发表了一篇文章，把这次一月的“镇压”，和一九〇五年一月的“红星期日”相比。

和德奥等国讲和订的《布勒斯得·列托夫斯克条约》，就是列宁自己，也骂为“猥亵”。由于这个条约，俄国不但失却广大的地质肥饶运输便利的国土，而且还被强迫付给大宗的赔款；这个条约不仅有影响于俄国，且含有世界的重要意味，因为中欧各国能由此把他们的军队由东面退出，集中力量对付西面的前线，又因为他们由此可占据乌克兰，穷困已极的军队及人民，可借此获得大量粮食及原料的供给。到了今日，感情的作用已平静下去了，大家可平心静气的问一问，在当时的形势之下，列宁除了这样干，有无别条路走？德奥等国不耐烦于苏维埃代表之喋喋，即对俄提出哀的美敦书，后因托洛茨基的代表团拒绝在这个条约上签字，中欧各国即向俄进攻。托洛茨基原希望德国的军队能对不抵抗的苏维埃表示同情，但是这个希望成了泡影，德国的军队竟长驱直入，迅速地向着俄国首都进发，俄国的军队，在布尔希维克执政以前，早就没有了战斗力；其实我们可以说，沙皇军队的没有战斗力，也是布尔希维克胜利的一个基本原因。于是列宁不得不在两条路之间选定一条：一方面有许多暴躁性急的同志们说出许多冠冕堂皇的语句，主张继续和德人战争，打到最后的一息；一方面，如不打下去，便须屈服于所谓“猥亵”的条约铁拳之下。列宁毅然排除前一种的感情作用，认为是一种“革命的口头禅”，决定签字于后来在实际上仅成“废纸”的和平条约，借此获得他所称“暂息急喘的符咒”。

《新生活日报》为着此事，特著社评作严厉的评论，所用的题目是《无耻的尾声》。这篇社评里措辞非常激烈，有这样的几句话：“我们碰着了一团行险侥幸的人，这班人为着他们自己的利益，为着要使得他们的行将灭亡的专制政治苟延残喘——能多延几个星期也好——便什么都干得出来，他们已准备着最无耻地出卖本国和革命的利益，社会主义的利益，以及不幸的俄国普罗列塔利亚的利益；他们凭借这些不幸的俄国普罗列塔利亚的名义，在罗曼诺夫空下来的皇位上无恶不作，替他们的委托者准备着一个可怖的坟地。”在这篇社评发表后的第二天，索克哈诺夫接着在该报上发表了一篇有署名的社评，说“人民委员会的投降，是俄国革命的无耻自杀，是国际普罗列塔利亚革命运动的出卖”。结果该报被勒令停版八天，其先当局令该报主笔公开声明对于索克哈诺夫的意见不表同意，被该报拒绝，但过了八天，当局却仍肯发给再行出版的执照。可见这个时候苏维埃对于报纸的检查仍是办得马虎。当列宁在世的时候，他对于“家庭内”（*within the family*）的反对言论，还肯容忍；这个名词的意义，就是这样倔强的《新生活日报》，也被包括在里面。

《新生活日报》虽被当道所容忍，但是他们对该报不免含着怀疑和敌视的态度。无疑的，“高尔基”的这个名字，能使人对于许多“罪恶”加以宽恕；他的这个报所以不致于受到和其他非布尔希维克的出版物的同样命运，全靠他的已往的革命历史和一般民众对于他的崇仰。但终于因为高尔基自己在该报上所说的话过于直率，布尔希维克党的党人对于他发生了仇恨的心理。彼得格勒的小霸王薛诺维哀夫，他在危险最少的时候追随着列宁，一些没有列宁的伟大，此时却利用他的地位，要使一般民众看不起高尔基。他谴责高尔基，说高尔基用攻击布尔希维克作手段，借此为布尔乔亚张目，问他有无胆量和他当众作公开的辩论。高尔基的答复说：“我不能答应薛诺维哀夫先生的要求。我不是一个演说家，我向来不喜欢现身于公众的前面，我也没有足够的机巧，和专以演说为业的雄辩家争胜……薛诺维哀夫先生说，我责难人民所犯的残忍粗暴等等行为，是意在取得布尔乔亚的欢心。这是粗鲁的极笨的诡计，但除了这诡计，从薛诺维哀夫一类的人，也不能希望有别的什么好事干出来。但有一件事却颇可惜，就是他不曾提及，在我责难人民几件暴行的时候，常告诉他们，工人们被雄辩家如薛诺维哀夫一类的人所腐化了……”薛诺维哀夫和高尔基间的斗争却不很平等，因为这位强有力的统治者对大众演说攻击高尔基，在这大众里面，只有一小部分读到高尔基在他的以叛逆著闻的报上所发表的文字。结果高尔基收到许多由一群一群工人和水手写给他的粗率的信，警告他要停止批评当道，否则他们要关闭他的报馆。这样的要求，在高尔基的当头上徒然引起更猛烈的批评。甚至弄到有几次排字工人拒绝替《新生活日报》排印某几篇反对政府的文章，该报因此不能出版，或仅印出有限的份数，或虽印出，不得不大大的缩小。出身于平民的高尔基，此时竟被平民视为仇敌，他所处的地位可谓奇特。高尔基仍不肯屈服，仍很倔强地继续奋斗下去，并宣言道："为《新生活日报》工作的人们，曾经和匪徒及骗子的专制政治奋斗，但我们这样奋斗的目的，决不是要纵任野蛮人的专制政治来取而代之。"布尔希维克党的中央机关报——《真理报》竟毫不顾忌的暗示《新生活日报》的经济来源之可疑，高尔基对此严予反驳，声明该报创办时有一位名叫古勒伯（E. Grubbe）的借给他二十七万五千卢布，此外他曾把自己由著作（他的小说集刊）上得到的一部分酬金加入，最后他忠告《真理报》的一班人说道："在一九〇一至一九一七年的中间，几十万卢布经过我的手，用于社会民主党的革命运动，我自己为这种革命运动而捐助的也有数万卢布，但大部分的捐款都是来自布尔乔亚的腰包。《火花》（按即当时社会民主党的中央机关报）就是靠穆洛索夫的钱办的，他拿出这钱不是借款，却是捐助。现在你们对于《新生活日报》的卑鄙的诬陷，不但侮辱了我的报纸，也侮辱了你们自己啊。"

不能免的情形，最后终于要到来了。苏维埃俄罗斯受着内外的夹攻：一方面要应付外面的敌视的世界，一方面要应付内部的要来破坏新秩序的无数的企图。布尔希维克既为各反动派所离弃和反对，无论在国内或在国外，都陷于完全孤立的地位。他们决定用断然的态度来应付了。这样应付的方法等于和一切斗争，布尔希维克虽在数量上远不及他们的敌人，但他们却毅然地接受这个挑战。他们把全国置在战争的根据上面，把工人阶级专政制度行到极度的地步，把反动派的种种权利的遗迹一扫无余，在这种种权利里面，尤其是言论自由，在这种状况之下，加上纸张和电力的缺乏，排字工人又时常捣乱，《新生活日报》终于不得不寿终正寝。

其实依高尔基的性格，他不是一位革命的政治家，乃是一位革命的文学家或文化家（Culturist）。当他这个报纸的拖延着的苦痛由停版而终了的时候，我们不禁感到高尔基在实际上好像释了重负似的。差不多在一年半的时间里面，他把他的名义和责任，都为着这件事业而用，这种事业，在他只有烦恼，没有快乐。他所以还继续把着舵，不过是出于侠义的态度，在事实上倘若不是他来掌舵，这个《新生活日报》的一只好船早就沉没了。因为无论克伦斯基，或列宁，都因为此报的主持者是高尔基，故加以相当的宽容，否则没有一个能容忍该报的严厉讥刺的倔强态度。高尔基为着这个报的时常操心，反有妨碍于他的文学的工作和他的一般的文化工作。这个报停办之后，高尔基留在俄国的其余时间，都完全用于非政治性质的工作，那就是拯救、保存和培养俄国的文化事业。关于这方面，我们将在下章有较详的叙述。

第二十四章　努力于文化的拯救

《新生活日报》停办之后，高尔基专注他的精神于拯救文化的工作。但在这方面，他所要应付的却是一件繁重而艰难的工作，虽则不含有政治的性质。鉴于文化的缺乏为俄国一切罪恶的源泉，他此时特委身于这个似乎新区域的工作。在一九一七年十一月革命之后，原为俄国在表面上绷场面的上层社会，即所谓智识分子，或由于强迫，或由于自动的抵制，都退到无关重要的地位里去了。而一般大众，第一次起而为统治阶级的核心，却大多数是智识落后的，一字不识的，懒惰惯了的，关于西方文明的最基本的要素，他们都是茫然莫名其妙的。高尔基乃起而领导许多为各种文化目的而努力的机关，尤其重要的是关于成人的教育；在革命之后，成人的知识荒大大地增加，要供给这个需要，凡是可以利用的已受过教育的男女，都负着繁重的担子。

在未受过教育的大众，一旦获得权力之后，凡是可以引起回忆从前统治阶级的事物，自然都要唤起他们的怀恨。在这种情况之下，高尔基不怕疲顿地再三劝他们要保全，并爱护还得存在的纪念物和艺术的宝物，再三用简易的说法，解释这些东西虽在从前是属于压迫阶级，现在却是人民的财产。在布尔希维克当权之下，高尔基的这种工作尤其艰苦；这个时候，个人的收藏都被充公归为国有，需要有组织的管理，窃为私有的还不必提防，尤其要提防的是对于艺术品的糟蹋，无论是出于有意的，或是出于无心的。出身平民的高尔基，对于平民有彻底的明白：他虽知道他们有可爱的，诗意的，仁爱的特性，但同时也感觉到在他们的孩子气的天真烂漫的性情后面，潜伏着兽性。所以他并不奇怪，当他听见珍贵的图书馆里的书籍和文库里的档案被大众毁坏，拿来卷纸烟及其他更荒唐的应用。他尤其时常深刻的感到国宝之需要保护，当他亲自看见例如下面所述的现象：

“一九一九年，在彼得格勒开了一个‘穷苦村人’的会议。有几千由俄国北方各省来的农民到了，其中有几百人就住在从前罗曼诺夫皇族所住的冬宫。会议开完之后，他们都回去了，事后才发觉他们不但把宫里的浴盆都弄得污浊肮脏，甚至于把许多极珍贵的花瓶——有的是色佛尔（Severes）的名瓷，有的是萨克森（Saxon）的名瓷，有的是东方的名瓷——拿来装大小便用。他们的这种行为，并非出于必要——宫里的厕所都好好的在那里，水管的效用也没有坏。不，这种恶行，是要毁坏美物的欲望之表现。在两次革命及世界大战里，我曾经数百次看见人民有着这样毁坏美物的黑暗的和报复的渴望。"

关于高尔基在保全文化的工作，其中尤其困难的是对于文化上有贡献的人物之保护。他不再从事于政治的批评之后，布尔希维克很欢迎他做知识和艺术方面的工作。他在这方面和他们的合作无论是如何的有限，在他们都觉得非常的高兴。但是到他所欲保护的不仅是纪念物，或书籍，或油画，或大礼拜堂，并要保护活着的科学家，诗人，和剧本作家，倘若他们不是布尔希维克党人，那他便要遇着很大的阻碍。这班智识分子，在布尔希维克统治的最初几年，一般民众听了是最觉得讨厌的，这是因为有许久时候，智识分子里面有大部分对于新的秩序总是力谋破坏的。凡关于国难中的种种祸灾：如敌人的围困，从前的广土的帝国致于缩成内地的小国；敌国加以经济的封锁，欲以饥荒强迫俄国屈服；各敌国进攻俄国的土地；社会革命党党人对列宁开枪；粮食和货品的缺少，都归咎于智识分子的从中作祟。这些人既被猜疑对于新政府作对头（常是确有事实上的根据而并非冤枉的），高尔基遇着要替他们说情的事情，更感到极端的困难。

在新经济政策尚未被采用的前几年里面，智识分子所处境况之可怜，实较苏维埃共和国里其他公民为尤甚。固然，当时各阶级都受着种种的苦痛，例如干涉的战争，内战和随着内战而来的残酷和穷乏，运输的瓦解，工业的停顿，土地的荒芜，以及各城市的饥荒。尤其凄惨的是因为文明的基督教的各国禁止金鸡纳霜，或其他医药输入反教的布尔希维克的土地，以致受伤的兵士，妇女，和儿童，没有麻药用，宛转苦楚于外科的手术之下，这种惨苦的现象，在近代的名词里有什么名词可以形容得出来？但是更困苦的是自由职业的人们，因为他们于物质的形体的痛苦之外，又加上心理的精神的痛苦。例如乐谱作家格拉索诺夫（Glazunov），面有菜色，骨瘦如柴，衣服褴褛，当英国小说家及历史家威尔士（H. G. Wells）飞游俄国的时候，格拉索诺夫向他请求西方的援助；他所请求的不是粮食或衣服，虽则两样都是他所迫切需要的东西，而他所恳求的却是他能够在上面写着所著乐谱的纸张。此事还能使人了解。至于大生理学家帕甫罗夫（Ivan Pavlov）所受的苦痛，更如哑子吃黄连，说不出的苦。这还不是因为他要在一个没有火炉或电气的房间里，穿着皮衣，戴着皮帽和手套，做他的实验；也还不是因为他留心照顾他自己的一小包蕃薯，免被其他垂涎欲滴的同事拿去装到饿肚里面去，把他的唯一的粮食掠夺去。他的唯一的哀求，却是他的宝贵的时间要耗费于司阍的职务。我们要记得，在那个各人绝对平等的时候，每个公民都须工作，而且只有劳动的手工才够得上称为工作。直到一九二〇年的八月，我们还可以在科学院里的墙上看得见布告，说每个雇员，无论他是科学家，或是看门的人，都须轮流着看守该院前面堆着的木柴，每次轮流着看守六小时。我们只须想，希庇亚斯

（Zinaida Hippius，俄国的女诗人及散文作家）在她的日记里，记载她每天也要轮流在街上走立着看守三小时，这在她是觉得怎样的痛恨！这个时候正是布尔希维克预料白党要在彼得格拉袭击，而希庇亚斯却也正在等候白党的到来，竟把他们视为救主一样！我们还可在她的日记里，看到当时的智识分子于饥寒交迫中被征去在狂风雪窖中做苦工，掘濠沟，受着苦不堪言的驱策和侮辱。

这样，智识分子除受着一般的痛苦外，还须忍受道德上和精神上的侮辱，常被疑为新秩序的仇敌（有时确有正确的根据）。无怪在那个艰苦备尝的年头里，“用脑力的工作者”的死亡数量，比一般公民被牺牲的数量，超过了五六倍。仅就一九一九年一年而言，据科学院的记录，该院会员死去的就将近五十人之多；此外还有许多失踪，为该院所无从探悉的。就承认有些是由于年老的自然的原因而死的，但在科学院会员里面，明明是由于“缺乏滋养”和“过用体力”（均该院报告中语）而死的，其数量也就很可惊了。智力工作的每一部门，都受了很大的和过早的损失。当时新统治者对于智力工作者的价值之茫无所知，只须看高尔基忍无可忍，在他所著的《什么是科学？》一文里替这班“哭丧着脸”的先生们大声疾呼，可见一斑。高尔基在这篇文里所注重的要点如下：

一国的基本财富是在脑的总量，是在这一国所培养的和渐集的智力……所以最为重要的是人民必须有足够的科学的工作者，这些科学家的生命不可被不讲理地虚耗掉……倘若我们强迫一位熟练的用脑力的雕刻家去洗污水沟……驱逐一个化学家去掘濠沟，我们不但是犯了愚蠢的错误，简直是做了犯罪的行为……我们必须明白，一个学者的工作是一切人类的所有物，科学是最无偏袒的领域。我们必须珍视科学的工作者，把他们视为一国的最有生产效能的可宝贵的“力”。因此我们须为他们创设适宜的环境，在这种环境里面，能利用种种方法，使他们的这种“力”获得容易的发展。一个学者的过早的残废或死亡，是一国的最大的损失，这一点，在工人的政府尤其

> 应该明白的……现我把已往几个月内死去的科学家列单公布；你看了这个名单，便知道我国科学的“力”之损失是怎样的重大。倘若学者的死亡照这样的速率继续下去，我国的脑子将完全被夺去了……在这样困难的时候，科学家的生活在物质方面的情形是可怖的，在道德上也感到深刻的痛苦，因为一个自觉有移山力量的人被强迫去拿起一些沙，这是多么可痛的事情。可耻的种种阻碍，例如没有工作时用的灯光，又如饥寒，使可以富国和可以使得民众享到快乐生活的科学上的大发明，因此不得进行，这是一件罪恶。因为这种事实表示：我们对于有创造力的科学的事业之深切的意义和显然的效用，都缺乏了解。

今日苏维埃的科学家都说，国家对于科学的研究作尽力的资助和鼓励，为从来所未有。不过在现在执政者初得政权的当初几年里面，关于这方面的情形，显然是两样的。尤其令人奇异而钦佩的，是虽有上面所说的种种困难，俄国智识分子里面的大多数并不失却他们的创造力的推进。他们虽然陷于完全孤立的地位（虽曾企图和西方的智识分子联络，结果失败），虽在极残酷的穷乏的苦境中，虽统治阶级对于他们没有同情和信任，使他们感到可痛的侮辱，但是俄国的“用脑力的工作者”仍坚忍地干着，在实验室和实地试验的场所里面，在探讨和发明方面，以及在音乐的和文学的创作方面，仍产生种种的效果。只要举一个例子，便可见此种万苦中的奋斗精神：当时因为缺乏印刷的材料和器械，竟有作家把论文或小说写在包东西用的破纸上面，明知写了之后没有出版的机会，他们也不管；再想像在彼得格拉和莫斯科举行的那些“文学晚会”，在这样的晚会里面，第一流的作家因为他们的著作无法印行，而又不能静默以终，只从奇奇怪怪的小纸片上，把他们所著的散文和诗词，读给那些不仅患着面包荒的许多听众听。

高尔基对于减少智识分子的苦痛的努力，不仅在著作劝告的文字，他并设法获得政府的核准和资助，设立改善学者境况委员会，由这委员会办理发出智力工作者的特殊的粮食券，并创设一个“学者的家”，里面有寄宿舍，有演讲厅，此外还设立疗养院和夏季避暑的地方。开了几家店，特别用来供给鞋子，衬衣，及其他衣服。依着相类的情形，又设立了一个“作者的家”，一个“艺术的家”，但是当道对于后两种组织的会员，防备得比“学者的家”中的人物来得厉害，所以对他们所享受的权利，也加以更严的限制。和高尔基自己同业的一班人，他却有更多的机会帮助他们。此时适遇政府要出资编行《世界文学》丛书，古今各地名著都包括在内，要印来分给一般人民阅读的，即由政府聘请高尔基主持其事。这是一件伟大的工作，高尔基既担任主干，他很愉快地有着机会帮助他的同伴的作家，因为可以请他们担任由外国文译成俄文及编辑等工作，由此可给他们以报酬。

邱科夫斯基（Korney Chukovsky），是当时一位负盛誉的批评家和教育家，曾担任翻译吉卜宁（Kipling 英国作家），惠特曼（Walt Whitman 美国诗人）以及其他作家的名著。他曾追述当时和高尔基接触中几件有趣的轶事：

“我们这班作家当时常和高尔基见面，他此时简直成了彼得格拉一切著作家的非正式的会长了。他是《世界文学》丛书的主干，是艺术的家、历史油画组、文艺工作者协会以及其他许多文化机关的领袖。他不但做了我们的一切‘委员会’的主席，并且对于我们的困难和需要，他都负起责任替我们设法解决：例如遇着我们里面有一个人生了一个婴孩，他就替他设法获得一个乳瓶上的乳头；遇着有一个人患了伤寒症，他又忙着设法替他在医院里寻得一个地位疗养；遇着有人要到乡间去休养几时，他便忙着写信给种种机关，替他索取特许应用塞斯托列资克（Sestroretsk）休养所的许可证。

“我想假使有人把高尔基替俄国作家写给种种机关的许多信搜集起来，一定可编成很可观的五六卷的书。在这个时候，高尔基没有工夫作小说——只忙着写这些写不完的信。

“……有一次有一个女诗人来访他，她去了之后，高尔基这样说道：‘只有魔鬼能够了解他们这班人！他们没有柴，没有灯，也没有面包，但是他们仍埋着头往前干，好像什么都照常似的。’后来才知道这个女诗人为着什么来访高尔基。原来她在几天以前生了一个孩子。

高尔基得到这个消息之后，又忙了起来，替她设法，结果她得到这样的一个许可证：‘送牛奶的妇人某某，依此许可证，将牛奶送递给高尔基的妻某某。’高尔基的妻下面，就填写着这个女诗人的名字！

“……还有一次，我告诉高尔基，说将有大量的粮食券送来给他，为着酬谢他曾在默门斯克铁路俱乐部（Murmensk Railroad Club）讲演过。他问我可否把这些粮食转送给某位女翻译者，因为她很急迫的需要这粮食。我问他：‘我们要写明她和你有着什么关系？’他回答道：‘你就写她是我的妹妹吧。’”

当时高尔基好像有着一个奇大无比的大家庭，里面有许多的“螟蛉”的妻，妹妹，和儿子！邱科夫斯基还这样接着说道：

“我们不得不明确地承认，我们在当时那样缺乏面包，伤寒症蔓延的数年里，幸而还得保全生命的，大部分不得不归功于我们都做了高尔基的‘亲属’……我还常看见高尔基替那些著作家说情，他们在革命以前却曾经卑劣地窘迫过他。”

邱科夫斯基还忘却提起的，是那些受过高尔基救济的著作家里面，有许多一跨出苏联的边境，就比前更为卑劣地糟蹋他！

由高尔基向地方及中央当局说项而救济的人数共计若干，虽无记录可考，但有一点却是为众所知道的，那就是彼得格拉和莫斯科的当局对于高尔基的不惮烦，已感到不耐，每讥笑他的不革命的软弱。当时并不适合于讲究人道主义的情感作用。高尔基对于这一层也知道的，但他仍然不顾疲劳地进行他的“软弱”的工作，虽因此失却统治阶级的欢心，损坏他自己的健康，他都不管。据柏得堡男爵夫人（Baroness Budberg）所追述，有一次高尔基为着几个穷乏的学者对列宁有所请求，和他大起争辩，失却他的镇静态度，开始对列宁大闹，以致气得昏倒，几乎患着心脏病死去！后来科恩教授亲自询问高尔基当时是否有这样的情形，他承认有，并还咆哮着说道：“是的，当时我们大闹，还大拍其桌子。我们的脸都涨红了。”还有一次，高尔基设法拯救四个被捕的大公爵，免被彼得格拉的“截卡”（Cheka，俄国的秘密政治警察）所枪决。他屡次由长途电话和列宁交涉，最后得到列宁答应由高尔基担保，可以释放，因为要避免公文往返的延宕，他亲自赶往莫斯科，得着列宁签字的命令，立即赶回彼得格拉。正在他将要达到最后一站的时候，他忽然得到消息，当夜这四个大公爵已由齐诺维也夫的命令枪决掉了。据高尔基说，当列宁知道了这件卤莽的枪杀之后，“他气得发狂，滚在地下号啕大哭”。

高尔基拼命救济一般患难中的智识分子，他自己的生活也艰苦备尝。柏得堡男爵夫人从那时起就已担任高尔基的书记的职务，据她追述当时的情形，他们一班人住在一个公寓里，因为冷得不可耐，都堆在一个房间里面，每隔几时，设法烧些火共同取暖。大家在半饿的状况中勉强过日子，那是常事，除非有的时候，偶有朋友自乡间带些粮食作赠品送给他。高尔基继续不断地受着种种最麻烦的恳托的信件所包围，恳托的内容，形形色色都有，由一个大学教授请托他写张条子索取一副眼镜，到女诗人格勒歇科（Gvushko）要他设法替她的婴儿弄到一份牛奶券。曷达塞维区（Valeentina Hodasevich）曾为高尔基画过一个最好的像，据他说，当时高尔基所受到的许多恳托，有的是亲身跑来说的，有的是用信件来说的，其中有的于悲剧之中还夹着喜剧。因为不但有他的许多亲戚，来恳他替许多被“截卡”所捕去的无辜的犯人说情，不但有母亲们替她们的婴儿请求设法得到牛奶或医药，不但有大学教授们请求供给眼镜或皮靴，甚至还有人迫切地要求他做一篇关于“纯洁的怀孕”的适当的论文；还有人把某种药方拿来请教他，问他究竟有没有功效；还有人——远自西比利亚——问他某某天文家是否靠得住。据邱科夫斯基说，高尔基过了五十生日的后两天，接到一个监狱里的犯人写给他的一封信，里面有这样的恳托："亲爱的作家，在你的圣日（按指高尔基的生日）没有大赦的办法吗？我被关在监狱里，为着在我结婚后的第五天把我的妻杀掉，因为……（此下详述他所以出此手段的详情，从略。）你能否替我设法得到大赦？”在一九二〇年，有一个为高尔基完全不认识的人，从基列叶夫（Kilyayevo）车站打给他一个电报，说他被强盗抢掉裤子两条，卢布一万六千；这在高尔基怎么办呢？又据高尔基自己的追述，在许多来恳托他向当局说情的人里面，有一天有一位女太太来访他，她身上带了四镑的银子和两镑的金子，请高尔基设法援救她的被“误会”而关到监狱里的两个丈夫。高尔基答应替她调查这两个不幸的人，这位女太太随即要他说出为着这件说情的事情，他要收费若干？高尔基说完了这个故事之后，不禁对他的朋友说道："我们不是成了幽默大家了吗？"

当时和那些小的大的狄克推多们办交涉，断断争论，已是够讨厌的事情；而由这样千辛万苦把交涉办好之后，结果还有是白做的，其苦痛更为难受。例如高尔基费了好几月的工夫，请求当局发一个许可证给卜洛克（Arexander Blok），让他出国到一个疗养院里去治病。卜洛克，在普希金之后，或者可算是俄国的最伟大的诗人，此时正患着剧烈的坏血症和心脏病，但据高尔基的意见，他的主要的毛病是"他已失却要活的意志了"。如能改换环境，另到一个适当的政治制度的地方去，也许可以救他这条命。最后，许可证居然被高尔基弄到手了，但已太迟，卜洛克已于得到这许可证的前一夜里死了！

俄国文学的历史家麦斯基（Prince D.S. Soyatopolk-Mirsky），他的父亲做过内务部副大臣，并曾于一九〇五年下令拘捕过高尔基的，这位文学历史家对于高尔基也不得不有下面的公正的话：

> 高尔基在那几年恐怖万状的时期里，所做的工作是异常的有用而且令人敬佩的。他尽了他的力量，做文化和文明的保护者。俄国文化受到他的恩惠是很大的。在一九一八年和一九二一年间，救济许多作家和其他高等的智识分子的一切工作，使他们免于饿死，都须归功于高尔基……他在近代俄国文学史上占着伟大的位置，全是因为当俄国的文化正在消沉的危险时候，他亲自努力把俄国的文化拯救起来。

高尔基的仇敌却骂他，说他可以抛弃他原来的立场，是为着个人的利益起见；说他当着布尔希维克的权力占优势的时候，便向他们俯首鞠躬。其实这种责骂恰和事实相反。在一九一七年的夏季，布尔希维克党的党人在数量上是不足令人注意的，而且受着一致的讪笑、辱骂和排斥，此时高尔基和他的报虽对于列宁的政见不能同意，却敢于冒着险用和爱及宽容的态度待遇他们，因此引起各党和全体报界的仇恨。由一九一七年十一月至一九一八年九月，布尔希维克显然在庆祝他们的轻易的无与竞争的胜利，此时高尔基却和他们的没有疑问的权威挑战，对于他们的攻击，异常强硬，或许在当时是不识时务的举动。后来他转到他们那方面去的时候，布尔希维克又正陷入极危殆的境域。列宁刚被一个社会革命党的党员所刺伤，卧倒榻上。首都刚迁到莫斯科去，因为恐怕彼得格拉容易被德人，或芬兰人，或其他有组织的强力所侵占。莫斯科一天一天的更成为一个小的孤岛了，受着四面仇敌行为的狂澜所威吓。此时的莫斯科，不是以前由波罗的海展至太平洋，又由北冰洋展至黑海和中国边境的世界上最大的帝国的首都，却不过成为一个内地小国的中心，和四百年前的情形一样了。在各方面，苏维埃都碰着武装的仇敌，不但协约国是他们的仇敌，中欧列强也是他们的仇敌。不久协约国打了胜仗，便由打胜仗的协约国垄断着进行反抗俄国的神圣战争；把人，坦克车，飞机，钱，军服，道德的宣传，都像潮水汹涌般的加入这个反俄运动。苏维埃虽在组织及军事的设备方面都没有相当的准备，不得不对十六个前线战争，至于内部的仇敌，和阴谋破坏苏维埃国家的捷克斯拉夫，还未计算在内。（此时捷克斯拉夫受着协约国的煽惑，答应他们此事成功之后，要在协约国的外交会议桌上允许该国的独立，作为酬报。）此时的苏联，一面要救济内部的破碎和饥荒，一面又要应付西方的武装仇敌，苏联的命运似乎终是无可挽救的了。当高尔基转过来赞助布尔希维克的时候，这种种危殆的情形，他不是不知道的。

所谓“转过来赞助”云者，这个意思并不是说高尔基正式加入布尔希维克党，也不是说他取消了以前对于该党的策略所有的意见。齐列科夫对于高尔基的《随我们走》一文的痛击，表示当时一班不妥协者（指对布尔希维克）对于高尔基转变态度的愤怒。（这篇《随我们走》是高尔基在一九一九年对一般智识分子作的。）他们都觉得骇异：在《新生活日报》停办不到几个月，该报的主笔竟公然地厕身列宁、斯达林之列，成为“苏维埃制度的最显著的代表”！不但如此，这位反布尔希维克的报纸的同一主笔，竟劝告俄国和全世界的智识分子都“随我们走”，此处所谓“我们”，所指的就是列宁和高尔基！自然，在当时陷入孤立地位的布尔希维克，得到高尔基对他们合作的表示，这在他们是欣喜欲狂的。“我们已获得一个最大的胜利了：我们已取得高尔基了！”这是他们在欣喜欲狂中写出的句子；他们简直是一有机会即夸示高尔基的“转变”。

高尔基在他的《随我们走》这篇文里，未曾表示他不再看见他所认为的布尔希维克的“卤莽”。这篇文字不过表示他已宁愿信任“傻子的勇敢”，不愿信任西方各国的安稳和坦白。协约国强迫德国所订的和约，其中条件“十倍苛刻于《布勒斯得·列托夫斯克条约》（即俄国对德讲和的条约）”，这件事使高尔基对于西方民主主义的幻想，恍然觉醒，不再上当了。在下面所撮引的他的几段文字，可以看出他的新的态度：

帝国主义者的不人道主义的政策之凶暴，一天一天的更为显著了，更为公开的威吓欧洲人民，显示新的战争和新的流血惨剧之不能免。

威迩逊总统，在昨天还是人民自由和民

主主义权利的拥护者，现在正在设备有力的军队，要在革命的俄国“恢复秩序”，而在此时的俄国，一般人民却已感觉到他们有合法的权利，把政权握到他们自己的手里，而且正用着他们自己的力量，努力于建设新的政治制度的基础。我不否认，这个建设的工作未开始之前，确有过常属不必要的破坏行为。但是我，非任何他人所能代替，更适宜于发表如下的解释：俄国虽在特殊困难的情况之下，文化的改造已在进行中，这工作是用了异常的努力干着的；这种正在进行中的文化改造，已渐具相当的规模和范围，为历来人类史上所不知道的。这不是我的夸张。我在不久以前，是苏维埃政府的一个政敌，而且就是在现在，我对于他们的工作方法，还有许多地方不能同意；可是我敢说，将来的历史家看了俄国工人在一年间所成就的工作，除了敬佩现今文化事业的伟大外，没有别的感觉……

可诅咒的战争既已暴露了旧制度的全部的

崩溃，不人道，和凶暴，现在这旧制度的死刑已经宣布了。我们俄国人是没有因袭信仰的民族，因为这个缘故，所以是更勇敢的，更反叛的，更少受已往的成见所束缚；现在我们这样的俄国人已做了先锋，踏上破坏资本主义社会的道路；我们相信，我们有权利请求全世界的普罗列塔利亚给与我们以协助和同情，并请求那些在世界大战以前就已严厉批评现社会的人们，也给与我们以协助和同情。

如认为上面的批评是诚实的话，那么在欧洲和美国的一切可敬的人们，必须承认我们有权利依照我们所认为必要的，造成我们自己的前途。倘若任何智力的工作者，对于解决这个伟大的社会问题有真正的热诚，他们必须提出抗议，反对有些人企图恢复旧统治，流俄人的血以破坏俄国的革命，要俄国屈服于他们的统治之下，准备着来榨取俄国，好像他们所已施于土耳其和中国的老例，又像他们现在正在准备榨取德国的办法。

> 生存于群盗环伺的新俄，愿宣言于全世界的工人和可敬的人们：请来随着我们达到一种新的生活；为着这新生活的创造，我们正在不惜牺牲我们自己，或任何事物，或任何他人，向前努力干着。为着这件事，我们正在苦干着，不免有着错误，备尝一切艰苦，但却存着获得胜利的殷切的希望，听任我们的行为受将来历史的公判。请来随着我们共同奋斗吧，打倒旧的秩序，共同努力创造一种新的生活，共同努力于人生的自由和美丽。

高尔基所以肯变换态度和布尔希维克执政者合作，最重要的原因是新政府对于文化事业的态度使他悦服。以前当专制政体的时代，对于教育的努力是多方阻挠的，尤其是关于一般平民的教育事业，这是因为那时的当道认为（其实是有充分的理由）一般民众的智识程度提高，是他们的致命伤。到了布尔希维克独裁的时候，在政治上虽然对于资产阶级、贵族、地主以及一切反革命分子采取高压的政策，但是从开始就采用和以前大相反的教育政策。对于消灭文盲的奋斗，被定为基本的有关全国的重要工作之一。文学的、科学的和艺术的事业，都得到国家的资助，这种资助的比例，不但超过俄国在未革命以前的预算，就是和同时的最殷富的几个国家的预算比较，也胜过他们。高尔基向来是不知疲劳地提倡俄国有积极发展文化的急迫需要，现在遇着苏维埃政府对于这种工作如此的热诚提倡，高尔基很殷切地欢迎这个良好的机会，那有什么奇怪呢？

高尔基既改变了他的政策，由抵制改变到合作，于是他和列宁的个人的关系又重新恢复了。自从高尔基回到俄国的时候起（一九一三年的末了），到列宁被刺命危的时候止（一九一八年的后段），他们两个人未见过面，也未通过信。我们在前面已经知道，在一九一七年的革命以前，高尔基曾经反抗过列宁的“壁垒森严”（即严格不与他派妥协）的领导；其实列宁关于这方面的政策，狭隘的严格程度，就是他自己最亲近的信徒，也有不能同意的。他们两个人当革命时期和革命以后的不同的意见，我们在前面已有相当的叙述了。这些不同的意见，不是一蹴就可轻易地搁置的，除非高尔基真已变成了列宁的信徒。后来列宁死的时候，高尔基在他退居于索棱托的静寂的环境里写的悼词，对于他和布尔希维克的分歧，曾有明确扼要的叙述：

> 在一九一七年和一九二一年间，我和列宁的关系，远出于我心里所要有的情形，但在当时却没有法子避免。
>
> 列宁是一个政治家。他完全具有矫作的，然而确有真知灼见的、直往无前的幻象：这是要领导充满着愚笨农民的俄国这样一个奇大而呆重的船的舵工，所不能少的特性。
>
> 我的本性对于政治是厌恶的，而又是一个仍有怀疑的马克思主义者，因为我对于一般大众以及农民大众的智慧，都缺少信仰。
>
> 当列宁于一九一七年回到俄国的时候，就发表他的“论文”，依我看来，他在这些论文里所发表的意见，简直是为着俄国农民而牺牲了受过政治上教育的工人，和诚意于革命的智识分子所造成的全部队伍，这全部队伍虽在数

量上不大，而在特质上却都是杰出的人物。这样一来，在俄国的唯一的活动力被抛弃了，好像抛弃一撮盐，掷入淡而无味的沼泽里（喻乡村），立刻消化得无踪无迹，而对于俄国人民的精神，生活的方式，或历史，一点儿没有什么改变的结果……

为更为明了起见，我请再作这样的申述：俄国所以不能欧化和不能普及文化，其基本的障碍，是因为农村的文盲比城市厉害得多，农民又倾向于个人主义，他们几于完全没有社会的情绪。所以我以为，受过政治上教育的工人的独裁，再和智识分子有密切的联合，是打破这个难关的唯一的出路，此事因世界大战而愈益需要，因为此次大战增加了乡村的无政府主义。

共产主义轻视智识分子在俄国革命上的贡献，关于这一点，我不能赞同他们的意见。俄国的革命，恰是智识分子所准备的，这班智识分子，也包括那些教育过好几百工人的布尔希维克党人。俄国的智识分子——里面有科学家，也有工人——曾经是，现在是，而且在久时间的将来还是唯一的驾着马具的马，用来拖曳这个俄国历史的沉重车子。不管这辆车子已受过许多颠簸和震动，但是大众的心意，仍然是需要由外面加以指导的一种力量。

直到今日，高尔基对于布尔希维克对付不属于该党内部正统派的人所用的手段，还不免怀着怨愤；他对于他们的压迫异己的言论自由，以及他们有时对印刷品之发疯似的检查，始终是反对的。因为这个缘故，除到了最近，布尔希维克一向只把他看作一位有价值的朋友，但同时却把他看作一个异端，至多只把他看作一个“同路人”——这个名词是说，凡是对于仅是苏维埃的秩序之同情者，称为“同路人”。关于这一点，我们可再撮述高尔基在《悼念列宁》一文里所说的下面这几段话。

在一九一八年以前，在谋刺他（指列宁）的卑鄙企图未发生以前，我在俄国未曾遇见过列宁，甚至未曾在远处望见过他。后来我去访问他，那时他还未能自由地用他的臂膊，也不能动着他的穿孔的头颈。他听到我对谋刺的事表示愤慨的话，不愿意似的说，好像说些他所觉得烦厌的事情：

“这是一件斗争的事情。你对这种事有什么办法呢？每个人都只依着他所知道的唯一的方法做去啊。”

我们这次的晤叙，很含着深挚的友谊，但是他的透视一切的小眼睛，当然对我注视着，他把我当作“迷路”的绵羊，显然露着惋惜的意思……

几分钟之后，列宁激昂地说道：

“不和我们在一起的人，都是反对我们的。有人以为个人可和历史脱离关系，这是一种幻想。就是我们承认，有一个时候这样的人曾经存在过，现在也寻不出这样的人了；他们在现在也不能存在的了。没有人需要他们这样的人了。每个人，即至最后的一人，都被卷在现实的漩涡中，所受的联系，都比以前来得复杂的。

“你说我把人生弄得太简单化了吗？你又说这样的简单化有破坏文化的危机吗？”

他（列宁）说后发出含着讥讽之意的老腔调：“哼……哼。”

他的锐利的眼睛越加锐利起来了，他用低微的声音接下去说道：

“可是，几百万的农民，有来福枪把他们武装起来之后，你相信他们不会危及文化吗？不会吗？你能否想像，宪法会议就能控制他们的无政府主义吗？你，喋喋不休地责备乡村的无政府主义，固有你的理由，也应该明白我们的工作比任何人的更好些。我们要领导俄国的平民，不得不示以极简单的东西，在他们的脑子所能容受得下的东西。苏维埃和共产主义，那就是简单的。

“工人和智识分子的联合，什么？这并不坏，一点也不坏。请你叫那些智识分子到我们这里来吧。依你看来，他们是诚意地为公道的利益而努力，他们果真如此吗？那么他们为什么总是离开我们呢？请他们到我们这里来：唤起人民奋发自救，并把全部真理告诉全世界，这种重大的工作，是我们这班人干的；对各国指明达到‘人的生活’之直接的路径，跳出奴隶，贫穷和耻辱的境域，这也是我们这班人干的。”

他笑了起来，又毫无怨恨地说道：

“这就是为什么智识分子把这个（指着他的伤痕）给我放在这头颈上啊。”

后来我们的谈话的热度降到常态的时候，他烦恼而歉疚的说道：

“我们需要智识分子：这个事实，我何尝争辩呢！但是你看，他们是怀着怎样敌视的心理，他们对于当前的需要是怎样的懵懂？他们不知道，倘若没有了我们，他们便是无能为的，他们便不能达到大众的。倘若我们不得不多所破坏，这却是他们的过咎啊。”

在列宁的伟大的工作里，极需要有技能和脑子的人，这种殷切的需要之感觉，没有人比列宁自己更锐利的了；而在俄国人里面，这样的人材是怎样的缺乏，以及列宁所说“倘若没有了我们，他们便是无能为的”几句话，是怎样的真确，也没有人比高尔基更懂得清楚的了。在好几个世代里面，俄国的最高尚的男女青年都尽力要接近民众，要把他们从莫知莫觉和屈服的情况中，唤醒起来，但这班青年总是不能被一般人民所了解。布尔希维克却能第一次作人民的喉舌，他们虽常被农民所怨恨和诅咒，但却未曾被他们怨恨得像局外人，像“骗人的绅士”。由于和布尔希维克合作，智识分子才能获得唯一的机会，和人民发生直接的接触，才能实行他们所自认的对于这班神秘的人民的爱。

虽然列宁对于这些过于苛求的智识分子有他的确有根据的怀疑，但他遇着有脑子的人，能利用着有脑子的人，也觉得异常的快乐。据高尔基说，列宁每和发明家，或炮队的将官，或科学院的会员谈话之后，对于俄国人思想的灵敏，便感觉到出于爱国的自豪。

关于高尔基常为“截卡”的牺牲者说情，他有下面的几段话：

我常把各种的请求来麻烦列宁，有的时候我觉得我替人向他恳求，引起他对我有着某种怜悯的意思，几乎看不起我。他每这样的问我：

“你不觉得你自己是忙于无意识的事情，是忙于无足轻重的屑务吗？”

但是我仍干着在我看来似乎需要的事情，虽这位知道普罗列塔利亚的仇敌数量的人，用他的眼睛对我怒视着，还是不能阻挡我。他往往于怜悯中摇头说道：

“你使我在工人和同志的心目中，被认为是在迁就了。”

我对他说，同志和工人，正在激烈和暴躁的心境中，往往把自由及有价值的个人的生命看得太轻，看得太“简单”了。这样的行为依我看来，不但没有必要，有时简直是荒谬绝伦的残酷行为，累及革命的良好而困难的运动，并且在客观上对于这运动还有很大的损害，因为这样一来，原可帮助革命运动的少数的大势力，都被排斥掉了。

“哼——哼”，列宁怀疑地这样低声哼着，正在回想着智识分子背叛工人的革命运动的无数事实。

“仅在我们两个人中间无话不谈吧，”他接着说，“你难道不知道他们常因为怯懦，因为遇着他们所心爱的理论和现实发生冲突的时候，恐怕难以为情，便背叛了我们？我们便不怕那些。理论和假设，在我们看来并不是什么神圣不可侵犯的东西，只不过是用来解决问题的工具罢了。”

但是我却记不起有哪件事列宁拒绝过我的请求……

高尔基对于列宁，由始至终，经过他们的友谊和冲突的各时期，所最觉得佩服的，是列宁的“铁的意志”——坚强无比的意志——这是在存心虽好而不能实干的智识分子里所很少遇见的。此外列宁还有一个特性为高尔基所注意的，是他对于痛苦的仇恨。俄国的生活和文学，似乎都把痛苦和悲伤看作神圣清高。列宁却痛恨不愉快、哀痛和人类的受苦，他深信“不愉快并非人类生存里面无法改变的基础，却是人们必须而且能够从生活中排除的耻辱”。

高尔基生平所奋斗不懈的是反抗苟安和庸俗；是反抗常人抱残守缺，不欲改弦更张的欲望；是反抗他们对于新颖、异常和勇敢事物的恐怖。他曾经热烈地拥护革命运动，他的希望就在能由此把一般人从知足的泥坑中唤醒起来，激起他们对于创造的改革和优越的事业的热望。依他看来，列宁就是这样的革命精神的化身，所以他说：

> 大多数人的基本的呼声是：“不要干涉我们依照向来过惯的生活。”
>
> 列宁却已胜利地用最机敏的方法（在他以前没有人用过）阻挡他们再过他们向来过惯的生活。

高尔基决定和布尔希维克合作的时候，正是他们在事业上最困难的时候。但到了一九二〇年的末了，他很高兴地看见苏联在前线全部都得到了胜利。“客串的”红军所以能大胜以当兵为业的军队，是由于到了生死关头所唤起的一种优越的“军心”。此次斗争的结果，比军事问题尤为重要的，是从前包括在俄帝国的各邦，自愿地团结起来，组成苏维埃共和国联邦，当时除波罗的海各邦、波兰和比萨拉比亚外，从前的国土都仍得保全着。于是全世界不得不承认俄国的力量和独立的权利。

不过俄国同时却仍在艰苦困难中挣扎奋斗，后来得由干涉和侵略中解放出来，所付的代价是全国在可怖的紧张中努力。六年的战争——对外的和对内的——使俄国精疲力竭，饥寒交迫；使俄国的农业、工业和运输都被破坏；全国人口大为减少，生产率灭低，在那遭难的几年里面，体格孱弱精神不健全的婴儿数量之增加，尤有惊人的比例。就是在常态的时期内，共产主义的试验——简单的说，就是一切生产和分配的国有化——在缺乏世界合作的状况中，不但需要有大多数的有理想和智慧的人民，并且需要物质上的自足。俄国虽极富于天然的宝藏，但在技术和普通的文化，既出乎常人意料之外的落后，国际方面又以白色恐怖的极力压迫，要对付这个局面，实在是极困难的事情。但是侵略者已深入国土，恢复旧秩序的危机日迫，这种种事实刺激着大众，使他们忠勇奋发干起超人的事业，把仇敌驱逐出去，凑合所有的一些粮食和军械，作九死一生的奋斗。这个难关虽被打过，但全国又陷入极虚弱的苦境中。城市方面，简直没有生产品和农村交换谷类，而农民呢，却采用俄国沿传下来的消极抵制的办法：他们只耕种仅仅足够他们个人的需要。结果各城市都闹着饥荒。中世纪的俄国每隔几时就遭受一次的灾难——荒年——已渐渐的出现，而此次尤其厉害的，因为不仅天灾，而且还加上其他的变化，最重要的是有许多广大的土地，农民有意不去耕种，这便造成了俄国的一个致命伤的打击。

此时拯救了俄国的崩溃和破产，全靠列宁的机智，很敏锐的转了方向：不管左派共产主义者的抗议，毅然采用“新经济政策”；全靠实行了这个新经济政策，才获得俄国元气的空前的恢复，虽则当时的俄国和其他欧洲各国的情形迥异，因为得不到外面的帮助，反而受着列强的联合的干涉。不过同时有一点却也应该提及的，就是当时饥荒中的牺牲者所以能立刻获得援救，大部分也靠着一班公正不偏的注重人道主义的朋友的努力，其尤著的如南森（Fridtjof Nansen，挪威的探险家，博物学家，著作家，又是外交家）和教友派的教徒，以及美国救济会的大规模的救济工作，高尔基曾发出震动一时的呼吁文字，主持美国救济会的胡佛（即前任美国总统）不久即来响应。但是我们同时不要忘记了当时欧美各国的劳动者与革命家对于俄国饥荒的救济，例如德国工人发起的国际劳动者救济会（Die Internationale Afbeiterhiefe 缩写为 I.A.H.）最初便是为救济这次大灾荒而成立的劳动者之国际组织。

高尔基的各种非政治性质的工作，都使列宁感觉到欣慰。列宁对于高尔基，心里总是敬爱他的，就是当他们冲突抗争最激烈的时候，他还是如此。当一九一八年列宁的左右请他决定《新生活日报》最后命运的时候，列宁对于他的亲密的同事说过这样的几句话：

“当然，我们必须封禁《新生活日报》。在现今状况之下，正是我们要唤起各国共同保障革命的时候，任何

‘智识分子的悲观主义’都是极有损害的。但高尔基却是我们里面的一个。他是和劳工阶级及劳工运动有着密切的关系，而且他自己是由‘下层’出身的。他将要回到我们这边来，这是无疑的……”

列宁屡次对接近他的人谈起高尔基的时候，特别注重高尔基生平辛勤求得智识所经过的艰苦困难的情形，他以为高尔基的这种经验，必能使他更能做新的“农民工人的智识分子”的模范，因为他们也不得不于艰苦困难中求得文化的薰陶。他把高尔基视为建设新俄国的极可贵的资产，劝本党常于广大的公共聚会中请高尔基现身于大众之前，并用留声机片记录他的演辞。他并送给高尔基一张单子，里面载着他建议高尔基要对群众演讲的若干题目，以便造成留声机片，题目里面有关于智识分子、科学、革命、技术专家，以及其他等等题目。高尔基向来怕演说，所以虽然答应写这些演辞，但终于未写。

高尔基由彼得格拉到莫斯科的旅行，总使列宁感到愉快，因为他爱他的个人，也因为和他晤叙，使列宁知道俄国智识分子的意见。高尔基的这类旅行，对于各种文化事业的进行和各种文化事业机关的建设，都有很大的帮助：因他可借此机会和当局接洽或商量。有一次他到了莫斯科，刚巧遇到和列宁接近的几个同事私下替他（列宁）庆祝五十生辰，也请高尔基去参加。高尔基似乎是被他们骗去到会的，到会后才知道该会的目的，他知道了很愤怒，恫吓他们，说要把他们的姓名记录下来，提出于中央委员会，提议惩罚他们，因为他们虚耗时间于无用的事情！不过他后来被人劝和下来了，还在该次聚会中作非正式的演讲，描述列宁的生平，很使听众获得深刻的感动；讲完之后，他和列宁两个人立着互抱了好久。

列宁很关心高尔基的健康，常请他到莫斯科来休息一下。下面两封是最近才公布的当时列宁写给高尔基的这类的信：

> 亲爱的阿勒赛：
>
> 请你信我的话，你在彼得格拉住得太久了，常住在一处是不相宜的。这样每使人感到厌倦，请你慨允乘车到我这里来，可以么？如

你答应的话，我们就替你布置一切。

你的列宁　一九一九年七月五日

还有一封：

亲爱的阿勒赛：

请你来休息一下。我当离开两天到乡间去，我现在可替你在乡间布置好，备你到乡间去住几时，短时间或长时间都行。

请你一定听我的话，到我这里来！

何时动身，请你电告。我们可替你在火车里包一个房间，使你途中舒服。你这样换换空气，于你是很有益的。我等着你的回音！

你的列宁　一九一九年七月十八日

高尔基对于疾病的抵抗力，实足令人惊异。专门医家屡次宣布他的死刑，但他总对于他们的宣布置之不睬，仍在最不健康的情况中继续生活下去。但他在那不能忘的几年里身体上的困苦和精神上的烦闷，终于影响到他的令人惊异的体格。列宁自己也在紧张的工作中呻吟着，但他对于高尔基不注意自己的健康，却大冒其火，在一年余的时间内，继续的劝他要到国外去就诊于医科专家。一九二一年八月九日，因工作过劳而且滋养不足以致患病的列宁，却写给高尔基这样的一封信，其口气和在八年前由克拉科夫寄到喀普里的信相似：

阿勒赛！

……我疲顿极了，以致于不能有何办法救我自己的生命。但是你，你吐血，却不离开！请你信我的话吧，这是不公平的，而且是耗费的。到欧洲去，在一个好的疗养院里，你可得到适当的疗治，能够做三倍于现在的工作。如你仍在和我们一起，你既得不到疗治，又不能做什么工作，不能做什么，除了喧嚷和徒劳。请你离开此地吧，把你的身体弄好，不要再固执了，我请求你啊！

你的列宁

诚然，列宁是一位节省大家，他极力为“国家资产”节省虚耗，虽在他自己万分烦苦的工作中，还设法抽出时间来照顾许多个人。据高尔基说，他不但写这样的信给高尔基一人，并写着相类的许多信给各种同志。高尔基不愿当俄国正在此艰苦困难中，他个人抛弃了俄国，到国外去。但后来他的病势愈益剧烈了，终被再三强劝着到外国去，被送进一个德国疗养院，此时他的死刑好像即将到临，似乎比健康的恢复来得更有希望！

第六编　近几年来

第二十五章　殷切盼望中回国

高尔基受列宁的再三督促，劝他到国外去养病，因为他的剧病的身体实已危殆万状了。他便于一九二一年的八月出国，先被送入德国的疗养院里去。本书此后的叙述，是关于这位作家自一九二一年到最近的大概情形。

说也奇怪，高尔基的异乎寻常的身体此次和剧病斗争，又从危境中获得了胜利。他在一九二一年初到德国未久的时候，有人在柏林街上为他拍了快镜的相片，上面所现出的简直是好像一个骨瘦如柴的尸身，面部瘦削得使人觉得只剩下一个鼻子和两个颊骨，两个暗晦无光的深陷着的眼睛，好像在告诉你筋疲力尽的苦痛。但是就在这个时候，他的外表虽然是孱弱已极，而他的要生活和创造的意志，还仍然倔强地存在着。在一九二二年一月十五日出版的《作者的家年鉴》里面，曾载有他的一封信，他在这封信里，评及他在德国所见的事物，并论到德国对于经济和文化的恢复之宏大的努力。关于他自己的病状，他用半滑稽的口吻，这样的写着：

> 最可崇敬的克洛斯教授（Professor Kraus）把我的这个古代的身体机构仔细诊察之后，发现这机构离开适宜的状态太远了：心脏的囊袋为着某种理由长大起来，碰到了肋膜，至于我的两个肺部，余下的只有三分之一，没有再多一些，这是我亲眼从爱克司光线相片上看见而可以相信的。但是更坏的是我的神经过敏以及过于疲顿的一切状态。因肺部的病状，暂时不能同时疗治心脏，所以我不往诺兴姆（Nauheim）去，将往黑森林（Black Forest）去两三个月。我不能说这一切能使我快乐，因为我殷切地要工作。非常殷切。此处的环境很能刺激人要工作；德国人工作得那样的热烈、勇敢、聪明，一个人的敬意不能自主地要对他们

增加起来，不管他们是“布尔乔亚”。

其实到了此时，高尔基已习惯于从“致命伤”的剧病里，不可思议的恢复起来。他很多次都准备一死，所以他对于不可免的末路，只淡然处之，不因此动心。不过在别方面，他具有这样神秘的恢复元气的能力，却被他的敌人作为借口，骂他是假装患病，存心欺骗。在帝俄时代，每遇他的朋友们替他向当道说项，或是请求改善狱里的待遇，或是请求准许到克里米亚去疗养，都以他患病为理由，而沙皇的警察对于他的病总是怀疑着。近几年来，逃居国外的白俄，也多方揶揄高尔基，说他假装身体有病，不住在俄国。

高尔基一到了病体允许他不必再由“最可崇敬”的德国医生监护的时候，他就移往他所最热烈爱好的地方去，意大利。他到意大利后，住在加波的索连托（Capo di Sorento）借自一位公爵的别墅里。墨索里尼的统治，对他总算没有多大的麻烦。有一次高尔基所住的别墅被搜查。他的秘书柏德堡男爵夫人有一次将离开意大利时，也被搜查，她所带着的许多信件和文稿，都被警察取去。

据当时驻意的苏联大使所说，这种侮辱的行为都是白俄从中作祟。高尔基写了一封抗议的信给墨索里尼，打算立即离开意大利。墨索里尼向驻意的苏联大使对此事加以解释，并允许以后此种“误会”不致再有。这是高尔基在意大利所遇到的唯一的不愉快的事情，但是经墨索里尼解释之后，他便不再把此事放在心里。

因所住的这个地方的适宜，大大地增加了高尔基的惊人的工作力量。他在加波的索连托的文学产品，包括几千页的小说、回忆录、批评的文章，种种著作的弁言，新闻纸上的论文，此外还有它的编辑的事务以及多量的通信。他通常总在编辑某种定期刊物或某种丛书——由西方文学翻译出来的作品，或是由苏联各邦文学翻译出来的作品。他收到知名的和不知名的人的信件和文稿，每以百计，他都很诚恳地阅看并答复那些信和文稿。

诚然，在这许多信件里面，有些信的内容是无关紧要的琐屑事务，或奇奇怪怪的事情。有一个人因看了阿思托罗夫斯基（Ostrovsky，俄国十九世纪的著名戏剧作家）所著的剧本《森林》，受了很深的感动，他自己便在四天里面写了一篇剧本，内容不但是抄袭阿思托罗夫斯基的著作，而且乱抄乱改得使人完全看不懂，还贸贸然寄给高尔基看。还有一位君子，在他的信里自荐，说他是一个“专业的贼”（即以偷窃为专业），并说他的大名“在三个国家的侦探里面，都久已著名的”。又曾有一次接到一个不相识的人寄来一封急迫委托的信，请把里面所附着的一封信立即转交给《礼拜堂的人们》的著者勒斯科夫（Nikolay Leskov，十九世纪的俄国名小说家）。高尔基把这封信给来访问他的一位朋友看，并现着滑稽的失望的样子喊着说道：“我怎样能够把这件东西交给勒斯科夫，而且还要‘立即’交去？”（编者按：此时勒斯科夫已经死去三十多年了！）

但是大多数写给他的信，都是从苏联生活的深层里来的，都是由乡村和工厂里的新闻记者（按苏联各工厂多有自出刊物的）及怀着希望的许多作家寄来的。从他们的艰难的努力中，高尔基看清了新俄的真面目。高尔基由自己的经历而知道作家的甘苦，所以他对于后进作家的文稿，无不异常仔细地阅看，和他们讨论他们的作品里的优点和缺点。最近出版的苏维埃作家的自传里面，差不多没有一个人不承认他们对于高尔基的铭感。高尔基对于文学作品的兴趣不限于本国，对于西方各国的文学作品，无论是散文或是诗歌，他也博览群籍，无所不窥，虽则他对于外国文学只能阅读翻译的作品。

这种种繁重的工作，已够费时间了，但还不止此！倘若你再知道于这种种繁重的工作之外，高尔基对于科学、哲学、社会学、心理学的最新最近的学说，乃至卡兴（Marcel Cachin，法国的现代政治家，法国共产党的一个领袖）或美国的上议院议员波拉（Senator Borah）最近的演词，都很熟悉，你不得不惊奇这许多事情他怎样能兼顾得到，而且都是尽了他的最善的努力。从儿童时代起，他做工作就要尽他的最善的努力，无论所做的是烤面包，或是搬运货物，或是编辑一种杂志，或是写一篇小说。

但是他却也知道怎样的玩。当他在意大利那个别墅里居住的时候，约在下午的两点钟，他的工作就完毕了，此时他坐在广大而风凉的书房里，很闲暇地和他的朋友谈天，对于任何有趣味的题旨，都谈得津津有味。倘若此时他不在书房里，你可在花园的末端寻着他，看见他立在一块峭岩的边上，望着渔船的经过，或看着敏捷灵动的凿石匠悬吊在斜坡上，用他的凿子向峭壁上凿着。你若于此时坐在他的旁边攀谈起来，你可以听到他对于人类苦工的痛快的谈话，这种谈话，往往要引起他自己做工人时的种种经验的回忆，越谈越有劲儿。用茶点后，天夜了，他往往还向海港散步，有时发起和朋友到索连托去作短旅行。就是他独自一人留在家里，他也孤寂地常在阳台上盘旋着许久的时候，吸着夜里的气味，倾耳静听着夜里沈默中的种种声息。

到了一九二八年的三月，高尔基六十岁了。他的六十岁的寿辰庆祝，是俄国的一件全国的事情；政府当局对于此次庆祝的赞助，以及庆祝典礼的严肃，实超过同年九月间所举行的托尔斯泰的百周年纪念。高尔基自己此时虽不在国内，但庆祝他的寿辰的演讲和文学，其热烈的程度，并不因此而有所减少；也许他此时因不在国内，反而可以不致感到受窘。他在加波的索连托接到各方来的祝词，和各报以及各种著名的周刊为他寿辰所出的专号，以他欣然不自足的态度，或许不免赧然，但较之亲身在国内受窘轻得多了。他平日虽出于诚意的不喜公共庆祝的铺张行为，但在他三十五年的文学工作上努力之后，大众对他有如此的认识，也不禁感到愉快。尤其使他满意的，大众对他的祝贺，不仅仅把他看做作家，并把他看做一个奋斗者。他和基德（Andre Gide），发塞曼（Jacop Wassermann），史坦尼拉夫斯基（Stanilavsky），及其他世界文艺界名人一样，受着国家，公共机关，以及和他们没有关系的种种团体和个人的崇敬和祝贺。高尔基在此次寿辰中所受各方的热烈的祝贺，其范围之广，尤属空前。里科夫（Rykov）代表苏联，布哈林（Bukharin）代表党，和列宁大学、艺术学院、科学院、全俄劳动及专业工会，以及其他自谓和高尔基都有密切关系的机关和团体，都争先恐后的对这位作家表示热烈的祝贺。无数的工人的团体，对于这位"他们的自己人"的成功，也纷纷表示他们的快慰和自豪，那是不消说的了；其实由各方面来的祝词，差不多都注重高尔基的功绩在乎他是一位"普罗作家"。

高尔基对于科学和科学家是异常敬重的，所以他在此次寿辰中最深刻感动的，是展读由俄国各种科学机关寄到的祝词。他在答谢科学院院长卡宾斯基（A. P. Karpinsky）的祝词中，曾提起他"对于俄国的科学和科学家的无量的钦佩和崇仰”，并说他的这种“钦佩和崇仰”自青年时就有的，在那时候（即青年时）“半野蛮人”的他，刚才知道实验科学和科学家的辛勤努力所成就的奇绩；这种奇绩，增加了人类的思想和意志的力量。他在这篇答词里的末了这样说道：

> 在已往的十年里面，俄国科学家的辛勤的工作，已有了伟大的效果，这是无须我来饶舌的；但是我以一个俄国人的资格，对你们和其他为科学而努力的诸君，敬致其尊崇和感谢的意思。

受大众一致崇敬的俄国科学家鄂尔敦堡（Sergey Oldenburg），当时是科学院的永久秘书，在高尔基的寿辰那天，曾经发表过两篇文章，一篇登在《新闻报》（*Izvestiya*），还有一篇登在《真理报》上。一篇的题目是《高尔基和科学》。他在这篇文里叙述高尔基在文学方面的贡献，在结论里他说，假使高尔基不成为一位艺术家，他一定要成为一位科学家，因为他具有“要努力于科学的工作所必须有的重要条件”，那就是：“他的全部生命，继续不断地要求他对于人生的现象和周围的世界，有着清醒的态度。”还有一篇的题目是《高尔基和科学家》，在这篇文里，鄂尔敦堡教授提起俄国研究科学的人对高尔基在一九一八、一九一九及一九二〇年的饥荒时期为他们所做的工作，都怀着恳挚的铭感。当时全靠高尔基和列宁的友谊，极力替他们设法，才能替他们领到例外的口粮；虽则当时的统治阶级对于智识分子都存着怀疑的心肠，幸有高尔基从中斡旋，居然得渡过难关。在常态的时候，要人们感到这种例外口粮之可贵，是很困难的，但在饥荒的那几年里，情形却大不同，“一磅的黑面包的价值，都有无从估量之概，因为区区一磅的黑面包，常等于一条生命的价值。”鄂尔敦堡还说，高尔基自己在当时虽在病痛中，而且自己还吃得不够，但替科学家们设法弄得供给品，却不知疲劳，拼命的干着，除例外的口粮之外，还有书籍哪，仪器哪，乃至于出国旅行的津贴等等。

上面提及各方对于高尔基六十寿辰的祝贺，差不多都以“普罗作家”相推崇。关于他的这个衔头，此处颇有略加解释的必要。布尔希维克革命成功之后，就有一班人极力主张，凡是不含有十足的共产主义，马克思主义，普罗列塔利亚的性质的事物，都一概要在铲除之列。有一班布尔希维克党人哓哓不休地说他们需要创造并拥护“普罗文化”、“普罗文学”、“普罗剧院”以及其他种种无限的普罗什么，普罗什么，列宁对于这类的名词都不以为然，加以讥讽，他依着他向来所习惯的直截爽快的态度，劝他们停止这样的“饶舌”，说在梦想把普罗文化代替布尔乔亚的文化以前，先要赶上布尔乔亚的文化。列宁虽有这样的表示，但在一个“普罗列塔利亚独裁”的国家里，“普罗”这个字，继续不断地有它的吸力。当时发生了一个叫做“前哨”的文学派，因为他们出有一种刊物，名叫《前哨》。该刊靠着排斥一切，不稍容忍的激烈态度，借以掩饰其内容之枯燥和浅薄。这班人自命立在“前哨”，为普罗意识形态的保护人，断然主张，在一个普罗列塔利亚的国家里，“非普罗的文学”没有地位；还有那些作家，只不过是新秩序的“同路人”，而不是新秩序的十分忠诚的拥护者，在这个普罗列塔利亚的国家里，也没有了地位。上面已经说过，这班人在言论上的咆哮，胜过他们的天才和逻辑，但是和在别的地方一样，在当时以忠于普罗的名义为号召，一般民众仍有人听他们的话。

高尔基也逃不过这班热狂者的吹求。他们在刊物上的许多文章里及文学的教本里，都对高尔基作一番查究，结果断他不够资格做一个普罗作家。在他们所举的证据里面，提起他幼时是在一个小布尔乔亚的家庭里面养大起来的；在他成为作家以前，大部分的时间都用于漂泊者和马浪荡的生活里，并不是一个真正的工厂里的工人。讲到他的作品，他们认为对于普罗人物的描写都是失败的，把他们写得甜蜜蜜的，把他们写得不真确。他们又谴责他在革命前所著的小说专讲已往的问题和景象，并非描写光荣的现在。此外他们还追究他的异说、背叛和不忠，那更不消说的了。他们宣言高尔基仅是一个“同路人”，说他不但是住在外国，而且是住在布尔乔亚的西方。

一九二七年十月，莫斯科共产学院的文艺系开了一个严肃的会议，纪念高尔基的文学事业的三十五周年。他们把致高尔基的正式贺词通过之后，即开始演讲和讨论，参加的人非常起劲，以致一次开会还不够，在第二天的晚间又开了一次。这两次开会的记录，曾经发表于共产学院所出版的《邮报》（*Vestnik*），内容虽有诚恳的和评判的分析研究，但也有不少仅是学术上关于马克思主义的常谈。讨论的内容比较的还算宽和，那是因为“前哨派”的代表刚巧生了病，在当时未曾出席参加。

同时俄国的大众对于高尔基的著作的兴趣，一天一天的增高，这只要看各图书馆的报告就知道的。有几个特富于“阶级意识”的团体，听到有人对高尔基的普罗主义加以攻击，颇觉奇异，尤其是鉴于列宁曾经再三断言高尔基是个最先的普罗作家。在一个伏尔加的小镇里，有一个这样的团体决定对此事作大胆的查询；他们写了一封直接的信给高尔基，老实问他是不是一个普罗作家。高尔基的回答，表现他向来对于通讯的诚实的态度，同时并显露了关于他的信仰的有趣味的坦白表示。现撮述他的复信一部分的内容如下：

亲爱的同志们！

就我个人方面说，我并不重视批评家对于

我是“普罗作家或非普罗作家”的争论。在我所收到的联邦中各处的工人寄给我的许多贺词里面，他们一致的称我为“我们的自己人”，“普罗列塔利亚”和“同志”。这些工人们的呼声，在我看来，当然比那些批评家的呼声更有深刻的印象。这些工人们把我看作他们自己人的一个，看作他们的“同志”：这是使我感到不胜荣幸的一个事实，这是我的最伟大的荣誉，是我真正可以自豪的事情。

讲到“普罗列塔利亚”这个名词，依我看来，并不能适合于苏联里面劳苦阶级的实际状况。你知道，所谓“普罗列塔利亚”，其意义是指只靠个人的工资生活而没有其他维持生计方法的一阶级中人。现在我们的劳苦大众已把政权握在他们的手里，他们已渐渐地具有了全国的经济，具有了我国的一切宝物，在这种状况之下，“普罗列塔利亚”这个标志，还再能适用于苏联的工人和农民吗？

你们问我：“用什么标志，我们能界说一

个真正的普罗作家？”我想这类标志的数量并不多。其中重要的是：这种作家对于凡能由外面或内部压迫人的每件事物，都仇视；对于凡能阻碍人的能力的发展和生长的每件事物，都憎恶；他对于懒惰者，寄生者，谄媚者，卑鄙者，以及其他各种各式的无赖汉，都不稍顾恤的憎恶。这种作家对于人的敬重，是把人看作创造力的源泉，看作一切事物的创造者，看作一切世界上奇迹的创造者；是把人看作对于自然界的基本势力的斗争者，一种新的“第二”自然界的创造者，借着他的劳绩、科学和技术，创造这样的“第二”自然界，由此使他自己不致白费了他的体力，此种体力的耗费，在一个有阶级的国家的生活状况之下，乃是不可免地成为无意义的，作孽的。这种作家诗意化着集团的劳动，此等劳动旨在创造新式的生活，绝对排除人对人的奴役，以及人对人的荒谬的剥削。这种作家的赞扬妇女，不是把她们看作生理上享乐的对象，却看作人生困难事业中的忠实的同志和助手，我们寻常对于成人所做的事情，我们自己当然都要负责的；这种作家对于儿童的态度，也和对于成人一样的负责。这种作家，努力用种种方法，增高读者对于人生的动的关系，鼓励他们深信自己有力量，有能力，克服凡是阻碍人类了解人生伟大意义的事物，克服凡是阻碍人类了解劳动的重要性和快乐的事物。

简单的说，这就是我所认为劳动界所需要的一种作家……

高尔基对于布尔希维克，虽仍然有着批评的态度，而且他自己也不是正统派的共产主义者，但他对于他们的同情是决然无疑的，布尔希维克党人对于他也富有同情。这同情心既发自两方面，高尔基对于本国新生活的建立应有怎样的合作，不得不有相当的确定。他的这种合作，应该用什么方式来干呢？倘若认为高尔基的价值是在乎文学上的作品，那么他对于本国的最大的贡献，只须尽用余下的若干年于创作的工作就够了。但是依青年的苏维埃国家看来，高尔基不仅仅是个伟大的作家。他们把他看作一种象征的人物，认为由他可以显示一般下层民众也可以达到文化事业的最高峰，认为他好像一个桥，由已往经过一种热烈的暗中摸索的现在，达到光明的将来。因此他们不以高尔基在国外著述为满足，都要求他要回到本国来。俄国的大众都喊着：“我们要高尔基！”他们所要的是高尔基亲身在俄国。表示这样要求的还有智识阶级，还有政治的领袖。在高尔基的六十寿辰将举行以前，及正在举行的时期中，在许多纪念的文章和祝词里，大多数都郑重提出这个要求：高尔基必须回来。科学院长卡宾斯基，科学院永久秘书鄂尔敦堡，教育委员长卢纳卡斯基，人民委员会委员长里科夫，《真理报》编辑布哈林，还有其他苏联的代言人，也都一致的表示这同样的请求：高尔基必须回到本国来，亲眼看看当他不在国内的时期中本国干了什么。布哈林在一篇文章里——题目是《我们所要于高尔基的是什么》——指出俄国需要像高尔基这样的一个作家来描写现代的生活。关于高尔基能胜任这种工作的资格里面，布哈林特别提出的是高尔基“是文化和劳动的热心提倡者，他常把劳动看得异常的贵重，认为世界上任何其他事物所不能相比的。或许没有人能比高尔基，更敏锐地感觉到有建设力和创造力的劳动之最可令人感动；没有人能像这位普罗作家，感觉到劳动之伟大的革命意义”。布哈林更进而描述当前的情形，他说：“建设的热度正到了最高峰。我们的苏维埃的‘蚁山’上之忙碌震动，为从来所未有。人们正在移动巨大的岩山，做着傻子的工作，做错了就改正，再错了再修正，便学习便研究，改造周围的每件事物，并且改造他们自己——但是我们还未有关于这个伟大的新时代的大幅的油画！”他接下去就慨叹当时文学的消沉；缜密的观察者，和对于当前复杂的情况能作适当的估价者，这种人才，他觉得都太缺乏。他最后在结论里说道：“依高尔基所具备的资格，他能补上这个极大的缺憾。我们的联邦，我们的工人阶级，以及和高尔基发生了多年关系的我们的党，都等候着高尔基的回国，把他看作和我们情投意合的艺术家。因此我们希望他回到本国来：他必须回到我们这里来，为着工作回来，为着伟大的、良好的、荣耀的劳动回来！”

高尔基原来屡次想回国去看看，但因为养病和文学的工作所阻挡，未曾实行，而致屡次延期。现在他听到国内各界这样殷切地盼望他回国，他过意不去，不得不回国去走一趟了。他自一九二一年于病势危殆中离开俄国以来，转瞬七年了，于一九二八年的春季，又回到俄国。倘若他当时要顾到他的健康和适当的工作环境，他便不回来。当时他以六十岁的患着肺痨病的人，正在著作《四十年间》的一种小说，俄国的气候和可预期的欢迎他的种种酬应的麻烦，都要增加他的病的。但是他终于不忍过拂俄国大众对于他的渴望，毅然地回国了。他此行不无冒险的性质，在俄国立于领导地位的人们也有感觉到的。所以在《真理报》上发表的一篇欢迎高尔基的文章里，对于仰慕他的人们，曾有这样的警告：

各方面对于高尔基的欢迎的热潮，正在汹涌着。他所应得的个人的凯旋，正在等候着他。将要包围着他的许多群众里面，各人都要想抢到前面去，挤到近处去瞻仰瞻仰高尔基，去和他握手，去和他说几句话。他已经被无数的社团及各界的团体举为名誉会员了。渴望他回国的诚意，将于许多集会里面表示出来。这诚然是一种可以了解的正当的渴望。但是我们要警告仰慕高尔基的人们：他所贡献的是文化的价值，我们也应该把文化的价值来看待他。我们必须爱护高尔基的健康和体力。

高尔基回国后所受的麻烦，就是一个比他年青、比他强壮的人，也要觉得受不了。随时随地都有人来请他去，他都不忍拒绝。他对于无数的欢迎会，全体大会，宴会，对于各工厂各机关及各兵营的访问，对于剧院的特别表演，和政府各机关的严正会议，费了他的许多精神，他所以还能支持者，全是由于受着国人的有传染性的热诚所感动，和对于这些经他观察并谴责了四十年的俄国人的慈爱。此外也使他不禁感到愉快的，是看到全国对于他的欢声雷动，至诚感人，而在这同一国里，不久以前，他所看到的只是监狱和迫害，现在他旅行到东，到南，到北，他所碰到的是高尔基街，高尔基方场，高尔基孤儿院，还有什么高尔基车——这是在俄国四等火车的普通名称。这位老漂泊者的疲劳的心里感觉到安慰的，是在他重新到的各地，总看见对于他表示敬爱；糕饼工会，建筑工会，以及其他无数的工会，都把会员的卡片证，赠送给他，还有许多人把本国的普罗阶级所制造的礼物送给他，红军还送他一枝来福枪，选他做名誉会员……

在这样的狂热的欢迎中，高尔基所遇见的新秩序中的各种情形，都使他受到很深的感动。他总是继续着重复说道:“真可惊奇！真可骇异！”他看见有人表示他那样惊奇狂喜得好像过分，有一次他在国立出版局的会议席上不得不解释道:“你们住在本国看惯了，不觉得已做了什么伟大的工作。这种伟大的工作，我就在每条街上都看得出，甚至从每个莫斯科的路上行人身上都看得出，他们的走路的样子，也和十年前不同了……”总之他所看见的事物都表示革命已在人民的心理上有了深入的影响，普通的人都从糊涂和呆滞中振作起来了，高尔基向来对于普通人的厌恶也涣然冰释了。他在从前曾经看过大多数人民里面的黑暗、野蛮，和人类尊严的缺乏，现在忽而看到文化进步的种种现象，例如工厂的俱乐部和剧院，乡村的阅报亭和无线电收音机，东方字母的罗马化，忒科曼民族和乌慈柏格民族的妇女面幕的废弃，以及在健全的环境中，以工艺技能授与妓女与犯人，使他们得到解放——他看了这种种，当然喜形于色，不能抑制了。

他沿着伏尔加河旅行，去看尚在建造中的伏尔加顿运河，每停在一处，即有一群工人聚起来欢迎他，并请他演说。他的话不得不简短，而且常要说着老话，末了总是这样郑重的说道："研究，忍耐，工作！最最重要的——工作！"他看见他们对于他的挚情的表示，常觉得深刻的感动，他的眼眶里总很容易地涌满着热泪。孟希维克在外国的报上的通讯，用讥诮的口吻写着，说高尔基由尼斯尼诺伏格拉沿伏尔加河下驶的时候，关于他的多量的眼泪的传说，轰动了伏尔加河的下游，以致惹起大家的戒备，都这样相语道："高尔基就要来了！留神，伏尔加河要泛滥了！"他的轮船于早晨四点钟驶到了萨拉托夫，有一大堆的码头脚夫来迎接他，要和他们的这一位老同事谈谈。

这年的秋季，高尔基的健康又开始衰弱，依医生的警告，他再离俄国，到意大利去。第二年的春季（一九二九年）他回到莫斯科，同年的冬季，又住在加波的索连托。自从此时起，他常常来往于俄国和意大利两国，这样来来往往，对于他倒很适宜，使他仍能努力于创作。他仍在继续写他尚未完成的小说《四十年间》，该书第三卷最近已出版，其中故事叙述到一九〇六年的中段；他打算于此书结束时写到列宁的死。

自从一八九二年九月二十日他在《高加索日报》上发表了他的处女作以来，到一九三二年九月廿五日，整整的继续了四十年的著作生活，小说、戏剧等创作共达一百六十余种之多，苏联全体和全世界的进步的作家、思想家、科学家，为着纪念这位六十四岁还在努力创作的革命文豪的功绩，在这一天举行了世界上从来不曾有过的盛大的庆祝典礼。同日起，在一星期里面，苏联全国各戏院竞演高尔基的戏剧，各影戏院放映以他的历史做题材而摄制的影片“我的高尔基”，和他的作品电影化的新影片；国内各地的街道，建筑物，图书馆等等，改以“高尔基”为名的，不可胜数；世界各国的文学团体，都举行高尔基夜会，刊行高尔基专号等等。九月廿六日，苏联塔斯通讯社曾由莫斯科发出这样的一个电讯：

尼斯尼诺伏格拉镇，今后将以“高尔基”为名，此为昨夜高尔基著作生活四十周年盛大庆祝会中所发表的新决定，因为他生于该镇，且在此地度他的少年时代的生活。会中同时发表以苏联政府最高荣誉的“列宁奖状”赐给他，改称莫斯科艺术剧院为高尔基剧院，并在各级学校创立高尔基奖金。到社参加庆祝的有苏联政府的领袖，苏联的文学界、艺术界、戏剧界，各公共团体及各工厂的代表，各国使馆的人员，和外报记者。在主席台上的有斯达林、加里宁、莫洛托夫等等党政领袖，苏联及国外的文坛代表，法国名作家巴比塞亦远道亲来参加。当高尔基入场时，会众发热烈的欢呼，先由加里宁代表政府及党行开幕礼，向高尔基致正式贺词。随后党代表斯台兹基演讲高尔基的生平及著作，称他为“代表大众奋斗而创造新世界的最伟大的作家”。人民教育委员长波勃诺夫代表苏联的全部文化劳动者及百万学生，向高尔基致敬礼，说他为社会主义文化的奋斗，乃劳动者全部解放奋斗的一部分。演说完毕，即发表上述的决定。高尔基于会众再度热烈欢呼中，起立致答词，先向会众恳切致谢，随后勉励苏联的青年努力研求知识，他说："只有知识能坚固青年对真理的信仰，而此种信仰，即改造旧世界的紧要的工具。"

编译后记

第七卷《生活周刊》的末了几期里面，曾有几篇介绍高尔基生平的文章，读者觉得很有趣味，有许多写信来建议出一本较详细的高尔基传记，刚巧这个时候我正看完康恩教授（Alexander Kaun）所著的《高尔基和他的俄国》（*Maxim Gorky And His Russia*）一书，觉得其中有许多引人入胜令人奋发的事实，值得我们作更详细的介绍，同时因为受着热心读者来信的督促，便鼓着勇气，根据康恩教授所著的这本书，于百忙中编译成了这本《革命文豪高尔基》。

我从去年十一月一日起动笔编译，利用的时间是在早晨赴生活周刊社办公以前的一些时间，和晚间看书余下的一些时间，至今年四月底脱稿，其间因自己生了几天病，既须勉强到社办公，晨晚不得不停止工作两星期，此外还因为其他临时的事务，零碎合起来又搁了两三星期，大概编译的经过时间将近五个月。本来只打算写十五万字，后来因有许多有趣味的事实舍不得割弃，越写越长，写到了廿万字左右。译笔方面虽力求畅达，但为学力所限，自视仍觉觍然，没有时间仔细推敲，倘有错误，希望读者不吝指教，俾得于有重版机会时修正。

《高尔基和他的俄国》一书出版于一九三一年。著者康恩教授系美国加利福尼亚大学俄国文学教授，除由俄文的书报及高尔基的原著中搜集许多确切的材料外，他并为着要著此书，特往高尔基在意大利所住的加波的索棱托去过了一个夏季，差不多天天和高尔基及其左右的人晤谈，直接获得不少可贵的材料。他自己说这本书偏重在描述高尔基在俄国自沙皇到布尔希维克专政的一段过渡时期中的奋斗生涯。书末所附的高尔基著作一览颇详，也许可供有志研究文艺者的参考。(拙编的这本书，除撷取康恩教授此书的材料外，并搜集了一些在此书出版后关于高尔基最近的事实加入。)

本书承寒松、徒然两先生襄助校阅，关于高尔基参加革命运动的几章，还承胡愈之先生看过一遍，多所指正，关于排印格式等事，则承徐伯昕、严长衍两先生劳神处理，都敬此志谢。

韬旧记于上海寓所。一九三三，五，九。

这篇《编译后记》付排后，接到鲁迅先生寄到下面的一封信：

韬奋先生：

今天在《生活周刊》广告上，知道先生已译成《高尔基》，这实在是给中国青年的很好的赠品。

我以为如果能有插图，就更加有趣味。我有一本《高尔基画像集》，从他壮年至老年的像都有，也有漫画。倘要用，我可以奉借制版。制定后，用的是哪几张，我可以将作者的姓名译出来。此上即请

著安。

鲁迅上。七月九日。

关于这本书的插图，我原已搜集了三张相片，一张是高尔基和斯达林合影，一张是高尔基在他的文学生活四十周年纪念时所摄的肖影，还有一张是他最近和他的两个孙女儿合摄的一影。我接到鲁迅先生的这封信后，就写信去表示欢迎。现在这本书里的插图，除上述的三张外，其余的相片和漫画，都是承鲁迅先生借用的，并承他费了工夫把作者的姓名译出来，为本书增光不少，敬在此对鲁迅先生志感。

一九三三，五，十九，韬奋再记。

再版附言

这本书于今年七月初版发行，但不到三个月便售罄了。我刚到巴黎便接到书店方面转来的通知信，说是要再版了。我自己觉得很惭愧，因为这本书是在百忙中译成的，自知错误的地方很多。出版后承读者纷纷赐函谬加赞许，也许是书中主人翁的故事得着大众热烈的同情与欢迎吧！但这却愈增加我的愧恧。再版时，承赵一□、毕新生两先生详细校正，使拙译得以减少许多错误，这是应该十分感谢的。

韬奋写于巴黎旅次。一九三三，九，二。

高尔基著作一览

本表所列的书目，是自一八九二至一九三一年间高尔基按年所出的作品，有英文译本的特加星号志明，英文所译书名与原文不同的，则置在括弧里面。

一八九二　*《麦卡邱特拉》 *Makar Chudra*

《说谎的金翅雀与诚实的啄木鸟》 *Of the Siskin that Lied and the Woodpecker that Loved Truth*

一八九三 《爱米莲皮丽亚》 *Yemelyan Pilyay*

《祖父阿纪帕与蓝卡》 *Grandfather Arkhip and Lenka*

一八九四　*《折尔卡士》 *Chelkash*

*《一个秋夜》 *Once in Autumn*

《错误》 *A Mistake*

*《鹰之歌》 *The Song of the Falcon*

一八九五 《老妇易塞基尔》 *Old Woman Izergil*

*《金扣的事件》 *The Affair with the Clasps*

*《在木排上》 *On a Raft*

一八九六 *《我的旅伴》 *My Fellow Traveler*

*《可汗与其子》 *The Khan and His Son*

*《树干》 *Boles*（*Het Lover*）

*《火伴们》 *Comrades*

《心痛》 *Heartache*

*《柯诺佛罗夫》 *Konovalov*

*《维获德》 *Vyvod*（*An Adulterous Wife*；*also*：*The Fxorcism*）

*《佛伦卡奥列索伐》 *Varenka Olesova*

一八九七 *《奥罗夫夫妇》 *The Orlov Couple*（周苋译《世界文库》）

*《做过人的动物》 *Ex-Men*（*Creatures that Once Were Men*；*also*：*Out-casts*；*also*：*Men with Pasts*）

*《捣乱者》 *Mischiefmaker*（*An Insolent Man*）

*《草原上》 *In the Steppe*（粱遇春译 北新《草原故事》巴金译 文化生活社）

*《玛尔伐》 *Malva*（陈节译 《世界文库》）

《戈特法的市集》 *The Goltva Fair*

*《萨苏里纳》 *Zazuorina*（*The Green Kitten*）

《厌倦中来》 *From Boredom*

一八九八　*《同窗之友》 *Chums*

*《一个可疑的人物》 *A Shady Character*（*A Rolling Stone*；*also*：*A Strange Companion*）

《一个读者》 *A Reader*

*《该隐与阿敦》 *Cain and Artem*

一八九九　*《基里卡》 *Kirilka*（*Waiting for the Ferry*）

《关于魔鬼》 *Concerning the Devil*（鲁迅译）

*《再关于魔鬼》 *More Concerning the Devil*

《红伐斯卡》 *Red Vask*

*《廿六男与一女》 *Twenty Six Men and One Girl*

一九〇〇　*《歌尔狄叶夫》 *Foma Gordeyev*（中译《胆怯的人》 李兰译　湖风）

一九〇一　*《狂风暴雨中的海燕之歌》 *Song of the Stormy Petrcl*（萧参译《高尔基创作选集》 生活）

*《三人》 *Three of Them*（黄源译　生活　钟石韦译　商务）

一九〇二　*《华丽的市民》 *Smug Citizens*（剧本）

*下　层 *At the Bottom*（*also*：*Lower Depths*；*also*：*A Night Lodging*；*also*：*Down and Out*）（剧本，又译为《沈渊》）

一九〇三　*《人》 *Man*

一九〇五 《一月九日》 *January 9*

《兵士》 *Soldiers*

《三日》 *Three Days*

《白可莫夫》 *Bukovomov*

《费烈普的故事》 *The Story of Filipp Vasilyevich*

《监狱》 *The Prison*

*《避暑客》 *Summer Folk*（剧本）

*《太阳的孩子》 *Children of the Sun*（剧本）

一九〇六 《伙伴！》 *Comrade!*！

《敌人》 *Enemies*（剧本）

《野蛮人》 *Barbarians*（剧本）

《在美国》 *In America*

*《黄鬼的城》 *The City of the Yellow Devil*（*The City of Mammon*）

*《厌烦的疆域》 *The Kingdom of Tedium*

《群众》 *Mob*

《我的面谒》 *My Interviews*

《俄国的沙皇》 *The Russian Tsar*

《一个共和国的王》 *One of the Republic' s Kings*

《人生的主人》 *The Masters of Life*

《一个道德的传教师》 *A Priest of Morals*

《漂亮的法兰西》 *Fair France*

一九〇七（至一九〇八） *《母亲》*Mother*（沈端先译 开明）

一九〇八 *《忏悔录》 *The Confession*（何妨译 中华）

《最后的人》 *The Last Ones*（剧本）

一九〇九 *《一个冗人的一生》 *The Life of a Superfluous Man*（*The Spy*）(《奸细》秦炳著译 生活）

《夏天》 *Summer*（何素文译 商务）

一九一〇 《乌古罗夫小城》 *Okurov Town*

《雪列斯诺伐》 *Vassa Zheleznova*（剧本）

《怪人》 *Queer People*（剧本）

一九一一 《库资梅亚金的一生》 *The Life of Matvey Kozhemyakin*

一九一一（至一九一二）*《意大利的故事》*Italian Tales*

*《俄国的故事》*Russian Tales*（以上两种故事均有一部分译英，成为《两国的故事》*Tales of Two Countries*）

一九一二《麦卡生平的一件事变》*An Incident from the Life of Makar*

一九一三　*《幼年时代》*Childhood*（陈小航译　商务，又译为《我的童年》蓬子译）

《老板》*The Master*

一九一八　*《在人间》*In the World*

一九一九《托尔斯泰回忆录》*Reminiscences of Leo Nikolayevich Tolstoy*

一九二二　*《老人》*The Old Man*（*The Judge*，剧本）

《薛科夫斯》*The Zykovs*（剧本）

《儿童》*Children*（剧本）

一九二三（至一九二四）*《我的日记和回忆录杂钞》*Notes from My Diary and Recollections*（几于全部译英，成为《我的日记》的片断 *Fragments from My Diary*）

一九二四　*《我的大学校》*My Universities*（*also*：

Yeminisences from My Youth，杜畏之译　绝版）

《一个看守人》 *A Watchman*

*《柯洛伦科的时期》 *The Time of Korolenko*

*《论哲学的毒害》 *On the Harm of Philosophy*

*《初恋》 *First Love*（穆木天译　现代）

*《柯洛伦科》 *V. G. Korolenko*

《白托罗拍夫洛夫斯基》 *N. E. Karonin-Petropavlovsky*

《柴霍甫》 *A. P. Chekhov*

《托尔斯泰》 *Leo Tolstoy*

《柯资玉宾斯基》 *M. M. Kotsyubinsky*

*《安得列夫》 *Leonid Andreyev*

*《经过俄国》 *Through Russia*

*《人的产生》 *The Birth of Man*

*《破冰船》 *Icebreaker*

*《古宾》 *Gubin*

*《尼鲁许卡》 *Nilushka*

*《坟地》 *The Cemetery*

*《轮船上》 *On a Steamer*

*《一个妇人》 *A Woman*

*《山径中》 *In a Mountain Defile*

*《卡利宁》 *Kalinin*

《他们来了》 *They Are Coming*

*《死人》 *The Dead Man*

《杂物》 *Hodgepodge*

《夏莫夫家里的一夜》 *An Evening at Shamov' a*

《白纳许金家里的一夜》 *An Evening at Panashkin' s*

《索克莫梅哀金家里的一夜》 *An Evening at Sukmomyatkin' s*

《淡灰与淡蓝》 *Light-grey and Light-blue*

《一本书》 *A Book*

《他们怎样作一首歌》 *How They Composed a Song*

《鸟的罪恶》 *Birds' Sin*

《一个银的十戈比克》 *A Silver Ten-Copeck Piece*

《愉快》 *Happiness*

《一个英雄》 *A Hero*

《一个丑角》 *A Clown*

《旁观者》 *Onlookers*

《廷姆卡》 *Timka*

《一个轻浮的人》 *A Light-minded Man*

《莫得斯梯》 *Strast Mordasti*（一首歌里无意义的字）

《臧加尔河边》 *By Changul River*

《一个快乐的汉子》 *A Jolly Chap*

《一个姑娘与死》 *A Maiden and Death*（韵文的神话）

《关于柯西伯爵夫人的山歌》 *A Ballad of Countess Hélène de Coursi*（韵文）

故事和见闻杂记:《一个浪漫主义者》 *A Romantic*;《一个摩得费尼恩妇人》*A Mordivinian Woman*;《一个小女孩》*A Little Girl*;《火灾》*A Fire*;《偷窃》*A Theft*;《土匪》*Bandits*;《诉苦》*Complaints*;《故事》*Tales*

一九二五 *《阿托莫诺夫的事业》 *The Artamonov Business*（*Decadence*,《没落》陈小航译 神州）

《小说集》(一九二二至一九二四:) *《隐者》 *The Hermit*;《单恋的故事》*A Story of Unrequited Love*;《一个英雄的故事》*The Story of a Hero*; *《一篇小说的故事》*The Story of a Novel*;《卡拉莫拉》*Karamora*; *《一件事变》*An Incident*;《演习》*The Rehearsal*; *《蔚蓝天空的生活》*The Sky-Blue Life*;《不平常的故事》*A Story about the Unusual*;《回忆小说及见闻杂记》

Recollections-Stories-Sketches；*《列宁》*V. Lenin*；《关于托尔斯搭亚》*About S. A. Tolstaya*；《卡拉辛》*Krasin*；叶盛宁 *SergeYesenin*；《安纳斯基》*N. F.Annesky*；《关于格林·密海洛夫斯基》*About Garin Mikhaylovsky*；《向导》*The Guide*；《康斯科哀》*Kemskoy*；*《杀人犯》*Murderers*；*《一个标记》*An Emblem*；《关于蟑螂》*About Cock-roaches*；《伪币》*The False Coin*（剧本）；《一个读者的札记》*Notes of a Reader*

一九二七　*《克林珊姆金的一生》*The Life of Klim Samgin*——《四十年间》*Forty Years*（*The Bystander*）第一卷（有中译本，已绝版）

一九二八　*《克林珊姆金的一生》*The Life of Klim Samgin*——《四十年间》*Forty Years*（*The Magnet*）第二卷（《磁力》罗稷南译　生活）

一九三一　*《克林珊姆金的一生》*The Life of Klim Samgin*——《四十年间》*Forty Years* 第三卷（《燎原》罗稷南译　生活）

一九三六　*《克林珊姆金的一生》*The Life of Klim Samgin*——《四十年间》*Forty Years* 第四卷（《幽灵》罗稷南译　大时代）

第六版修订后记

高尔基逝世后一日，莫斯科的《真理报》社论中第一句话是："理智的明灯熄灭了！"这固然是寓着无限悼惜之意。但在实际上这盏"理智的明灯"是永远不会"熄灭"的。即如本书五版售罄之后，要求再版者仍纷至沓来，可见高尔基一生的艰苦奋斗，学习锻炼，是永远要吸住无数有志青年的注意，是永远在导引着我们容易地向着光明的大道前进！

本书第六版略有修订之处，大概说来有：

（一）增加精美铜图十余张，插入书的当中，每编之前，附插铜图两面，图画都与每编内容有关，并略加说明。此外在书的前面，原来的若干铜图，因重新制版关系，有的不甚清楚，减少了一些，余仍照旧。

（二）全书的译名已根据最近惯用的（如人名、地名、书名等）加以更改。

（三）附录的“高尔基著作一览”原来只提到英译本，现在特加上中译本，关于译者及出版处，凡为我们所知道的，都已尽可能地加进去了。

（四）尤其重要的是对于第五及第六两编的删改，特别是第五编中的第二十三章及第二十四章。这些删改的部分，都是由于发现原著者有疏忽或不甚正确的地方，参考其他材料加以修正的。

关于本书第六版的细心校对，新增铜图的俄文说明的叙述，我要感谢刘执之先生；关于铜图的排样的设计，我要感谢何步云先生；关于新加插图的搜集，删改部分的材料的搜集和指教，我要感谢艾寒松先生。

韬奋记于重庆学田湾衡舍　一九四一年二月二十一日晚

韬奋先生重要译著

韬奋漫笔（杂感集）	一九三一年著
革命文豪高尔基（传记）	一九三三年编译
萍踪寄语（初，二，三集）	一九三四年著
萍踪忆语	一九三七年著
经历（自传）	一九三七年著
大众集（论文集）	一九三六年著
坦白集（论文集）	一九三七年著
展望（论文集）	一九三七年著
再厉集（论文集）	一九三八年著
曙光集（论文集）	一九三九年著
读书偶译	一九三七年著
苏联的民主（英·斯隆原著）	一九三九年译
从美国看到世界	一九三九年译

事业管理与职业修养	一九四〇年著
抗战以来	一九四一年著
患难余生记（最后遗著）	一九四三年著

三联经典文库第二辑简目

《游击战教程》　明凡 / 著

《游击战术纲要》　陶剑青 / 编著

《汪精卫卖国的理论与实践》　钱俊瑞 / 著

《抗战以来》　韬奋 / 著

《陕行纪实》　楚云 / 著

《随军散记》　沙汀 / 著

《被日寇囚系半载记》　王研石 / 著

《倭营历险记》　房沧浪 / 著

《活跃的新西北》　田影 / 编著

《保卫华北的游击战》　刘清扬　陈北鸥等 / 著

《徐州突围》　《徐州突围》编委会 / 编

《沦亡的平津》　长江　小方等 / 著

《淞沪火线上》　胡兰畦等 / 著

《瞻回东战场》　长江　罗平 / 著

《东线的撤退》　胡兰畦等 / 著

《抗战中的西北》　徐盈 / 著

《鲁闽风云》　徐盈等 / 著

《西线生活》　西北战地服务团集体创作

《中国解放区见闻》　［美］福尔曼著 / 朱进译

《全面抗战论》　潘汉年 / 著

《日本的间谍》　范士白自述 / 尊闻译

《日本大陆政策的真面目》　国难资料编辑社 / 编

《民众动员论》　李公朴 / 著

《中国外交史》　钱亦石 / 编著

《太平洋军事地理》　蒋震华 / 著

《世界经济地理讲话》　思慕 / 著

《列强军力论》　［德］马克斯 · 威纳尔著 / 宾符　仲持　梅益等译

《近代国际关系史》　张铁生 / 著

《太平洋现势手册》　沈志远　石啸冲 / 编著

《近代世界政治史》　钱亦石 / 著

《从战争到和平——一九四五年的世界政治》　乔木 / 著

《战后日本问题》　思慕 / 著

《最近一年间的国际动态（1946.7–1947.6）》　《东北日报》社 / 编

《论政党》　翟放 / 著

《法与宪法》　韩幽桐 / 编著

《中华民国宪法刍议》　罗家衡 / 著

《民主 · 宪法 · 人权——作之民》　费孝通 / 著

《宪法论初步》　潘念之 / 著

《对反民主的抗争》　韬奋 / 著

《农村改进的理论与实际》　江恒源 / 著

《上海产业与上海职工》(上下)　　朱邦兴　胡林阁　徐声 / 合编

《陶行知教育论文选辑》　　陶行知著 / 方与严编

《中国通货膨胀论》　　杨培新 / 著

《中国及其未完成的革命》　　H·普拉特著 / 蒋天佐译

《中国的建设问题与人的训练》　　卢作孚 / 著

《论中国特殊性及其他》　　艾思奇 / 著

《中国经济问题讲话》　　钱俊瑞　徐雪寒　王渔邨　姜君辰　骆耕漠 / 合著

《中国经济的道路》　　许涤新 / 著

《中国财政之病态及其批判》　　孙怀仁 / 著

《官僚资本论》　　许涤新 / 著

《五四运动之史的评价》　　陈端志 / 著

《中国通史简编》(上下)　　中国历史研究会　范文澜 / 主编

《论文学的工农兵方向——读〈在延安文艺座谈会上的讲话〉》　雪苇 / 著

《中国近代史(上编　第一分册)》　　武波 / 编著

《文学百题》　　傅东华 / 编

《中国史学之进化》　　周谷城 / 著

《论民族形式问题》　　胡风 / 著

《论批评》　　荃麟等 / 著

《中国史纲》(第一卷上下、第二卷上下)　　翦伯赞 / 著

《近代中国思想学说史》(1–4)　　侯外庐 / 著

《中国政治思想史》(上下)　　吕振羽 / 著

《中国哲学史纲要》　　向林冰 / 著

《中国政治史讲话》　　钱亦石 / 著

《中国社会经济史纲》　　王渔邨 / 著

《新财政学大纲》　　千家驹 / 著

《太平天国革命运动论文集——金田起义百周年纪念》

　华北大学历史研究室 / 编

《理性与自由——文化思想批评论文集》　　胡绳 / 著

《战斗者的诗人》　　黄药眠 / 著

《国语文法》　　曹朴 / 著

《教育哲学》　　张栗原 / 著

《妇女问题讲话》　　杜君慧 / 著

《婚姻 · 子女 · 继承》　　沙千里 / 著

《性教育新论》　　布士克　雅各生合著 / 董秋斯译

《狱中杂感》　　杜重远 / 著

《七人之狱》　　沙千里 / 著

《爱迪生传》　　伍况甫 / 译

《歌德自传》(上下)　　歌德著 / 思慕译

《尼赫鲁自传》　　[印度] 尼赫鲁著 / 毕来译

《列宁传》　　[苏] 凯尔任采夫著 / 企程　朔望译

《罗斯福总统传》　　C. Mackenzie 著 / 张尚之译

《托尔斯泰传》(1–3)　　[英] 阿尔麦 · 莫德著 / 徐迟译

《革命文豪高尔基》　［美］亚历山大·康恩著 / 韬奋编译

《鲁迅纪念特辑》　新中国文艺社 / 编

《回忆鲁迅先生》　萧红 / 著

《人民文豪鲁迅》　平心 / 著

《亡友鲁迅印象记》　许寿裳 / 著

《鲁迅思想研究》　何干之 / 著

《鲁迅研究》　夏征农 / 编

《过来的时代：鲁迅论及其他》　雪峰 / 著

《电影戏剧表演术》　洪深 / 著

《日常心理漫谈》　［美］约瑟夫·查斯特罗著 / 曾宝葹译

《心理常识漫话》　朱智贤　杨云美 / 著

《读书的方法与经验》　王任叔 / 著

《美国黑人生活纪实》　［美］加德维尔　斯坦倍克著 / 董秋斯译

《初访美国》　费孝通 / 著

《事业与成功》　［美］马尔腾著 / 汪原放译

《萍踪寄语（初集）》　韬奋 / 著

《一生的幸福前途——〈生活周刊〉信箱选集》　生活书店 / 编选

《深刻的印象》　生活周刊社 / 编

《海外的感受》　生活书店编译所 / 编

ISBN 978-7-108-04597-3
9 787108 045973 >
定价：64.00元